학습 진도표 | 만점왕 국어 2-1

학습 완료 후 붙임 딱지를 붙여 학습 진도표를 완성해요

1단원 1차 2차
3차 4차 5차

2단원 1차 2차
3차 4차
5차

3단원
1차 2차
3차 4차 5차

4단원
1차
2차 3차
4차
5차

5단원
1차 2차

KB214046

6단원 1차 2차
3차 4차 5차

7단원
1차 2차 3차
4차 5차

8단원
1차 2차 3차
4차 5차

EBS

초등

인터넷·모바일·TV
무료 강의 제공

초 | 등 | 부 | 터 **EBS**

예습, 복습, 숙제까지 해결되는

교과서 완전 학습서

만점왕

BOOK 1
개념책

국어 2-1

무료 강의 제공

BOOK 1

개념책

BOOK 1 개념책으로
교과서에 담긴 **학습 개념**을
꼼꼼하게 공부하세요!

⬇ 해설책은 EBS 초등사이트(primary.ebs.co.kr)에서 다운로드 받으실 수 있습니다.

교 재   교재 내용 문의는 EBS 초등사이트
내 용   (primary.ebs.co.kr)의 교재 Q&A
문 의   서비스를 활용하시기 바랍니다.

교 재   발행 이후 발견된 정오 사항을 EBS 초등사이트
정오표   정오표 코너에서 알려 드립니다.
공 지   교재 검색 ▶ 교재 선택 ▶ 정오표

교 재   공지된 정오 내용 외에 발견된 정오 사항이
정 정   있다면 EBS 초등사이트를 통해 알려 주세요.
신 청   교재 검색 ▶ 교재 선택 ▶ 교재 Q&A

만점왕

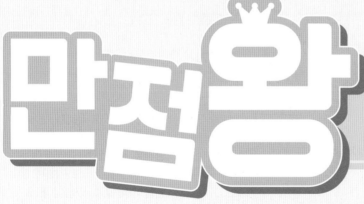

BOOK 1 개념책

국어 2-1

이 책의 구성과 특징

BOOK 1 개념책

단원 도입

단원을 시작할 때마다 도입 그림을 눈으로 확인하며 안내 글을 읽으면, 공부할 내용에 대해 흥미를 갖게 됩니다.

교과서 내용 학습

국어 교과서에 실린 지문, 활동을 하나하나 꼼꼼하게 살펴보며 교과서에 담긴 내용을 빈틈없이 학습할 수 있습니다.

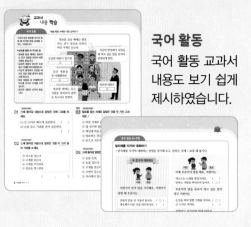

국어 활동

국어 활동 교과서 내용도 보기 쉽게 제시하였습니다.

교과서 문제 확인

교과서 문제와 답을 제시하여 만점왕 하나로 학교 숙제까지 해결할 수 있도록 하였습니다.

단원 정리 학습

지문과 활동을 통해 접했던 단원 학습 개념을 정리하는 단계입니다. 자세한 개념 설명과 그림, 예시를 통해 핵심 개념을 분명하게 파악할 수 있습니다.

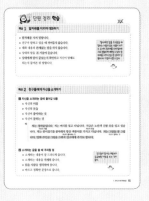

단원 확인 평가

평가를 통해 단원 학습을 마무리하고, 자신이 보완해야 할 점을 파악할 수 있습니다.

BOOK 2 실전책

핵심 + 복습

핵심 정리를 통해 학습한 내용을 복습하고, 간단한 문제를 통해 자신의 학습 상태를 확인할 수 있습니다.

학교 시험 만점왕

앞서 학습한 내용을 바탕으로 보다 다양한 문제를 경험하여 단원별 수시 평가를 대비할 수 있습니다.

이 책의 차례

BOOK
1
개념책

학습 진도표에 붙임 딱지를 붙여 학습 상황을 한눈에 확인할 수 있습니다.

인공지능 DANCHOQ
푸리봇 문|제|검|색

EBS 초등사이트와 EBS 초등 APP 하단의
AI 학습도우미 푸리봇을 통해 문항코드를
검색하면 푸리봇이 해당 문제의 해설 강의를
찾아 줍니다.

문제별 문항코드 확인

[241003-0001]

1. 아래 그래프를 이해한 내용으로 가장 적절한 것은?

①
②
③
④

241003-0001

문항코드 검색

1

만나서 반가워요!

단원 학습 목표

15쪽 단원 정리 학습에서 더 자세히 공부해 보세요.

1. 말차례를 지키며 대화할 수 있습니다.
   - 말차례를 알 수 있습니다.
   - 글을 읽고 친구들과 이야기를 나눌 수 있습니다.
2. 친구들에게 자신을 소개할 수 있습니다.
   - 소개할 내용을 정리할 수 있습니다.
   - 자신을 소개하는 글을 쓸 수 있습니다.

단원 진도 체크

회차		학습 내용	진도 체크
1차	단원 열기	단원 학습 내용 미리 보고 목표 확인하기	✓
2차	교과서 내용 학습	배울 내용 살펴보기	✓
	교과서 내용 학습	말차례 알아보기	✓
3차	교과서 내용 학습	소개할 내용 정리하기	✓
	교과서 내용 학습	자신을 소개하는 글 쓰기	✓
4차	교과서 내용 학습	국어 활동 학습하기	✓
	교과서 문제 확인	교과서 문제 해결하기	✓
5차	단원 정리 학습	단원 학습 내용 정리하기	✓
	단원 확인 평가	확인 평가를 통한 단원 학습 상황 파악하기	✓

해당 부분을 공부하고 나서 ✓표를 하세요.

새로 사귄 친구들에게 자신을 소개해 본 적이 있나요? 내가 말하고 있을 때 친구가 끼어들어 말한다면 기분이 좋지 않겠지요?

1단원에서는 다른 사람의 말을 잘 듣고 존중하는 마음으로 말차례를 지켜 말해 볼 거예요. 또, 자신을 소개하는 글을 쓰는 방법을 알고 소개하는 글을 써 볼 거예요.

교과서 내용 학습

학습 목표 ▶ 배울 내용 살펴보기

·그림의 특징: 발표를 하거나 들을 때 주의할 점을 살펴볼 수 있는 그림입니다.

■ 발표를 들을 때 주의할 점
· 발표를 들을 때에는 발표하는 친구 얼굴을 보면서 바른 자세로 듣습니다.
· 궁금한 내용이 있으면 손을 들고 기회를 얻어 질문합니다.
· 자신의 말차례가 되었을 때 하고 싶은 말을 끝까지 분명하게 합니다.
· 들은 내용을 잘 이해했다면 미소를 짓거나 고개를 끄덕입니다.
· 중요한 내용은 쓰면서 듣습니다.

발표를 들을 때에는 발표하는 친구 얼굴을 보면서 바른 자세로 듣는다.

자신의 말차례가 되었을 때 하고 싶은 말을 끝까지 분명하게 한다.

궁금한 내용이 있으면 ㉠

들은 내용을 잘 이해했다면 ㉡

중요한 내용은 ㉢

발표할 때에는 듣는 사람을 바라보며 알맞은 목소리로 말한다.

241003-0001

01 ㉠에 들어갈 내용으로 알맞은 것에 ○표를 하세요.

(1) 큰 소리로 빠르게 질문한다. ( )
(2) 손을 들고 기회를 얻어 질문한다. ( )

241003-0002

02 ㉡에 들어갈 내용으로 알맞은 것을 <u>두 가지</u> 골라 기호를 쓰세요.

> ㉮ 미소를 짓는다.
> ㉯ 고개를 흔든다.
> ㉰ 고개를 끄덕인다.
> ㉱ 얼굴을 찡그린다.

(,)

중요 241003-0003

03 발표를 듣는 자세로 알맞은 것을 <u>두 가지</u> 고르세요. (,)

① 바른 자세로 듣습니다.
② 옆 친구와 장난을 칩니다.
③ 책상에 턱을 괴고 듣습니다.
④ 발표하는 친구의 얼굴을 봅니다.
⑤ 손으로 지우개나 연필을 만집니다.

241003-0004

04 ㉢에 들어갈 알맞은 내용은 무엇인가요? ( )

① 손을 든다.
② 눈을 감는다.
③ 고개를 흔든다.
④ 쓰면서 듣는다.
⑤ 자리에서 일어난다.

국어 9쪽 　　　　학습 목표 ▶배울 내용 살펴보기

저는 강아지를 기르고 있습니다. 곱슬곱슬한 털이 많아
이름도 곱슬이입니다. 몸집은 작지만 귀는 아주 커서 얼굴
을 다 덮을 정도입니다. 눈은 동그라면서 크고, 코는 까만
색이며 코끝은 반질거립니다. 제가 학교에 갔다 오면 껑충
껑충 높이 뛰어오르며 반겨 줍니다. 곱슬이는 우리 집 재
롱둥이입니다.

소개하는 대상의 이름
소개하는 대상의 생김새
소개하는 대상의 특징

★ 바르게 받아쓰기

덮을	덥을
(○)	(×)

·글의 특징: 민수가 자신이 기
르고 있는 강아지의 이름, 생
김새, 특징을 소개하는 글입
니다.

■ 소개하는 글에 들어갈 내용
• 소개하는 대상의 이름
• 소개하는 대상의 생김새
• 소개하는 대상의 특징
• 읽을 사람이 궁금해할 내용

241003-0005

05 이 글에 대해 바르게 설명한 것은 무엇인가요?
(　)

① 자기 자신을 소개한 글입니다.
② 자신의 친구를 소개한 글입니다.
③ 강아지의 종류를 설명한 글입니다.
④ 자신의 장래 희망을 소개한 글입니다.
⑤ 자신이 기르는 강아지를 소개한 글입니다.

241003-0006

06 민수네 강아지의 이름은 무엇인지 글에서 찾아
쓰세요.

(　　　　)

241003-0007

07 민수네 강아지에 대한 설명으로 알맞지 않은 것
은 무엇인가요? (　)

① 눈은 동그라면서 큽니다.
② 곱슬곱슬한 털이 많습니다.
③ 몸집은 작지만 귀는 큽니다.
④ 코는 까만색이며 코끝은 반질거립니다.
⑤ 민수가 학교에 갔다 오면 크게 짖으며
반겨 줍니다.

중요
08 241003-0008

이와 같은 글에 들어갈 내용으로 알맞은 것에
모두 ○표를 하세요.

(1) 소개하는 대상의 이름 (　)
(2) 소개하는 대상의 특징 (　)
(3) 소개하는 대상의 생김새 (　)
(4) 읽을 사람이 관심 없는 내용 (　)

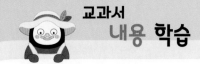
국어 10~11쪽   학습 목표 ▶ 말차례 알아보기

·그림의 특징: 발표를 하거나 들을 때 주의할 점을 살펴볼 수 있는 그림입니다.

■ 대화할 때 주의할 점
• 말차례를 지켜 말합니다.
• 친구가 말할 때는 끼어들지 않습니다.
• 대화 내용과 관계없는 말을 하지 않습니다.
• 상대의 말을 귀 기울여 듣습니다.

■ 말차례란?
말을 주고받을 때 말하는 사람과 듣는 사람이 지키는 순서를 말합니다.

241003-0009

09 선생님과 친구들은 무엇을 주제로 대화하고 있는지 빈칸에 알맞은 말을 쓰세요.

자신의 ☐

241003-0010

10 그림의 상황을 가장 바르게 설명한 것에 ○표를 하세요.

(1) 동현이가 발표할 때 친구가 끼어들었습니다. ( )

(2) 동현이가 발표할 때 친구가 잘 듣지 않았습니다. ( )

(3) 동현이가 대화 내용과 관계없는 엉뚱한 이야기를 하였습니다. ( )

서술형 241003-0011

11 4에서 동현이의 기분은 어떠했을지 쓰세요.

_____

_____

도움말 내가 말할 때 친구가 끼어들면 어떤 기분이 들지 생각해 봅니다.

중요 241003-0012

12 대화할 때 주의할 점으로 알맞지 <u>않은</u> 것은 무엇인가요? ( )

① 말차례를 지켜 말합니다.
② 친구가 말할 때 끼어듭니다.
③ 상대의 말을 귀 기울여 듣습니다.
④ 상대의 말이 끝나기를 기다려 말합니다.
⑤ 대화 내용과 관계없는 말을 하지 않습니다.

국어 28~31쪽   학습 목표 ▶ 소개할 내용 정리하기

가
> 저는 김서준입니다. 저는 태권도를 좋아합니다.
>
> 서준

나
> ㉠저는 정하윤입니다. ㉡저는 머리를 묶고 다닙니다. 지금은 노란색 긴팔 옷을 입고 있습니다. ㉢저는 종이접기를 좋아해서 항상 색종이를 가지고 다닙니다. ㉣저는 그림을 잘 그립니다. 만화 주인공 그림을 그려서 친구에게 주기도 합니다.
>
> 하윤

- 글 **가**의 특징: 자신을 소개하는 글이지만 자신의 특징 등 소개하는 내용이 잘 드러나 있지 않습니다.
- 글 **나**의 특징: 자신을 소개하는 글로 자신의 이름과 모습, 좋아하는 것, 잘하는 것이 잘 드러나 있습니다.

■ 자신을 소개하는 글에 들어갈 내용

- 이름   • 모습
- 좋아하는 것   • 잘하는 것

★ 바르게 받아쓰기

묶고	묵고
(○)	(×)

241003-0013

13 글 **가**와 **나**의 공통점은 무엇인가요? (   )

① 자신을 소개하는 글입니다.
② 친구를 소개하는 글입니다.
③ 자신의 마음을 전하는 글입니다.
④ 오늘 있었던 일을 쓴 일기입니다.
⑤ 글을 읽고 느낀 점을 기록한 글입니다.

241003-0014

14 글 **가**와 **나** 중 소개하는 내용이 더 잘 드러난 글은 무엇인지 쓰세요.

(   )

241003-0015

15 **14**에서 그렇게 답한 까닭은 무엇인가요?

(   )

① 나이와 가족이 잘 나타나서
② 내 생각과 느낌이 잘 드러나서
③ 있었던 일이 차례대로 나타나서
④ 언제, 어디에서 있었던 일인지 드러나서
⑤ 모습, 잘하는 것 등이 자세히 드러나서

중요
241003-0016

16 ㉠~㉣은 어떤 내용인지 알맞게 선으로 이으세요.

(1) ㉠ •   • ① 자신의 이름

(2) ㉡ •   • ② 자신이 잘하는 것

(3) ㉢ •   • ③ 자신이 좋아하는 것

(4) ㉣ •   • ④ 자신의 모습

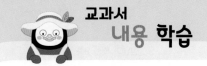
국어 32~35쪽   학습 목표 ▶자신을 소개하는 글 쓰기

241003-0017

17 자신을 소개하는 글을 쓰기 위해 정리할 내용으로 알맞지 <u>않은</u> 것은 무엇인가요? (   )

① 이름
② 모습
③ 잘하는 것
④ 좋아하는 것
⑤ 전화번호와 주소

241003-0018

18 자신을 소개하는 글을 쓸 때 주의할 점입니다. 빈칸에 들어갈 말을 보기 에서 골라 쓰세요.

보기

| 모습 | 쉽게 | 자세하게 |

(1) 소개하는 내용을 (   ) 씁니다.
(2) 자신의 (   )이/가 자연스럽게 떠오르도록 표현합니다.
(3) 읽을 사람이 알아보기 (   ) 맞춤법에 맞게 씁니다.

서술형
19 241003-0019

나를 소개하려고 합니다. 다음 빈칸에 들어갈 알맞은 내용을 쓰세요.

(1) 이름	
(2) 모습	
(3) 좋아하는 것	
(4) 잘하는 것	

도움말 나의 모습, 좋아하는 것, 잘하는 것을 떠올려 써 봅니다.

서술형
20 241003-0020

19에서 정리한 내용을 바탕으로 나를 소개하는 글을 간단히 쓰세요.

_____
_____
_____

도움말 19에서 정리한 내용을 자연스럽게 풀어서 자신을 소개하는 글을 써 봅니다.

241003-0021

21 친구를 소개하는 글에 들어갈 내용으로 알맞지 <u>않은</u> 것을 <u>두 가지</u> 고르세요. (,   )

① 친구의 성격
② 친구의 이름
③ 친구의 생김새
④ 친구가 못하는 것
⑤ 친구의 나쁜 버릇

중요
22 241003-0022

자신을 소개하는 글을 쓰는 방법으로 알맞은 것에 <u>모두</u> ○표를 하세요.

(1) 소개할 내용을 자세히 씁니다. (   )
(2) 바르고 정확한 문장으로 씁니다.
(   )
(3) 자신의 특징을 한 가지만 씁니다.
(   )
(4) 읽을 사람이 잘 알고 있는 내용을 씁니다.
(   )

말차례를 지키며 대화하기

• 말차례를 지키며 대화하는 방법을 생각해 보고, 알맞은 것에 ○표를 해 봅시다.

두 친구가 대화해요

지현   호준

지현이가 먼저 말을 시작해요. 지현이가 말할 때 호준이는

| 상대의 말을 귀 기울여 들어요. | (○) |
| 계속해서 다른 곳을 바라보아요. | ( ) |

| 상대가 말하고 있을 때 | ( ) |
| 자신의 말차례가 되었을 때 | (○) |

호준이가 말을 시작해요.

지현   호준

이제 호준이가 말을 해요. 지현이는

| 떠오르는 노래를 흥얼거려요. | ( ) |
| 말하는 사람을 바라보며 들어요. | (○) |

호준이의 말을 듣다가 하고 싶은 말이 생긴 지현이는

| 손짓을 하며 말할 기회를 얻어요. | (○) |
| 큰 소리로 외쳐요. | ( ) |

지현이는 호준이의 말에 이어서

| 또박또박 말해요. | (○) |
| 말끝을 흐리면서 말해요. | ( ) |

호준이는 지현이의 말을 잘 들어요. 지현이가 말하고 있는 동안에 호준이가 궁금한 점이 생기면

| 바로 끼어들어 물어봐요. | ( ) |
| 말이 끝날 때까지 기다렸다가 물어봐요. | (○) |

확인 문제 말차례를 지키며 말하는 방법을 생각해 보고, 보기 에서 알맞은 말을 골라 쓰세요.

보기

| 말차례 | 귀담아 | 말놀이 |

1 상대의 말을 (   ) 듣습니다.

2 상대가 말하고 있을 때는 자신의 (   )를 기다립니다.

정답 1. 귀담아 2. 말차례

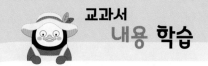
친구들에게 자신을 소개하기

• 자신을 소개하는 글을 쓰는 방법을 알맞게 설명한 내용을 찾아 ○표를 해 봅시다.

예

• 자신의 이름을 쓴다.	(○)
• 친구에게 부탁하는 내용을 쓴다.	( )
• 자신의 특징이 드러나게 쓴다.	(○)
• 읽을 사람이 궁금해하는 내용을 쓴다.	(○)
• 친구가 잘하는 것을 쓴다.	( )

• 민희가 쓴 글에서 자신을 소개하는 내용으로 알맞은 문장을 붙여 봅시다.

예

소개하는 내용으로 자신의 이름, 나이, 모습, 좋아하는 것, 잘하는 것 등을 쓰는 것이 알맞아.

확인 문제 자신을 소개하는 글에 들어갈 내용으로 알맞은 것에는 ○표, 알맞지 <u>않은</u> 것에는 ×표를 하세요.

1 나의 모습 ( )

2 내가 좋아하는 음식 ( )

3 아버지의 직업과 나이 ( )

정답 1. ○ 2. ○ 3. ×

 ### 국어 7~9쪽 교과서 8~9쪽 문제와 답

활동 내용

· 발표를 하거나 들을 때 주의할 점 알아 보기
· 소개하는 글에 들어갈 내용 알아보기

▶ **발표를 하거나 들을 때 주의할 점을 알아봅시다.**

· 발표를 들을 때에는 예 발표하는 친구 얼굴을 보면서 바른 자세로 듣습니다.
· 궁금한 내용이 있으면 예 손을 들고 기회를 얻어 질문합니다.
· 들은 내용을 잘 이해했다면 예 미소를 짓거나 고개를 끄덕입니다.
· 자신의 말차례가 되었을 때 하고 싶은 말을 끝까지 분명하게 합니다.
· 중요한 내용은 예 쓰면서 듣습니다.
· 발표할 때에는 예 듣는 사람을 바라보며 알맞은 목소리로 말합니다.

▶ **평소에 발표를 하거나 들을 때 자신의 습관이 어떠한지 생각해 봅시다.**

예 친구들이 발표할 때 딴생각을 한 적이 많습니다. / 말할 내용이 있으면 손을 들어 표시했습니다.

▶ **민수가 쓴 글을 읽고 물음에 답해 봅시다.**

· 민수네 강아지의 이름은 무엇인가요? 예 곱슬이입니다.
· 강아지는 어떻게 생겼나요?
  예 눈은 동그라면서 크고, 코는 까만색이며 코끝은 반질거립니다.
· 민수가 집에 오면 강아지는 어떻게 한다고 했나요? 예 높이 뛰어오르며 반겨 줍니다.

▶ **소개하는 글에 들어갈 내용을 친구들과 이야기해 봅시다.**

예 소개하는 대상이 무엇인지 씁니다. / 소개하는 대상의 특징을 잘 나타냅니다. / 읽을 사람이 궁금해할 내용을 넣습니다.

국어 10~11쪽 교과서 11쪽 문제와 답

활동 내용

말차례를 지키며 대화하는 방법 알기

▶ **1의 대화를 읽고, 물음에 답해 봅시다.**

· 선생님과 친구들이 무엇에 대해 대화했나요? 예 자신의 꿈에 대해 대화했습니다.
· 친구가 끼어들었을 때 동현이의 기분은 어떠했을까요?
  예 갑자기 끼어들어 당황했을 것 같습니다.

▶ **대화할 때 주의할 점을 보기 에서 찾아 써 봅시다.**

보기

| 관계없는 | 끼어들면 | 귀 기울여 |

· 친구가 말할 때에는 예 끼어들면 안 돼.
· 대화 내용과 예 관계없는 말은 하지 않아야 해.
· 상대의 말을 예 귀 기울여 들어야 해.

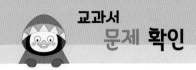

국어 28~31쪽 교과서 29~30쪽 문제와 답

▶ 글 ㉮와 글 ㉯는 서준이와 하윤이가 쓴 자신을 소개하는 글입니다. 서로 다른 점을 살피며 글을 읽고 물음에 답해 봅시다.

- 서준이와 하윤이는 각각 누구를 소개하고 있나요? ㉲ 자신을 소개하고 있습니다.
- 소개하는 내용이 잘 드러나게 쓴 글은 어느 것인가요? 그렇게 생각한 까닭은 무엇인가요?
  ㉲ 글 ㉯입니다. 소개하는 사람이 누구인지, 모습은 어떠한지, 좋아하는 것, 잘하는 것이 무엇인지 자세히 나와 있습니다.

▶ 글 ㉯를 읽고 자신을 소개하는 글을 어떻게 썼는지 살펴봅시다. 그리고 빈칸에 알맞은 내용을 보기 에서 찾아 써 봅시다.

> **보기**
>
> | 이름 | 잘하는 것 | 좋아하는 것 | 모습 |

㉲
저는 정하윤입니다. 저는 머리를 묶고 다닙니다. 지금은 노란색 긴
　└ 자신의 이름　　　　　　└ 자신의 모습
팔 옷을 입고 있습니다. 저는 종이접기를 좋아해서 항상 색종이를 가
　　　　　　　　　　└ 자신이 좋아하는 것
지고 다닙니다. 저는 그림을 잘 그립니다. 만화 주인공 그림을 그려서
　　　　　　└ 자신이 잘하는 것
친구에게 주기도 합니다.

국어 32~35쪽 교과서 32~34쪽 문제와 답

▶ 자신을 소개하는 글을 어떻게 쓸지 계획해 봅시다.

| 글을 쓰는 까닭 | 나를 소개하려고 | 읽을 사람 | ㉲ 우리 반 친구들 |

쓸 내용	이름	㉲ 김윤승
	모습	㉲ 얼굴이 둥글고 항상 웃는 얼굴이다.
	좋아하는 것	㉲ 코알라, 귀여운 동물
	잘하는 것	㉲ 역할놀이
	더 소개하고 싶은 내용	㉲ 재미있고 실감 나는 역할놀이를 하려고 역할과 상황에 맞는 목소리 연습을 꾸준히 한다는 점

▶ 자신을 소개하는 글을 써 봅시다.

㉲ 제 이름은 김윤승입니다. 저는 얼굴이 둥글고 항상 잘 웃습니다. 저는 귀여운 동물을 좋아하는데, 특히 코알라를 좋아합니다. 제가 잘하는 것은 역할놀이입니다. 그래서 재미있고 실감 나는 역할놀이를 하려고 역할과 상황에 맞는 목소리 연습을 꾸준히 하고 있습니다.

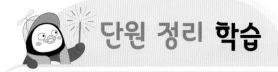 단원 정리 **학습**

핵심 1 말차례를 지키며 대화하기

- 말차례를 지켜 말합니다.
- 친구가 말하고 있을 때 끼어들지 않습니다.
- 대화 내용과 관계없는 말을 하지 않습니다.
- 상대의 말을 귀 기울여 듣습니다.
- 상대에게 말이 끝났는지 확인하고 자신이 말해도 되는지 물어본 뒤 말합니다.

> '말차례'란 말을 주고받을 때 말하는 사람과 듣는 사람이 지키는 순서야. 말차례를 지켜 말하면 서로 원활하게 대화할 수 있어. 말차례를 지키지 않으면 상대가 당황하거나 기분이 나쁠 수 있어.

핵심 2 친구들에게 자신을 소개하기

1 자신을 소개하는 글에 들어갈 내용
- 자신의 이름
- 자신의 모습
- 자신이 좋아하는 것
- 자신이 잘하는 것

예
> 저는 <u>정하윤입니다.</u> 저는 <u>머리를 묶고 다닙니다. 지금은 노란색 긴팔 옷을 입고 있습</u>
>   <small>자신의 이름</small>   <small>자신의 모습</small>
> <u>니다.</u> 저는 <u>종이접기를 좋아해서 항상 색종이를 가지고 다닙니다.</u> 저는 <u>그림을 잘 그립</u>
>   <small>자신이 좋아하는 것</small>   <small>자신이 잘하는 것</small>
> <u>니다. 만화 주인공 그림을 그려서 친구에게 주기도 합니다.</u>

2 소개하는 글을 쓸 때 주의할 점
- 소개하는 내용이 잘 드러나게 씁니다.
- 소개하는 내용을 자세히 씁니다.
- 읽을 사람을 생각하며 씁니다.
- 바르고 정확한 문장으로 씁니다.

> 친구들이 잘 아는 내용보다 궁금해할 내용을 쓰는 것이 좋아.

단원 확인 평가

[01~02] 다음 그림을 보고, 물음에 답하세요.

궁금한 내용이 있으면 손을 들고 기회를 얻어 질문한다.

발표를 들을 때에는 발표하는 친구 얼굴을 보면서 바른 자세로 듣는다.

들은 내용을 잘 이해했다면 미소를 짓거나 끄덕인다.

중요한 내용은 쓰면서 듣는다.

241003-0023
01 그림을 보고 알 수 있는 것에 ○표를 하세요.

(1) 책을 읽을 때 주의할 점　　(　)
(2) 발표를 들을 때 주의할 점　　(　)
(3) 발표할 때 활용할 자료의 종류　(　)

중요
241003-0024
02 그림을 보고 알게 된 사실을 알맞게 선으로 이으세요.

(1) 중요한 내용은　　·　　·① 쓰면서 듣기

(2) 궁금한 내용이 있으면　　·　　·② 미소를 짓거나 고개를 끄덕이기

(3) 들은 내용을 잘 이해했다면　　·　　·③ 손을 들고 기회를 얻어 질문하기

[03~05] 민수가 쓴 글을 읽고, 물음에 답하세요.

　저는 강아지를 기르고 있습니다. 곱슬곱슬한 털이 많아 이름도 곱슬이입니다. 몸집은 작지만 귀는 아주 커서 얼굴을 다 덮을 정도입니다. 눈은 동그라면서 크고, 코는 까만색이며 코끝은 반질거립니다. 제가 학교에 갔다 오면 겅중겅중 높이 뛰어오르며 반겨 줍니다. 곱슬이는 우리 집 재롱둥이입니다.

241003-0025
03 민수네 강아지의 생김새를 잘못 설명한 것은 무엇인가요? (　)

① 몸집이 작습니다.
② 귀가 아주 큽니다.
③ 털이 길고 흰색입니다.
④ 눈이 동그라면서 큽니다.
⑤ 코는 까만색이며 코끝은 반질거립니다.

241003-0026
04 민수가 집에 오면 강아지는 어떻게 한다고 하였는지 알맞은 것에 ○표를 하세요.

(1) 크게 짖으며 반겨 줍니다.　　(　)
(2) 집에 들어가 나오지 않습니다.　(　)
(3) 높이 뛰어오르며 반겨 줍니다.　(　)

241003-0027
05 글에서 소개한 내용으로 알맞은 것을 모두 고르세요. (　 , 　 , 　)

① 강아지의 이름
② 강아지의 특징
③ 강아지의 나이
④ 강아지의 생김새
⑤ 강아지가 좋아하는 음식

[06~07] 다음 그림을 보고, 물음에 답하세요.

241003-0028

06 동현이의 꿈은 무엇인지 쓰세요.

(   )

241003-0029

07 친구가 끼어들었을 때 동현이의 기분으로 알맞은 것을 골라 기호를 쓰세요.

> ㉮ 당황스럽고 기분이 나쁩니다.
> ㉯ 친구가 도와주어 고맙습니다.
> ㉰ 말을 하지 않아도 되어 기분이 좋습니다.

(   )

서술형 241003-0030

08 대화할 때 주의할 점을 생각하며 말하는 도중에 끼어든 친구에게 해 주고 싶은 말을 쓰세요.

_____

_____

도움말 어떤 행동이 잘못되었는지, 바른 행동은 무엇인지 알려 주는 내용으로 써 봅니다.

241003-0031

09 말차례를 지키며 말해야 하는 까닭을 <u>두 가지</u> 고르세요. (,   )

① 대화를 빨리 끝내기 위해서
② 대화를 지루하게 하기 위해서
③ 서로 원활하게 대화하기 위해서
④ 중요한 내용을 잘 기억하기 위해서
⑤ 상대의 기분을 상하지 않게 하기 위해서

중요 241003-0032

10 바르게 대화하는 방법에 맞도록 알맞은 말을 <u>모두</u> 골라 선으로 이으세요.

	① 말을 시작해요.
(1) 상대의 말이 끝날 때까지	② 귀 기울여 들어요.
	③ 끼어들지 않고 기다려요.
(2) 자신의 말차례가 되었을 때	④ 하고 싶은 말을 끝까지 분명하게 해요.

[11~14] 다음 글을 읽고, 물음에 답하세요.

> 가 저는 김서준입니다. 저는 태권도를 좋아합니다.
>
> 나 저는 정하윤입니다. 저는 항상 웃는 얼굴입니다. 저는 종이접기를 좋아해서 색종이를 항상 가지고 다닙니다. 저는 그림을 잘 그립니다. 만화 주인공 그림을 그려서 친구에게 주기도 합니다.

241003-0033

11 글 가와 나를 바르게 비교하여 말한 친구의 이름을 쓰세요.

> 명준: 글 가가 소개하는 내용이 더 잘 드러난 글이야. 쉽고 간단하게 썼기 때문이야.
>
> 희야: 글 나가 소개하는 내용이 더 잘 드러난 글이야. 소개하는 사람의 모습과 좋아하는 것, 잘하는 것이 자세히 나와 있기 때문이야.

(   )

241003-0034

12 글 가를 읽고 알 수 있는 내용은 무엇인지 두 가지 고르세요. (,   )

① 이름
② 나이
③ 장래 희망
④ 잘하는 것
⑤ 좋아하는 것

241003-0035

13 글 나에서 알 수 있는 내용이 **아닌** 것은 무엇인가요? (   )

① 자신의 이름
② 자신의 모습
③ 자신이 잘 하는 것
④ 자신이 좋아하는 것
⑤ 자신이 싫어하는 것

중요
241003-0036

14 이와 같은 글을 쓰는 방법으로 알맞지 **않은** 것을 **두 가지** 고르세요. (,   )

① 소개할 내용을 자세히 씁니다.
② 바르고 정확한 문장으로 씁니다.
③ 자신의 특징을 한 가지만 씁니다.
④ 자신의 성격이나 취미를 소개합니다.
⑤ 읽을 사람이 잘 알고 있는 내용을 씁니다.

서술형
241003-0037

15 다음은 친구를 소개하는 글입니다. 소개하는 글을 쓰는 방법에 맞는지 알맞은 말에 ○표를 하고, 그렇게 생각한 까닭은 무엇인지 쓰세요.

> 엄마, 걔는 우리 반이에요. 축구를 좋아하는 것 같아요. 집에 올 때 만났는데 어디 사는지 모르겠어요.

(1) 소개하는 글을 쓰는 방법에 (맞게 , 맞지 않게) 썼습니다.

(2) 왜냐하면 _____
_____

도움말 소개하는 글에 들어갈 내용을 떠올려 보고, 그런 내용이 잘 드러나는지 판단하여 써 봅니다.

[16~19] 다음을 읽고, 물음에 답하세요.

글을 쓰는 까닭	
나를 소개하려고	

읽을 사람	
우리 반 친구들	

쓸 내용

이름	김윤승
㉠	얼굴이 둥글고 항상 웃는 얼굴이다.
좋아하는 것	코알라, 귀여운 동물
잘하는 것	역할놀이
더 소개하고 싶은 내용	㉡

241003-0038

16 무엇을 정리한 것인가요? ( )

① 오늘 일기에 쓸 내용
② 친구들의 소개를 듣고 궁금한 내용
③ 자신이 쓴 글을 읽고 고쳐 쓰는 방법
④ 자신이 쓴 글과 친구들이 쓴 글을 비교한 내용
⑤ 자신을 소개하는 글을 어떻게 쓸지 계획한 내용

241003-0039

17 ㉠에 들어갈 알맞은 말을 쓰세요.

( )

241003-0040

18 ㉡에 들어갈 내용으로 알맞은 것에 ○표를 하세요.

(1) 코알라는 호주에 사는 동물이다. ( )
(2) 내 동생도 나처럼 얼굴이 둥글다. ( )
(3) 역할과 상황에 맞는 목소리 연습을 꾸준히 하고 있다. ( )

241003-0041

19 윤승이의 소개를 듣고 물어볼 내용으로 가장 알맞은 것을 골라 기호를 쓰세요.

㉮ 이름은 무엇이니?
㉯ 얼굴은 어떤 특징이 있니?
㉰ 코알라를 왜 좋아하게 되었니?

( )

중요
20 241003-0042

자신이 존경하는 인물을 정하여 소개하려고 합니다. 소개할 내용으로 알맞지 않은 것은 무엇인가요? ( )

① 인물의 이름
② 인물의 성격
③ 인물이 한 일
④ 인물을 존경하는 까닭
⑤ 인물보다 내가 더 나은 점

2

말의 재미가 솔솔

37쪽 단원 정리 학습에서 더 자세히 공부해 보세요.

단원 학습 목표

1. 말의 재미를 느낄 수 있습니다.
    • 재미있는 말놀이를 할 수 있습니다.
    • 주변에서 여러 낱말을 찾아 이야기를 만들 수 있습니다.

2. 책에 대한 생각이나 느낌을 나눌 수 있습니다.
    • 글을 읽고 자신의 생각이나 느낌을 표현할 수 있습니다.
    • 책에서 좋아하는 문장을 찾아 소개할 수 있습니다.

단원 진도 체크

회차		학습 내용	진도 체크
1차	단원 열기	단원 학습 내용 미리 보고 목표 확인하기	✓
	교과서 내용 학습	「가랑비와 이슬비」	✓
2차	교과서 내용 학습	재미있는 말놀이 하기	✓
3차	교과서 내용 학습	「어디까지 왔니」 / 주변에서 여러 낱말을 찾아 이야기 만들기	✓
	교과서 내용 학습	「시원한 책」	✓
4차	교과서 내용 학습	국어 활동 학습하기	✓
	교과서 문제 확인	교과서 문제 해결하기	✓
5차	단원 정리 학습	단원 학습 내용 정리하기	✓
	단원 확인 평가	확인 평가를 통한 단원 학습 상황 파악하기	✓

해당 부분을 공부하고 나서 ✓표를 하세요.

여러분도 이 친구들처럼 노래를 부르며 놀이를 해 본 적이 있나요? 앞 사람 말의 꼬리를 따라서 이어 말하는 '꼬리따기 말놀이'를 하고 있네요. 아마 평소에 끝말잇기 등 다양한 말놀이를 한 경험이 있을 거예요.

2단원에서는 다른 사람들과 다양한 말놀이를 하며 말의 재미를 느끼고, 책을 읽고 그에 대한 생각이나 느낌을 나누어 볼 거예요.

교과서 내용 학습

학습 목표 ▶배울 내용 살펴보기

「가랑비와 이슬비」

· 글의 종류: 동시
· 글쓴이: 박남일
· 그린 이: 김우선
· 글의 특징: 가랑비와 이슬비라는 재미있는 비의 이름과, 그런 이름이 붙은 까닭이 잘 드러난 시입니다.

────────────

■ 여러 가지 비의 이름과 이름이 붙은 까닭

· 가랑비: 국숫발같이 가늘게 내려서
· 이슬비: 풀잎에 겨우 이슬이 맺힐 만큼 내려서
· 단비: 꼭 필요한 때 알맞게 내려서
· 잠비: 여름에 일을 쉬고 낮잠을 잘 수 있게 하는 비라서
· 찬비: 차갑게 느껴져서
· 장대비: 장대처럼 굵고 거세게 좍좍 내려서

가는 비가 내리는 날이야.
㉠우산을 쓸까 말까?

★ 바르게 읽기

[가치]	[가티]
(○)	(×)

가늘게 내리는 비는 **가랑비**.
국숫발같이 가늘다고 가랑비.
'가랑비'라는 이름이 붙은 까닭
가랑비보다 더 가는 비는 **이슬비**.
풀잎에 겨우 이슬이 맺힐 만큼 내려서 이슬비.
'이슬비'라는 이름이 붙은 까닭

241003-0043

01 ㉠과 같은 고민을 한 까닭으로 가장 알맞은 것을 골라 기호를 쓰세요.

> ㉮ 비가 가늘게 내려서
> ㉯ 우산이 마음에 안 들어서
> ㉰ 우산을 구하기가 어려워서

( )

241003-0044

02 '가랑비'라는 이름이 붙은 까닭에 ○표를 하세요.

(1) 비가 내리다 금방 그쳐서 ( )
(2) 국숫발같이 가늘게 내려서 ( )
(3) 비가 내렸다 그쳤다 오락가락해서 ( )

241003-0045

03 '풀잎에 겨우 이슬이 맺힐 만큼 내리는 비.'를 무슨 비라고 하는지 시에서 찾아 쓰세요.

( )

중요
04 **241003-0046**

이 시의 특징을 바르게 설명한 친구의 이름을 쓰세요.

> 민섭: 비가 어떻게 내리게 되는지 비 내리는 과정을 잘 설명한 시야.
> 서현: 재미있는 비의 이름과 그런 이름이 붙은 까닭이 잘 드러난 시야.

( )

05 241003-0047

비에 다음과 같은 이름이 붙은 까닭을 생각하여 알맞게 선으로 이으세요.

(1) 단비 • • ① 비가 차갑게 느껴져서

(2) 잠비 • • ② 꼭 필요할 때 알맞게 내려서

(3) 찬비 • • ③ 장대처럼 굵고 거세게 좍좍 내려서

(4) 장대비 • • ④ 여름에 일을 쉬고 낮잠을 잘 수 있게 하는 비라서

06 241003-0048

다음 비의 특징에 어울리는 이름을 보기 에서 골라 쓰세요.

> 보기
>
> 안개비   채찍비   여우비

(1) 볕이 나 있는 날 잠깐 오다가 그치는 비.
(   )

(2) 채찍을 내리치듯이 굵고 세차게 쏟아져 내리는 비. (   )

(3) 내리는 빗줄기가 매우 가늘어서 안개처럼 부옇게 보이는 비.
(   )

[07~08] 다음 그림을 보고, 물음에 답하세요.

비누   비행기   비밀   ㉠

07 중요 241003-0049

친구들은 어떻게 말하고 있나요? (   )

① 두 글자로 말하고 있습니다.
② 세 글자로 말하고 있습니다.
③ '비'로 끝나는 낱말을 말하고 있습니다.
④ '비'로 시작하는 낱말을 말하고 있습니다.
⑤ '비'가 가운데에 들어가는 낱말을 말하고 있습니다.

08 241003-0050

㉠에 들어갈 낱말로 알맞지 <u>않은</u> 것을 <u>두 가지</u> 고르세요. (,   )

① 비교
② 선비
③ 비빔밥
④ 비둘기
⑤ 산비탈

국어 46~47쪽　　학습 목표 ▶ 재미있는 말놀이 하기

■ 다섯 글자 말놀이의 규칙
• 다섯 글자로만 말합니다.
• 억지로 늘이거나 끊어서 말하지 않습니다.
• 말이 되도록 다섯 글자로 말합니다.

■ 친구들과 함께 말놀이를 하면 좋은 점
• 재미있습니다.
• 여러 가지 낱말을 자연스럽게 익힐 수 있습니다.
• 재미있고 다양한 말로 내 생각을 표현할 수 있습니다.

가
자랑스러워.
넌 밝게 웃어.

나
친구들과 함께 말놀이를 하니 재미있어.
여러 가지 낱말을 자연스럽게 익힐 수 있어.
재미있고 다양한 말로 내 생각을 표현할 수 있어.

241003-0051

09 가에서 친구들은 어떻게 말하고 있는지 알맞은 것에 ○표를 하세요.

(1) 다섯 글자로 말하고 있습니다. (　　)
(2) '자' 자로 시작하는 말을 하고 있습니다. (　　)
(3) 앞 사람이 한 말과 이어지게 말하고 있습니다. (　　)

서술형
241003-0052

10 가에서처럼 친구에게 해 주고 싶은 말을 생각하여 다섯 글자로 쓰세요.

도움말 친구를 칭찬하는 말 등 친구에게 해 주고 싶은 말을 다섯 글자로 씁니다. 억지로 늘이거나 끊지 않고 말이 되도록 다섯 글자로 씁니다.

241003-0053

11 나의 친구들은 무엇에 대해 이야기하고 있나요? (　　)

① 말싸움을 한 경험
② 말놀이를 잘하는 방법
③ 다양한 말놀이의 규칙
④ 말놀이를 하면 좋은 점
⑤ 말놀이를 할 때 어려운 점

중요
241003-0054

12 친구들과 함께 말놀이를 하면 좋은 점을 <u>모두</u> 골라 기호를 쓰세요.

㉮ 여러 가지 낱말을 어렵게 익혀야 합니다.
㉯ 친구들과 함께 말놀이를 하면 재미있습니다.
㉰ 재미있고 다양한 말로 내 생각을 표현할 수 있습니다.

(　　　　　　)

학습 목표 ▶재미있는 말놀이 하기

사과는 빨개
　　　　　사과의 특징
빨가면 ㉠딸기
　　　　비슷한 빨간 것을 떠올림.
딸기는 작아
　　　　딸기의 특징
작으면 아기
　　　비슷한 작은 것을 떠올림.
아기는 　㉡　

귀여우면 곰 인형
　　　　　비슷한 귀여운 것을 떠올림.
곰 인형은 포근해
　　　　　곰 인형의 특징
포근하면 봄
　　　　비슷한 포근한 것을 떠올림.

「사과는 빨개」
· 글의 특징: 비슷한 것을 떠올려서 말을 이어 가는 꼬리따기 말놀이입니다.

중요
13 241003-0055
「사과는 빨개」와 같이 꼬리따기 말놀이를 하는 방법은 무엇인가요? (　　　)

① 친구가 한 말을 거꾸로 말합니다.
② 비슷한 것을 떠올려 말을 이어 갑니다.
③ 흉내 내는 말을 넣어 말을 이어 갑니다.
④ 다섯 글자로 시작하는 말을 이어 갑니다.
⑤ 반대되는 것을 떠올려 말을 이어 갑니다.

---

14 241003-0056
㉠과 바꾸어 쓸 수 있는 말로 알맞지 <u>않은</u> 것은 무엇인가요? (　　　)

┌─────────────────────┐
│　　　빨가면 　　□　　　　│
└─────────────────────┘

① 케첩　　　　　② 장미꽃
③ 바나나　　　　④ 단풍잎
⑤ 토마토

---

15 241003-0057
앞뒤 내용으로 보아 ㉡에 들어갈 알맞은 말은 무엇인가요? (　　　)

① 작아　　　　　② 귀여워
③ 포근해　　　　④ 무서워
⑤ 시끄러워

---

16 241003-0058
「사과는 빨개」를 바꾸어 썼습니다. 빈칸에 들어갈 알맞은 말을 쓰세요.

┌─────────────────────────────┐
│　사과는 빨개　　　　　　　　　│
│　빨가면 고추장　　　　　　　　│
│　고추장은 매워　　　　　　　　│
│　매우면 □　　　　　　　　　　│
└─────────────────────────────┘

(　　　　　　　　)

학습 목표 ▶재미있는 말놀이 하기

■ 주고받는 말놀이

• 묻고 답하면서 말을 주고받는 놀이입니다.

• 색깔, 모양 따위도 묻고 답할 수 있습니다.

■ 주고받는 말놀이의 ⑩

• 세모는 뭐니?
  옷걸이 / 삼각김밥

• 네모는 뭐니?
  이불 / 색종이

• 동그라미는 뭐니?
  공 / 동전 / 접시

하나는 뭐니?
★   질문
숟가락 하나
대답 – 하나인 것

둘은 뭐니?
        질문
젓가락 둘
대답 – 둘인 것

셋은 뭐니?
(㉠   ) 셋

넷은 뭐니?
(㉡   ) 넷

★ 바르게 받아쓰기

숟가락	숫가락
(○)	(×)

다섯은 뭐니?

㉢

중요

17 241003-0059

이와 같은 주고받는 말놀이를 하는 방법으로 알맞은 것에 ○표를 하세요.

(질문 , 명령)을 하고 그에 대한 (느낌 , 대답)을 이야기하며 서로 말을 주고받습니다.

18 241003-0060

㉠에 들어갈 알맞은 말에 ○표를 하세요.

(1) 안경다리   (   )

(2) 고양이 다리   (   )

(3) 세발자전거 바퀴   (   )

19 241003-0061

㉡에 들어갈 말로 알맞지 <u>않은</u> 것은 무엇인가요? (   )

① 책상 다리

② 소의 다리

③ 닭의 다리

④ 의자 다리

⑤ 자동차 바퀴

서술형

20 241003-0062

㉢에 들어갈 알맞은 말을 생각하여 쓰세요.

_____

도움말 다섯 개로 이루어진 것을 떠올려 '~ 다섯'의 형태로 써 봅니다.

국어 50~51쪽　　학습 목표 ▶ 재미있는 말놀이 하기

■ 말 덧붙이기 놀이 방법
• 놀이를 시작하는 친구가 '과일 가게에 가면' 뒤에 '사과도 있고'처럼 말을 덧붙입니다.
• 그다음 친구는 앞 친구가 한 말을 반복한 뒤에 다른 말을 덧붙입니다.
• 앞 친구의 말과 다르게 반복하거나 새로운 말을 덧붙이지 못하면 그다음 친구에게 차례가 넘어갑니다.
• 과일 가게 대신 다른 장소로 바꾸어 놀이를 계속합니다.

★ 바르게 받아쓰기

덧붙이기	덧부치기
(○)	(×)

241003-0063

21 친구들이 하고 있는 놀이의 이름은 무엇인가요? (　　)

① 끝말잇기 놀이
② 주고받는 말놀이
③ 꼬리따기 말놀이
④ 다섯 글자 말놀이
⑤ 말 덧붙이기 놀이

241003-0064

22 이 놀이 방법으로 알맞은 것에 <u>모두</u> ○표를 하세요.

(1) 앞 친구의 말을 다르게 바꾸어 반복해도 됩니다.　　(　　)
(2) 앞 친구가 한 말을 반복한 뒤에 다른 말을 덧붙입니다.　　(　　)
(3) 과일 가게 대신 다른 장소로 바꾸어 놀이를 계속합니다.　　(　　)

241003-0065

23 마지막 여자아이의 말 뒤에 덧붙여 놀이를 이어가려고 합니다. 빈칸에 들어갈 말을 쓰세요.

> 과일 가게에 가면 사과도 있고, 바나나도 있고, ㉮ 도 있고, ㉯ 도 있고.

(1) ㉮: (　　　　　　　)
(2) ㉯: (　　　　　　　)

중요 241003-0066

24 말놀이를 잘하려면 어떤 점에 주의해야 하는지 알맞은 것을 <u>두 가지</u> 고르세요. (　　, 　　)

① 무조건 큰 소리로 말합니다.
② 규칙이나 방법을 생각하며 말합니다.
③ 규칙을 자기 마음대로 바꾸어도 됩니다.
④ 앞사람이 하는 말을 집중해서 듣습니다.
⑤ 앞사람의 말보다는 뒷사람의 말을 잘 듣습니다.

국어 52쪽   학습 목표 ▶ 주변에서 여러 낱말을 찾아 이야기 만들기

「어디까지 왔니」

· 글의 종류: 전래 동요
· 엮은이: 편해문
· 글의 특징: 어디까지 왔는지 묻고 답하는 내용으로, 여러 장소가 나옵니다. 보통 맨 앞 사람은 눈을 뜨고, 뒷사람은 앞사람 허리를 잡고 눈을 감고 따라가며 부릅니다. 뒷사람이 어디까지 왔는지 묻고, 눈을 뜨고 있는 앞사람이 장소를 바꿔 가며 대답합니다.

어디까지 왔니
아직 아직 멀었다
어디까지 왔니
동네 앞에 왔다
　　　　장소 ①

어디까지 왔니
개울가에 왔다
　　　　장소 ②
어디까지 왔니
대문 앞에 다 왔다
　　　　장소 ③

중요

25 241003-0067

이 전래 동요의 특징을 두 가지 고르세요.
(　, 　)

① 여러 장소가 나옵니다.
② 여러 가지 물건이 나옵니다.
③ 어디까지 왔는지 묻고 답합니다.
④ 누구와 함께 있는지 묻고 답합니다.
⑤ 같은 장소에서 볼 수 있는 여러 물건이 나옵니다.

26 241003-0068

어떤 동작을 하며 이 노래를 부르는 것이 좋을지 알맞은 것에 ○표를 하세요.

(1)
어디까지 왔니?
아직 아직 멀었다.

(2)
어디까지 왔니?
아직 아직 멀었다.

(　)　　　(　)

27 241003-0069

장소는 어떻게 바뀌었는지 알맞은 것에 ○표를 하세요.

(1) 개울가 → 동네 앞 → 대문 앞 (　)
(2) 동네 앞 → 개울가 → 대문 앞 (　)
(3) 대문 앞 → 개울가 → 동네 앞 (　)

28 241003-0070

노랫말을 바꾸어 부르려고 합니다. 빈칸에 들어갈 알맞은 장소를 쓰세요.

어디까지 왔니
아직 아직 멀었다
어디까지 왔니
(1) (　　　　　)에 왔다

어디까지 왔니
(2) (　　　　　)에 왔다
어디까지 왔니
(3) (　　　　　)에 다 왔다

학습 목표 ▶주변에서 여러 낱말을 찾아 이야기 만들기

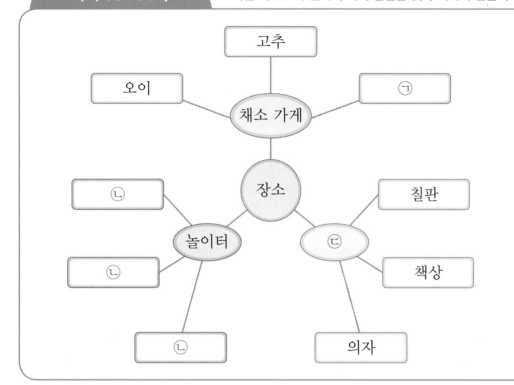

• 특징: 주변에서 볼 수 있는 장소와 그 장소에서 볼 수 있는 대상을 빈칸에 적어 연결한 생각그물입니다.

■ 문장 만들기 놀이하기
• 서로 관련이 없는 두 낱말을 고릅니다.
  예 놀이터, 오이
• 두 개의 낱말을 연결해 새로운 문장을 만듭니다.
  예 놀이터에 오이 한 개가 떨어져 있다.
• 만든 문장 가운데 재미있는 문장을 뽑아 발표합니다.

241003-0071

29 ㉠에 들어갈 알맞은 낱말을 <u>두 가지</u> 고르세요.
(,)

① 상추　　② 우유
③ 당근　　④ 고등어
⑤ 삼겹살

241003-0072

30 ㉡에 들어갈 수 있는 낱말이 <u>아닌</u> 것은 무엇인가요? ( )

① 그네　　② 시소
③ 철봉　　④ 지하철
⑤ 미끄럼틀

241003-0073

31 ㉢에 들어갈 알맞은 장소를 쓰세요.
( )

서술형 241003-0074

32 생각그물에 나오는 낱말들 중 서로 다른 장소의 두 낱말을 고르고, 보기 처럼 문장을 만들어 쓰세요.

보기

책상	오이

책상 위에 오이 한 개가 놓여 있다.

(1) [　　　] [　　　]

(2) _____

_____

도움말 서로 다른 장소에서 볼 수 있는 두 낱말을 넣어 자연스러운 문장이 되도록 만듭니다.

국어 55쪽 학습 목표 ▶ 주변에서 여러 낱말을 찾아 이야기 만들기

■ 줄줄이 이야기 만들기 놀이
① 낱말을 하나 정합니다.
② ①에서 정한 낱말을 넣어 첫 문장을 만듭니다.
③ 그다음 사람은 앞 문장과 이어지는 문장을 만듭니다.
④ 한 문장씩 계속 이어 가며 이야기를 만듭니다.
⑤ 이야기가 끝나면 새 낱말을 정해 놀이를 계속합니다.

241003-0075

33 친구들이 줄줄이 이야기 만들기 놀이를 하려고 정한 낱말은 무엇인가요? (   )

① 아침   ② 오이
③ 학교   ④ 준비물
⑤ 콩닥콩닥

중요
241003-0076

34 줄줄이 이야기 만들기 놀이를 할 때 주의할 점으로 알맞은 것에 ○표를 하세요.

(1) 내용이 서로 이어지도록 이야기를 만들어야 합니다. (   )
(2) 내 차례가 되면 새 낱말을 정해 새 이야기를 말합니다. (   )
(3) 처음 정한 낱말이 계속 들어가도록 이야기를 만들어야 합니다. (   )

서술형
241003-0077

35 ㉠에 들어갈 알맞은 문장을 쓰세요.

_____

_____

도움말 앞 문장인 '학교에 와 보니 준비물을 잘못 가져와서 가슴이 콩닥콩닥 뛰었다.'에 이어지는 내용을 생각해 써야 합니다.

241003-0078

36 '축구'로 줄줄이 이야기 만들기 놀이를 하려고 합니다. 첫 문장으로 알맞은 것을 골라 기호를 쓰세요.

㉮ 친구들과 축구 경기를 하기로 했다.
㉯ 빨리 경기 날짜와 장소가 정해지면 좋겠다.
㉰ 그런데 언제 어디에서 경기를 할지 아직 정하지 못했다.

(   )

국어 56~63쪽 학습 목표 ▶ 글을 읽고 자신의 생각이나 느낌 표현하기

1

캬하, ㉠시원하다!

2

㉡이야, 시원─하다!

「시원한 책」

· 글의 종류: 그림책
· 글쓴이: 이수연 · 그린 이: 민승지
· 글의 특징: '시원하다'라는 말
  이 쓰이는 재미있고 다양한
  상황을 보여 줌으로써 '시원하
  다'의 여러 가지 의미를 생각
  해 볼 수 있는 그림책입니다.

■ '시원하다'의 사전적 의미
1. 덥거나 춥지 아니하고 알맞
   게 서늘하다.
2. 음식이 차고 산뜻하거나, 뜨
   거우면서 속을 후련하게 하
   는 점이 있다.
3. 막힌 데가 없이 활짝 트여
   마음이 후련하다.
4. 지저분하던 것이 깨끗하고
   말끔하다.
5. 기대나 희망 등에 들어맞아
   충분히 만족스럽다.

241003-0079
37 이 그림책에서 반복되는 말은 무엇인가요?

( )

① 책 ② 캬하
③ 이야 ④ 진짜
⑤ 시원하다

중요
241003-0080
38 ㉠은 어떤 의미로 쓰인 것인지 알맞은 것에 ○표
를 하세요.

(1) 지저분하던 것이 깨끗하고 말끔하다.
( )
(2) 음식이 차고 산뜻하여 속이 후련하다.
( )
(3) 막힌 데가 없이 활짝 트여 마음이 후련
하다. ( )

241003-0081
39 ㉡을 말할 수 있는 상황으로 알맞은 것의 기호
를 쓰세요.

⑦ 덥거나 춥지 않고 알맞게 서늘할 때
⑭ 속이 후련할 만큼 음식이 뜨겁고 얼큰
할 때

( )

241003-0082
40 1과 같은 경험을 떠올려 말한 친구의 이름을
쓰세요.

건우: 여름에 먹은 냉면이 정말 차갑고 시
원했어.
규현: 뜨거운 탕에 들어가신 할아버지께
서 시원하다고 하셨어.

( )

241003-0083

41 ③과 ④에 어울리는 상황을 알맞게 선으로 이으세요.

(1) ③ •

• ① 막힌 데가 없이 활짝 트여 마음이 후련할 때

(2) ④ •

• ② 지저분하던 것이 깨끗하고 말끔해져 기분이 좋아질 때

241003-0084

42 ㉠과 바꾸어 쓸 수 있는 낱말은 무엇인가요?

(   )

① 따뜻해   ② 포근해   ③ 개운해
④ 찝찝해   ⑤ 서늘해

중요 241003-0085

43 이 그림책에서 재미있는 부분을 찾아 바르게 말한 친구의 이름을 쓰세요.

> 윤서: 시원하다고 말할 수 있는 다양한 상황들이 재미있어.
> 현우: 시원하다는 낱말이 한 가지 뜻으로만 쓰인다는 것이 재미있어.

(   )

서술형 241003-0086

44 내가 시원하다고 느꼈던 경험을 떠올려 쓰세요.

_____

_____

도움말 시원한 음식을 먹은 경험, 시원함을 느꼈던 장소 등을 떠올려 써 봅니다.

말의 재미 느끼기

• 꼬리따기 말놀이 방법을 생각하며 빈칸에 알맞은 말을 써 봅시다.

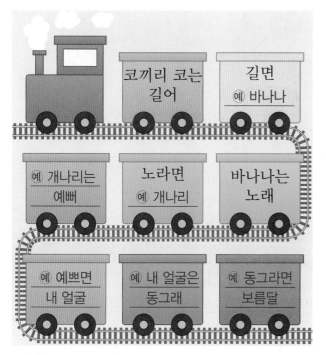

코끼리 코는 길어 / 길면 ⟨예⟩ 바나나 / ⟨예⟩ 개나리는 예뻐 / 노라면 ⟨예⟩ 개나리 / 바나나는 노래 / ⟨예⟩ 예쁘면 내 얼굴 / ⟨예⟩ 내 얼굴은 동그래 / ⟨예⟩ 동그라면 보름달

• 친구와 말 덧붙이기 놀이를 하려고 합니다. 장소에 알맞은 낱말을 떠올려 써 봅시다.

장소	떠올린 낱말
운동장	⟨예⟩ 골대, 정글짐, 철봉, 모래
시장	⟨예⟩ 과일 가게, 채소 가게, 정육점, 생선 가게

• 첫소리가 'ㅍㄷ'으로 시작되는 낱말을 떠올려 써 봅시다. 그리고 낱말을 몇 개 떠올렸는지 확인해 봅시다.

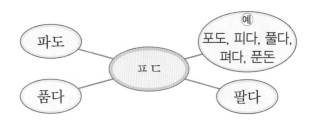

파도 / 품다 / ㅍㄷ / ⟨예⟩ 포도, 피다, 풀다, 펴다, 푼돈 / 팔다

• 보기 에서 하나를 골라 같은 첫소리로 시작하는 낱말을 떠올려 써 봅시다. 그리고 낱말을 몇 개 떠올렸는지 확인해 봅시다.

보기

ㄱㅇ   ㄴㄷ   ㅎㄱ

⟨예⟩
• ㄱㅇ: 가요, 가위, 거울, 거위, 과일, 구이, 군인, 금액, 길이
• ㄴㄷ: 낮다, 넣다, 누다, 농담, 늑대, 낭독, 늦다, 남다, 놓다
• ㅎㄱ: 한글, 학교, 향기, 합격, 한강, 학급, 화가, 휴교, 하교

'꼬리따기 말놀이'는 비슷한 것을 떠올려서 말을 이어 가는 놀이야. 같은 특징을 가진 사물을 떠올린 뒤 그 사물의 다른 특징을 떠올려 빈칸에 쓰며 말놀이를 이어 가.

확인 문제 말놀이 방법을 생각하며 알맞게 말놀이를 한 것에 ○표, 틀린 것에 ×표를 하세요.

1 꼬리따기 말놀이: 하늘은 넓어 ➡ 넓은 것은 바다 ➡ 바다는 깊어 ➡ 바다는 파래   (   )

2 말 덧붙이기 놀이: 학교에 가면 칠판도 있고. ➡ 학교에 가면 칠판도 있고, 책상도 있고.
   ➡ 학교에 가면 칠판도 있고, 책상도 있고, 의자도 있고.   (   )

3 'ㅂㅈ'으로 시작하는 낱말: 부자, 부장, 봉지, 반장   (   )

정답 1. × 2. ○ 3. ○

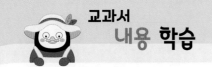

국어 활동 44~45쪽

책에 대한 생각이나 느낌 나누기

• 낱말의 뜻을 생각하며 보기 처럼 문장을 만들어 봅시다.

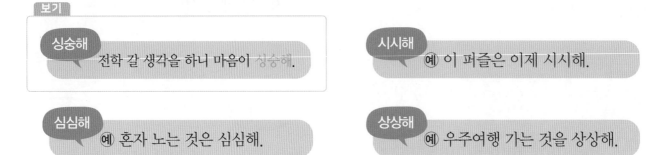

보기

싱숭해
전학 갈 생각을 하니 마음이 싱숭해.

시시해
예 이 퍼즐은 이제 시시해.

심심해
예 혼자 노는 것은 심심해.

상상해
예 우주여행 가는 것을 상상해.

• 첫소리가 'ㅅㅅㅎ'인 말을 더 찾아 써 봅시다.

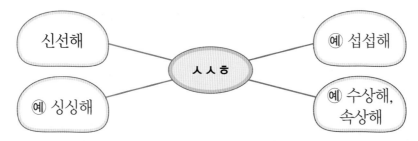

신선해

예 섭섭해

ㅅ ㅅ ㅎ

예 싱싱해

예 수상해,
속상해

• 「내 마음 ㅅㅅㅎ」을 읽은 뒤의 느낌을 친구가 말하는 첫소리로 표현해 봅시다.

내 느낌은
'ㄱㄱㅎ'으로
표현할 수 있어.

네 느낌은 '궁금해'구나.
나는 'ㅈㄱㅇ'으로
느낌을 표현하고 싶어.

ㄱ ㄱ ㅎ

ㅈ ㄱ ㅇ

예 ㄱ ㅅ ㅎ

예 ㅎ ㅂ ㅎ

궁금해

예 즐거워

예 감사해

예 행복해

확인
문제

다음 첫소리로 내 마음을 표현해 쓰세요.

1 ㄱ ㅁ ㅇ (   )

2 ㅅ ㄱ ㅎ (   )

정답 1. 예 고마워 2. 예 신기해

국어 46~51쪽 교과서 47~49쪽 문제와 답

▶ **다섯 글자 말놀이로 친구에게 해 주고 싶은 말을 해 봅시다.**

자랑스러워. / 넌 밝게 웃어. / 예 재밌게 놀자. / 예 서로 칭찬해.

▶ **친구들과 함께 말놀이를 하면 좋은 점을 이야기해 봅시다.**

친구들과 함께 말놀이를 하니 재미있어. / 여러 가지 낱말을 자연스럽게 익힐 수 있어. /

예 재미있고 다양한 말로 내 생각을 표현할 수 있어.

▶ **친구들과 함께 여러 가지 말놀이를 해 봅시다.**

• 보기 처럼 주고받는 말놀이를 해 보세요.

보기

하나는 뭐니?	둘은 뭐니?
숟가락 하나	젓가락 둘

셋은 뭐니?
(예 세발자전거 바퀴) 셋

넷은 뭐니?
(예 책상 다리 / 소의 다리 / 네발자전거 바퀴) 넷

다섯은 뭐니?
(예 발가락 / 손가락 / 공기 알) 다섯

국어 52~55쪽 교과서 53~54쪽 문제와 답

▶ **장소마다 볼 수 있는 물건의 이름을 떠올려 빈칸에 써 봅시다.**

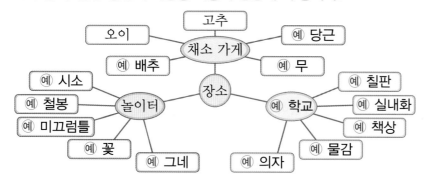

▸ **낱말을 이용해 문장과 이야기를 만들어 봅시다.**

• 53쪽에 쓴 낱말 가운데에서 두 개를 골라 그 낱말들로 보기 처럼 문장을 만들어 보세요.

보기

| 놀이터, 오이 | 놀이터에 오이 한 개가 떨어져 있다. |

예 – 당근, 칠판: 진아가 칠판에 당근을 그렸다.

– 시소, 학교: 우리 학교에는 시소가 없어서 슬프다.

– 그네, 의자: 그네가 내 방 의자 대신 우리 집에 있다면 매일 탈 것이다.

– 책상, 꽃: 책상 위에 놓인 꽃이 예쁘다.

🐺 **「시원한 책」** 교과서 62~63쪽 문제와 답

글의 특징

'시원하다'라는 말이 다양한 상황에서 쓰임을 보여 주는 그림책

▸ **시원하다고 느끼는 상황과 어울리는 그림을 선으로 이어 봅시다.**

예

| 더위를 식힐 정도로 서늘할 때 |

| 속이 후련할 만큼 음식이 뜨겁고 얼큰할 때 |

| 지저분하던 것이 깨끗하고 말끔해져 기분이 좋아질 때 |

| 막힌 데가 없이 활짝 트여 마음이 후련할 때 |

▸ **「시원한 책」에서 재미있는 문장이나 장면을 찾고 친구들과 이야기해 봅시다.**

재미있는 문장이나 장면

예 캬하, 시원하다! – 여름에 시원한 물을 마셨을 때가 떠올랐습니다. / 이를 닦는 장면이 재미있었습니다. – 지저분하던 교실을 친구들과 깨끗하게 청소했을 때가 생각났습니다.

단원 정리 학습

핵심 1 말의 재미 느끼기

1 여러 가지 말놀이 하기

● 꼬리따기 말놀이: 비슷한 것을 떠올려서 말을 이어 가는 놀이

(예)

 사과는 빨개. 빨가면 고추장. 고추장은 매워. 매우면…….

> 친구들과 말놀이를 하면 재미있고, 자연스럽게 여러 가지 낱말을 익힐 수 있으며, 재미있고 다양한 말로 내 생각을 표현할 수도 있어 좋아.

● 주고받는 말놀이: 묻고 답하면서 말을 주고받는 놀이

(예)

하나는 뭐니? / 숟가락 하나   셋은 뭐니? / 세발자전거 바퀴 셋

둘은 뭐니? / 젓가락 둘   넷은 뭐니? / 책상 다리 넷

● 말 덧붙이기 놀이: 친구가 한 말을 반복한 뒤에 다른 말을 덧붙이는 놀이

(예)

 과일 가게에 가면 사과도 있고.   과일 가게에 가면 사과도 있고, 바나나도 있고.    과일 가게에 가면 사과도 있고, 바나나도 있고, 딸기도 있고.

2 말놀이를 잘하기 위해 주의해야 할 점

● 앞사람이 하는 말을 집중해서 들어야 합니다. ● 규칙이나 방법을 생각하며 말해야 합니다.

핵심 2 책에 대한 생각이나 느낌 나누기

● 글에서 가장 재미있었던 부분을 찾고 친구들과 이야기를 나눕니다.
  (예)「시원한 책」에서 아저씨가 땀을 뻘뻘 흘리며 뜨거운 국물을 마시고 시원하다고 말하는 장면이 재미있었어.
● 자신이 읽은 책에서 좋아하는 문장을 찾아 소개합니다.
  (예)「아낌없이 주는 나무」에서 "모든 것을 줄 수 있어서 나무는 행복했습니다."란 문장이 좋아.

[01~03] 다음 시를 읽고, 물음에 답하세요.

> 가는 비가 내리는 날이야.
> 우산을 쓸까 말까?
>
> 가늘게 내리는 비는 가랑비.
> 국숫발같이 가늘다고 가랑비.
> 가랑비보다 더 가는 비는 이슬비.
> 풀잎에 겨우 이슬이 맺힐 만큼 내려서 이슬비.

241003-0087

01 가랑비와 이슬비의 공통점은 무엇인가요?
( )

① 가는 비입니다.
② 굵은 비입니다.
③ 봄에 내립니다.
④ 눈과 섞여 내립니다.
⑤ 잠깐 내리다 그칩니다.

241003-0088

02 이슬비라는 이름이 붙은 까닭에 ○표를 하세요.

(1) 국숫발같이 가늘어서 ( )
(2) 비가 오랫동안 내려서 ( )
(3) 풀잎에 겨우 이슬이 맺힐 만큼 내려서
( )

241003-0089

03 이 시 속 내용처럼 비의 특징이 잘 드러나게 이름을 붙인 친구의 이름을 쓰세요.

> 은수: 가루처럼 뿌옇게 내리는 비를 '가루비'라고 이름 붙일래.
> 도윤: 갑자기 세차게 쏟아지다 그치는 비를 '보슬비'라고 이름 붙일래.

( )

[04~05] 다음을 읽고, 물음에 답하세요.

> 사과는 빨개
> 빨가면 딸기
> 딸기는 작아
> 작으면 아기
> 아기는 귀여워
> 귀여우면 곰 인형
> 곰 인형은 포근해
> 포근하면 ㉠

241003-0090

04 ㉠에 들어갈 수 있는 알맞은 낱말을 모두 고르세요. (, ,)

① 봄
② 이불
③ 책상
④ 동전
⑤ 엄마 품

서술형 241003-0091

05 친구들과 이와 같은 말놀이를 하면 좋은 점을 한 가지만 쓰세요.

_____

도움말 친구들과 말놀이를 해 본 경험을 떠올려 재미있었는지, 새로운 낱말을 많이 익히게 되었는지 등을 생각해 본 뒤 좋은 점을 정리해 봅니다.

[06~07] 다음을 읽고, 물음에 답하세요.

> 하나는 뭐니?
> 숟가락 하나
>
> 둘은 뭐니?
> 젓가락 둘
>
> 셋은 뭐니?
> (㉠) 셋
>
> 넷은 뭐니?
> (㉡) 넷
>
> 다섯은 뭐니?
> (㉢) 다섯

중요
241003-0092

06 이와 같은 말놀이를 하는 방법으로 알맞은 것에 ○표를 하세요.

(1) 묻고 답하면서 말을 주고받습니다.
( )

(2) 비슷한 것을 떠올려서 말을 이어 갑니다.
( )

(3) 친구가 한 말을 반복한 뒤에 다른 말을 덧붙입니다. ( )

241003-0093

07 ㉠~㉢에 들어갈 알맞은 낱말을 선으로 이으세요.

(1) ㉠ •   • ① 발가락

(2) ㉡ •   • ② 코끼리 다리

(3) ㉢ •   • ③ 세발자전거 바퀴

[08~09] 다음을 보고, 물음에 답하세요.

241003-0094

08 ㉠에 들어갈 말놀이 이름으로 알맞은 것은 무엇인가요? ( )

① 끝말잇기 놀이   ② 말 덧붙이기 놀이
③ 꼬리따기 말놀이   ④ 다섯 글자 말놀이
⑤ 주고받는 말놀이

241003-0095

09 다음과 같이 장소를 바꾸어 말놀이를 하려고 합니다. 빈칸에 들어갈 알맞은 내용을 쓰세요.

> 생선 가게에 가면
> 고등어도 있고.

> 생선 가게에 가면
> 고등어도 있고, 오징어도 있고.

> 생선 가게에 가면
> 고등어도 있고, 오징어도 있고,
> _____

중요
241003-0096

10 말놀이를 할 때 주의할 점을 떠올려 다음 자음으로 시작하는 알맞은 말을 쓰세요.

(1) 규칙이나 (ㅂ ㅂ)을/를 생각하며 말합니다.

(2) (ㅇ ㅅ ㄹ)이/가 하는 말을 집중해서 듣습니다.

[11~12] 다음을 읽고, 물음에 답하세요.

> 어디까지 왔니
> 아직 아직 멀었다
> 어디까지 왔니
> 동네 앞에 왔다
>
> 어디까지 왔니
> 개울가에 왔다
> 어디까지 왔니
> 대문 앞에 다 왔다

241003-0097

11 이 전래 동요를 부를 때는 무엇을 바꾸어 불러야 하나요? ( )

① 장소   ② 질문
③ 이름   ④ 숫자
⑤ 물건

241003-0098

12 노래를 부르며 어디에서 어디로 갔는지 차례대로 쓰세요.

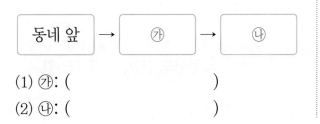

(1) ㉮: ( )
(2) ㉯: ( )

[13~16] 다음을 보고, 물음에 답하세요.

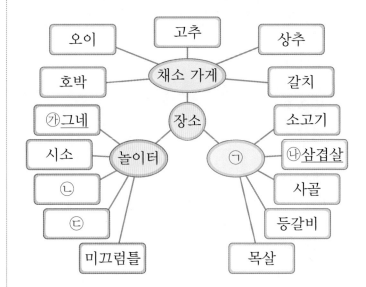

241003-0099

13 채소 가게에서 볼 수 있는 물건으로 알맞지 <u>않은</u> 것은 무엇인가요? ( )

① 고추   ② 오이   ③ 상추
④ 호박   ⑤ 갈치

241003-0100

14 ㉠에 들어갈 장소는 어디일까요? ( )

① 학교   ② 문구점   ③ 정육점
④ 도서관   ⑤ 과일 가게

241003-0101

15 ㉡과 ㉢에 들어갈 놀이터에서 볼 수 있는 물건을 각각 쓰세요.

(㉡: , ㉢:)

241003-0102

16 ㉮와 ㉯로 문장을 알맞게 만든 것에 ○표를 하세요.

(1) 삼겹살은 그네 타기를 좋아합니다.

( )

(2) 그네를 타다가 삼겹살이 먹고 싶어 집으로 뛰어갔습니다.

( )

241003-0103

17 줄줄이 이야기 만들기 놀이를 하려고 합니다. 이어지는 문장을 알맞게 만들지 <u>못한</u> 친구의 이름을 쓰세요.

> 아침에 늦잠을 잤다.

↓

> 민섭: 그래서 학교에 지각을 했다.
> 예주: 교실에 들어갈 때 친구들이 모두 나를 쳐다봐서 부끄러웠다.
> 영완: 앞으로는 친구와 친하게 지내야겠다.

( )

[18~20] 다음 그림책을 읽고, 물음에 답하세요.

캬하, 시원하다!

이야, ㉠시원-하다!

목소리가 아주 시원시원하네!

241003-0104

18 ㉠의 뜻으로 알맞은 것은 무엇인가요? ( )

① 차갑다.
② 마음이 가볍다.
③ 깨끗하고 말끔하다.
④ 말투가 서글서글하다.
⑤ 음식이 뜨거우면서 속이 후련하다.

중요
19 241003-0105

시원하다고 느끼는 상황을 알맞게 선으로 이으세요.

(1) 1 ·   · ① 더위를 식힐 정도로 서늘할 때

(2) 2 ·   · ② 막힌 데가 없이 활짝 트여 마음이 후련할 때

(3) 3 ·   · ③ 속이 후련할 만큼 음식이 뜨겁고 얼큰할 때

서술형
20 241003-0106

이 그림책에서 재미있는 문장이나 장면을 찾아 그 까닭과 함께 쓰세요.

_____

_____

도움말 그림책에서 재미있는 문장이나 장면을 찾고, 왜 그 장면이 재미있게 느껴지는지 떠올려 써 봅니다.

3

겪은 일을 나타내요

59쪽 단원 정리 학습에서 더 자세히 공부해 보세요.

단원 학습 목표

1. 꾸며 주는 말을 넣어 문장을 쓰고 읽을 수 있습니다.
   • 꾸며 주는 말을 넣어 문장을 쓸 수 있습니다.
   • 꾸며 주는 말이 들어간 문장을 읽을 수 있습니다.
2. 자신의 생각을 담은 일기를 쓸 수 있습니다.
   • 겪은 일에서 일기 글감을 정할 수 있습니다.
   • 겪은 일이 잘 드러나게 일기를 쓸 수 있습니다.

단원 진도 체크

회차		학습 내용	진도 체크
1차	단원 열기	단원 학습 내용 미리 보고 목표 확인하기	✓
	교과서 내용 학습	배울 내용 살펴보기	✓
2차	교과서 내용 학습	꾸며 주는 말을 넣어 문장 쓰기	✓
	교과서 내용 학습	「식물은 어떻게 자랄까?」	✓
3차	교과서 내용 학습	겪은 일에서 일기 글감 정하기	✓
	교과서 내용 학습	겪은 일이 잘 드러나게 일기 쓰기	✓
	교과서 내용 학습	배운 내용 마무리하기	✓
4차	교과서 내용 학습	국어 활동 학습하기	✓
	교과서 문제 확인	교과서 문제 해결하기	✓
5차	단원 정리 학습	단원 학습 내용 정리하기	✓
	단원 확인 평가	확인 평가를 통한 단원 학습 상황 파악하기	✓

해당 부분을 공부하고 나서 ✓표를 하세요.

아이가 하는 말보다 엄마가 하는 말이 더 실감 나고 생생하지 않나요? '예쁜'과 '활짝', '노란'과 '훨훨'처럼 뒤에 오는 말의 뜻을 자세하게 해 주는 말을 '꾸며 주는 말'이라고 해요. 꾸며 주는 말을 넣어 글을 쓰면 생각이나 느낌을 더 자세하고 생생하게 표현할 수 있어요.

3단원에서는 꾸며 주는 말을 넣어 문장을 쓰고 읽어 본 뒤, 자신의 생각을 담은 일기를 써 볼 거예요.

교과서 내용 학습

교과서 내용 학습

교과서 내용 학습

　학습 목표 ▶ 배울 내용 살펴보기

■ 꾸며 주는 말
'넓은', '활짝'처럼 뒤에 오는 말을 꾸며 그 뜻을 자세하게 해 주는 말을 '꾸며 주는 말'이라고 합니다.

■ 꾸며 주는 말을 쓰면 좋은 점
• 자신의 생각을 정확하게 나타낼 수 있습니다.
• 생각이나 느낌을 실감 나게 표현할 수 있습니다.
• 대상에 대해 좀 더 생생하게 설명할 수 있습니다.

■ 일기에 들어갈 내용
• 그날 겪은 일 가운데에서 기억하고 싶은 일
• 겪은 일에 대한 생각이나 느낌

가 오늘 할머니, 할아버지와 옥수수밭에 갔다.
할아버지께서 나를 보고 웃으셨다.

나 오늘 할머니, 할아버지와 넓은 옥수수밭에 갔다.
할아버지께서 나를 보고 활짝 웃으셨다.

중요
01 241003-0107
글 가와 나를 비교했을 때의 느낌으로 알맞은 것에 ○표를 하세요.

(1) 글 가가 글 나보다 더 생생합니다. ( )
(2) 글 나가 글 가보다 더 실감 납니다. ( )
(3) 글 가와 글 나를 읽는 느낌에 차이가 없습니다. ( )

02 241003-0108
글 나에서 뒤에 오는 말을 꾸며 그 뜻을 자세하게 해 주는 말을 두 가지 고르세요.
(,)

① 할머니　　② 넓은
③ 옥수수밭　④ 활짝
⑤ 웃으셨다

03 241003-0109
02에서 답한 것과 같은 말을 가리키는 말은 무엇인가요? ( )

① 부르는 말　　② 설명하는 말
③ 이어 주는 말　④ 꾸며 주는 말
⑤ 흉내 내는 말

중요
04 241003-0110
일기에는 어떤 내용을 쓰면 좋을지 알맞게 말한 친구의 이름을 쓰세요.

서우: 일기에는 아주 특별한 일만 써야 해. 그래서 나는 일기를 쓰는 날은 특별한 일을 만들려고 노력해.
예준: 일기는 그날 겪은 일 가운데에서 기억하고 싶은 일을 쓰면 돼. 꼭 특별한 일을 만들어 쓸 필요는 없어.

( )

국어 76~79쪽   학습 목표 ▶ 꾸며 주는 말을 넣어 문장 쓰기

241003-0111

05 다음 빈칸에 들어갈 꾸며 주는 말과 그 말을 고른 까닭을 알맞게 선으로 이으세요.

☐ 우산을 쓰고 학교에 간다.

(1) 노란   •

(2) 예쁜   •

• ① 우산의 모양

• ② 우산의 색깔

241003-0112

06 다음 빈칸에 들어갈 꾸며 주는 말을 쓰세요.

(   ) 거북선 이 바다에 나간다.

[07~08] 보기 처럼 낱말을 꾸며 주는 말을 빈칸에 넣어 문장을 완성하세요.

보기

• 예쁜 꽃이 피었다.
• 꽃이 활짝 피었다.

241003-0113

07

(1) ☐☐☐☐ 딸기를 먹었다.

(2) 딸기를 ☐☐☐ 먹었다.

241003-0114

08

(1) ☐☐☐☐ 강아지가 달린다.

(2) 강아지가 ☐☐☐ 달린다.

241003-0115

09 보기 처럼 사진에 어울리는 꾸며 주는 말을 넣어 문장을 완성하세요.

보기

• 말이 달려온다.
➡ 멋있는 말이 힘차게 달려온다.

• 파도가 모래밭으로 몰려온다.
➡ (1) (   ) 파도가 모래밭으로 (2) (   ) 몰려온다.

서술형
241003-0116

10 다음 꾸며 주는 말을 넣어 사진을 설명하는 문장을 쓰세요.

꾸며 주는 말	사진을 설명하는 문장
넓은	(1)
시커먼	(2)

도움말 사진에서 넓은 것과 시커먼 것이 무엇인지 찾아본 뒤, 그 말을 넣어 설명하는 문장을 써 봅니다.

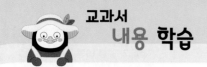

국어 80~93쪽 학습 목표 ▶ 꾸며 주는 말이 들어간 문장 읽기

「**식물은 어떻게 자랄까?**」

· 글쓴이: 유다정
· 그린 이: 최병옥
· 글의 종류: 그림책
· 글의 특징: 우리가 먹는 땅콩, 포도와 같은 식물마다 자라는 모습이 다양함을 알려 주는 그림책입니다.

 낱말 풀이

쑥쑥 갑자기 많이 커지거나 자라는 모양.
조롱조롱 작은 열매 따위가 많이 매달려 있는 모양.
올록볼록 물체의 거죽이나 면이 고르지 않게 높고 낮은 모양.

중심 내용 새싹이 자라 노랑꽃을 활짝 피운 후 땅속에 조롱조롱 열매를 맺는 식물은 땅콩입니다.

1 조그만 새싹이 **쑥쑥** 자라더니 노랑꽃을 활짝 피웠어.

꽃이 지면 열매가 열리겠지?
꽃이 진 후 일어날 일
그런데 기다리고 기다려도 안 열려.

㉠열매는 어디에 있을까?

어머, 어머!

몰래 땅속에서 ㉡**조롱조롱** 열매를 맺었구나.
열매가 열린 곳
㉢**올록볼록** 껍데기 속에는 ㉣고소한 땅콩이
땅콩의 맛과 향
들어 있어.

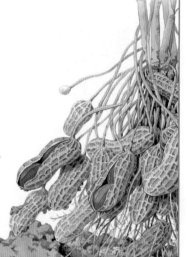

241003-0117

11 조그만 새싹이 자라 피운 꽃은 무슨 색인가요?

( )

① 흰색   ② 노란색
③ 빨간색   ④ 분홍색
⑤ 파란색

241003-0118

12 ㉠에 대한 답으로 알맞은 것에 ○표를 하세요.

(1) 땅속 ( )
(2) 꽃 아래 ( )
(3) 줄기 속 ( )

241003-0119

13 식물이 맺은 열매는 무엇인가요? ( )

① 땅콩   ② 감자
③ 완두콩   ④ 검정콩
⑤ 고구마

241003-0120

14 ㉡과 ㉢의 뜻을 알맞게 선으로 이으세요.

(1) ㉡ 조롱조롱 · · ① 작은 열매 따위가 많이 매달려 있는 모양.

(2) ㉢ 올록볼록 · · ② 물체의 거죽이나 면이 고르지 않게 높고 낮은 모양.

중요
15 241003-0121
㉣을 넣어 바르게 만든 문장에 ○표를 하세요.

(1) 아빠께서 사 주신 고소한 군밤을 먹었습니다. ( )
(2) 고소한 떡볶이를 먹으니 얼굴이 화끈거리고 땀이 흐릅니다. ( )

중심 내용 포도는 덩굴손이 꼬불꼬불 뻗어나가 버팀대를 돌돌 감고 자라다 보라색의 새콤달콤한 열매를 맺습니다.

2 **덩굴손**이 꼬불꼬불 쭈욱,

버팀대를 돌돌 감고 뻗어 가.
빙글빙글 따라가면 무엇이 있을까?

우아, ㉠**탐스러운** 포도가 열렸어!
알맹이가 **송알송알**, 보랏빛 포도야.
<u>포도의 색깔</u>
새콤달콤 아주 맛나.
<u>포도의 맛</u>

🐧 낱말 풀이

덩굴손 가지나 잎이 실처럼 변하여 다른 물체를 감아 줄기를 지탱하는 가는 덩굴.
버팀대 쓰러지지 않도록 받치어 대는 물건.
탐스러운 가지거나 차지하고 싶은 마음이 들 정도로 보기가 좋고 끌리는 데가 있는.
송알송알 땀방울이나 물방울, 열매 따위가 잘게 많이 맺힌 모양.

241003-0122

16 덩굴손이 꼬불꼬불 뻗어 가며 자라는 과일은 무엇인가요? (　　　)

① 배　　　② 감　　　③ 사과
④ 포도　　⑤ 땅콩

중요
241003-0123

17 다음 낱말과 그 뜻을 알맞게 선으로 이으세요.

(1) 꼬불꼬불　•　•① 이리로 저리로 고부라지는 모양.

(2) 빙글빙글　•　•② 큰 것이 잇따라 미끄럽게 도는 모양.

(3) 송알송알　•　•③ 땀방울이나 물방울, 열매 따위가 잘게 많이 맺힌 모양.

241003-0124

18 포도의 맛을 표현한 말은 무엇인가요? (　　　)

① 돌돌
② 꼬불꼬불
③ 새콤달콤
④ 송알송알
⑤ 빙글빙글

241003-0125

19 ㉠을 넣어 만든 문장이 <u>어색한</u> 것을 골라 기호를 쓰세요.

㉮ 빨갛게 핀 탐스러운 장미가 무척 예쁩니다.
㉯ 크고 탐스러운 사과를 한 입 베어 물었습니다.
㉰ 바닥에 떨어진 탐스러운 개똥을 피해서 걸어야 합니다.

(　　　　　)

중심 내용 동글동글한 잎이 연못 위에 동동 떠 있는 개구리밥은 개구리가 물속에서 나올 때 입가에 밥풀처럼 붙는다고 해서 붙여진 이름입니다.

3 동글동글 잎이 연못 위에 **동동**.

나뭇잎이 ⟨ ㉠ ⟩ 떨어진 걸까?

아니, 물 위에 떠서 자라는 개구리밥이야.
개구리밥의 특징
개구리가 먹는 밥이냐고?

아니, 아니.

개구리가 물속에서 나올 때 입가에 **밥풀처럼**
★   개구리밥이라고 부르는 까닭
붙는다고 개구리밥이라 부른대.

★ 바르게 받아쓰기

붙는다	붓는다
(○)	(×)

날말 풀이

동동 작은 물체가 떠서 움직이는 모양.
밥풀 밥 하나하나의 알.

중요
20 241003-0126

㉠에 들어갈 꾸며 주는 말로 가장 알맞은 것은 무엇인가요? (   )

① 활짝
② 훨훨
③ 우수수
④ 사뿐사뿐
⑤ 펄럭펄럭

21 241003-0127

3에서 설명하는 식물을 '개구리밥'이라고 부른 까닭은 무엇인가요? (   )

① 개구리처럼 초록색이어서
② 개구리가 먹는 식물이어서
③ 개구리가 그 잎 위에 늘 앉아 있어서
④ 연못의 개구리가 잘 보이지 않게 숨겨 주어서
⑤ 개구리가 물속에서 나올 때 입가에 밥 풀처럼 붙어서

22 241003-0128

개구리밥의 특징을 알맞게 말한 두 친구를 모두 찾아 이름을 쓰세요.

영주: 개구리가 먹어.
현태: 잎이 동글동글해.
민성: 물 위에 떠서 자라.

(,   )

서술형
23 241003-0129

보기의 꾸며 주는 말 중 하나를 골라 넣어 문장을 만들어 쓰세요.

보기

동동   우수수   동글동글

_____

도움말 날말 하나를 골라 그 날말의 뜻을 생각하며 자연스럽게 문장을 만들어 봅니다.

학습 목표 ▶ 겪은 일에서 일기 글감 정하기

1️⃣

2️⃣

3️⃣

4️⃣

5️⃣

6️⃣

•그림의 특징: 소율이의 하루 생활을 시간 순서대로 정리한 그림입니다.

■ 소율이가 겪은 일
〈아침〉
1️⃣ 날씨가 맑아서 기분이 좋았다.
2️⃣ 학교 가는 길에 교통 봉사를 해 주시는 분께 인사를 했다.
〈낮〉
3️⃣ 화단에서 봄철 식물을 관찰했다.
4️⃣ 운동장에서 달리기를 했다.
5️⃣ 수업을 마치고 집으로 돌아왔다.
〈저녁〉
6️⃣ 저녁을 먹고 도서관에 가서 동생과 그림책을 읽었다.

241003-0130
24 소율이가 겪은 일 중 그림 1️⃣의 내용을 바르게 정리한 것에 ○표를 하세요.

(1) 날씨가 흐려서 우울했다. ( )
(2) 비가 와서 걱정이 되었다. ( )
(3) 날씨가 맑아서 기분이 좋았다. ( )

241003-0131
25 그림 2️⃣를 보고 소율이가 겪은 일을 정리하여 빈칸에 알맞게 쓰세요.

학교 가는 길에 (1) ( ) 봉사를 해 주시는 분께 (2) ( )을/를 했다.

241003-0132
26 소율이가 학교에서 겪은 일을 두 가지 고르세요. (,)

① 달리기 ② 공놀이
③ 식물 관찰 ④ 악기 연주
⑤ 노래 부르기

241003-0133
27 소율이가 저녁에 한 일은 무엇인가요? ( )

① 피아노 치기
② 동생과 블록 쌓기
③ 강아지와 산책하기
④ 동생과 그림책 읽기
⑤ 동생과 집안일 돕기

중요
28 241003-0134
소율이가 겪은 일과 소율이가 느꼈을 생각이나 느낌을 알맞게 선으로 이으세요.

(1) 화창하게 맑은 하늘을 봄. • • ① 긴장됨.

(2) 운동장에서 친구들과 달리기를 함. • • ② 반가움.

학습 목표 ▶ 겪은 일에서 일기 글감 정하기

· 글의 특징: 소율이가 수업 시간에 달리기를 한 일을 글감으로 하여 쓴 일기로, 겪은 일과 그때의 생각이나 느낌이 잘 나타난 글입니다.

■ 일기의 글감을 정하는 방법

· 하루에 겪은 일 가운데에서 한 것, 본 것, 들은 것을 떠올려 봅니다.

· 떠올린 것 가운데에서 기뻤던 일, 슬펐던 일, 화났던 일 따위가 무엇인지 생각해 봅니다.

· 그 가운데에서 가장 인상 깊은 일을 골라 일기로 씁니다.

20○○년 4월 23일 수요일	날씨: 화창하게 맑은 날

제목: (   )

  오늘 수업 시간에 달리기를 했다. 선생님께서 출발하는 방법과 빠르게 달리는 방법을 가르쳐 주셨다. 나는 달리기를 좋아해서 열심히 연습했다. 연습이 끝나고 세 명씩 달리기를 했다. 출발선에서 있는데 너무 긴장되고 떨렸다. 그래도 용기를 내서 끝까지 달렸다. 반 친구들이 박수를 치며 달리기를 잘한다고 칭찬해 주었다. 기분이 참 좋았다.

★ 바르게 받아쓰기

가르쳐	가리켜
(○)	(×)

241003-0135

29 소율이는 언제 어디에서 있었던 일을 일기로 썼나요? (   )

① 수업 시간에 교실에서
② 점심시간에 급식실에서
③ 수업 시간에 운동장에서
④ 하교 후에 집 근처 공원에서
⑤ 하교 후에 집 근처 놀이터에서

241003-0136

30 소율이가 겪은 일을 두 가지 고르세요.
(,   )

① 즐겁게 체조를 함.
② 세 명씩 달리기를 함.
③ 재미있는 노래를 배움.
④ 빠르게 달리는 방법을 배움.
⑤ 다양한 술래잡기 놀이를 배움.

241003-0137

31 겪은 일에 대한 소율이의 생각이나 느낌으로 알맞은 것에 모두 ○표를 하세요.

(1) 기분이 좋음.   (   )
(2) 긴장되고 떨림.   (   )
(3) 기분이 나쁘고 속상함.   (   )

서술형 241003-0138

32 소율이의 일기에 어떤 제목을 붙이면 좋을지와 그렇게 생각한 까닭을 쓰세요.

(1) 제목: (   )
(2) 그렇게 생각한 까닭:

_____

_____

도움말 제목은 일기의 내용을 대표해야 하므로, 중요한 일이 잘 드러나도록 정하거나 겪은 일에 대한 생각이나 느낌이 잘 드러나도록 정하는 것이 좋습니다.

국어 101~105쪽　　학습 목표 ▶ 겪은 일이 잘 드러나게 일기 쓰기

중요 33 241003-0139

일기의 글감을 정하는 방법에 맞도록 빈칸에 들어갈 알맞은 말을 [보기] 에서 골라 쓰세요.

[보기]

슬펐던 일　들은 것　인상 깊은

(1) 하루에 겪은 일 가운데에서 한 것, 본 것, (　　　　)을 떠올려 봅니다.
(2) 떠올린 것 가운데에서 기뻤던 일, (　　　　), 화났던 일 따위가 무엇인지 생각해 봅니다.
(3) 그 가운데에서 가장 (　　　　) 일을 골라 일기로 씁니다.

서술형 34 241003-0140

자신이 어제 하루 동안 겪은 일을 떠올려 간단히 쓰세요.

(1) 아침	
(2) 낮	
(3) 저녁	

[도움말] 어제 아침, 낮, 저녁에 겪었던 일을 떠올려 간단히 써 봅니다. 항상 겪는 일보다는 특별히 기억나는 일을 적는 것이 좋습니다.

35 241003-0141

34에서 떠올린 일 중 어떤 일을 골라 일기의 글감으로 정하는 것이 좋을까요? (　　　)

① 인상 깊은 일
② 가장 먼저 한 일
③ 평소에 자주 하는 일
④ 기억이 잘 나지 않는 일
⑤ 친구들이 궁금해하는 일

36 241003-0142

일기의 글감을 정하고 내용을 정리하려고 할 때 생각할 점으로 알맞지 않은 것은 무엇인가요?
(　　　)

① 무슨 일이 있었나?
② 언제 있었던 일인가?
③ 어디에서 있었던 일인가?
④ 어떤 생각이나 느낌이 들었나?
⑤ 함께 있었던 사람들의 생일은 언제인가?

중요 37 241003-0143

겪은 일에 알맞은 제목을 정하는 방법이 아닌 것은 무엇인가요? (　　　)

① 겪은 일을 간단히 줄여서 나타냅니다.
② 그날 있었던 중요한 일을 생각하며 정합니다.
③ 그날 있었던 일을 알 수 없게 제목을 정합니다.
④ 겪은 일에 대해 어떤 생각이나 느낌이 들었는지 떠올려 정합니다.
⑤ 겪은 일에서 가장 중요하게 생각하는 사람이나 물건으로 제목을 정합니다.

38 241003-0144

떠올린 글감과 그 제목을 알맞게 선으로 이으세요.

(1) | 그림 그린 일 |　·　·① | 즐거운 산책길 |

(2) | 공원에서 산책한 일 |　·　·② | 힘들지만 재미있는 색칠하기 |

[39~41] 다음을 보고, 물음에 답하세요.

겪은 일	집에서	㉠	다른 곳에서
한 것	우산을 가지고 나옴.	반 친구들 앞에서 노래 부름.	물고기를 봄.
본 것	구름 가득한 하늘을 봄.	기대하는 반 친구들을 봄.	여러 가지 물고기를 봄.
㉡	"우산 가지고 가렴."	"소율이 노래 잘한다!"	"우리 수족관에서 가장 예쁜 물고기예요."
생각이나 느낌	㉢	㉣	㉤

241003-0145

39 ㉠에 가장 알맞은 장소는 어디인가요? (   )

① 학교에서   ② 식당에서
③ 거리에서   ④ 슈퍼마켓에서
⑤ 할머니 댁에서

241003-0146

40 ㉡에 들어갈 알맞은 말에 ○표를 하세요.

(1) 들은 것   (   )
(2) 느낀 것   (   )
(3) 궁금한 것   (   )

241003-0147

41 ㉢~㉤에 들어갈 생각이나 느낌을 각각 선으로 이으세요.

(1) ㉢ ·   · ① 걱정됨.

(2) ㉣ ·   · ② 행복했음.

(3) ㉤ ·   · ③ 긴장됨, 기뻤음.

241003-0148

42 다음에 해당하는 인상 깊은 일을 보기 에서 골라 기호를 쓰세요.

보기
> ㉮ 선생님께 칭찬받은 일
> ㉯ 친한 친구가 전학 간 일

(1) 기뻤던 일: (   )
(2) 슬펐던 일: (   )

서술형 241003-0149

43 자신이 겪은 일 가운데 글감을 골라 내용을 정리하려고 합니다. 빈칸에 들어갈 내용을 쓰세요.

(1) 언제 있었던 일이야?	
(2) 누구와 있었던 일이야?	
(3) 무슨 일이 있었어?	
(4) 어떤 생각이나 느낌이 들었어?	

도움말 겪은 일 중 특히 인상 깊었던 일을 떠올려 언제, 누구와, 무슨 일이 있었으며, 어떤 생각이나 느낌이 들었는지 차근차근 정리해 봅니다.

중요 241003-0150

44 일기를 쓴 뒤 확인할 내용으로 알맞지 <u>않은</u> 것은 무엇인가요? (   )

① 날씨를 생생하게 나타냈나요?
② 날씨와 요일을 정확하게 썼나요?
③ 일기를 쓴 시간을 정확하게 썼나요?
④ 누구와 무슨 일이 있었는지 자세히 썼나요?
⑤ 겪은 일에 대한 자신의 생각이나 느낌을 솔직하게 썼나요?

국어 108~111쪽　　학습 목표 ▶배운 내용 마무리하기

[45~47] 다음 그림을 보고, 물음에 답하세요.

241003-0151

45 여자아이는 누구와 함께 있나요? (　　　)

① 친구　　② 오빠　　③ 부모님
④ 할머니　　⑤ 할아버지

241003-0152

46 그림을 보고 빈칸에 들어갈 꾸며 주는 말을 알맞게 선으로 이으세요.

(1) [　　] 바람이 불어옵니다. ・　・① 톡톡

(2) 바람개비가 [　　] 돌아갑니다. ・　・② 귀여운

(3) 할머니 옆에 [　　] 강아지가 있습니다. ・　・③ 시원한

(4) 장독대에 감꽃이 [　　] 떨어집니다. ・　・④ 빙글빙글

서술형
47 241003-0153

다음은 그림의 일을 떠올려 여자아이가 쓴 일기입니다. 빈칸에 생각이나 느낌을 넣어 일기를 완성해 보세요.

| 20○○년 4월 ○일 ○요일 | 날씨: 시원함. |

제목: 기분 좋은 바람

　할머니 댁에 놀러 갔다. 할머니 댁은 마당이 넓어 참 좋다. 바람이 불자 감꽃이 톡톡 떨어지고, 바람개비는 빙글빙글 돌았다. 할머니와 귀여운 강아지 옆에서 나는 팔을 벌려 시원한 바람을 맞았다.

_____

_____

도움말 팔을 벌려 시원한 바람을 맞을 때 어떤 기분이 들었을지 생각해 써 봅니다. 제목의 내용을 참고하여 적어도 좋습니다.

중요
48 241003-0154

일기를 쓸 때 생각해야 할 점을 <u>모두</u> 고르세요.
(　　,　　,　　)

① 누구와 무엇을 했는지 떠올려 씁니다.
② 꾸며 주는 말을 넣어 생생하게 씁니다.
③ 날짜와 날씨 가운데에서 한 가지만 씁니다.
④ 따옴표를 이용해 다른 사람과 나눈 대화를 씁니다.
⑤ 겪은 일만 쓰고 자신의 생각이나 느낌은 쓰지 않습니다.

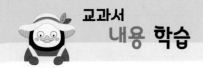

국어 활동 46~47쪽

꾸며 주는 말을 넣어 문장 쓰고 읽기

• 알맞은 꾸며 주는 말을 보기 에서 찾아 써 봅시다.

보기

넓은	열심히	엄청	많이
멋진	울퉁불퉁한	새콤한	예쁜

지난주에 친구들과 고구마 농장에 갔습니다. 농장에는 ⑩ 넓은 밭과 ⑩ 예쁜/멋진 연못이 있었습니다. 오리들은 뒤뚱뒤뚱 걸으며 우리를 반겨 주었습니다. 우리는 밭에 조르르 앉아서 고구마를 ⑩ 열심히/많이 캤습니다. ⑩ 울퉁불퉁한 고구마가 주렁주렁 열렸습니다. 찐 고구마는 ⑩ 새콤한 김치와 먹으면 ⑩ 엄청 맛있습니다. 나는 군침을 닦으며 바구니에 고구마를 차곡차곡 담았습니다.

• 빈칸에 보기 처럼 꾸며 주는 말을 넣어 사진에 어울리는 문장을 만들어 봅시다.

보기

푸른 들판 너머로 구름이 뭉게뭉게 피어난다.

⑩ 커다란 부엉이가 ⑩ 다소곳이 앉아 있다.

부엉이의 크기나 생김새를 관찰하여 '커다란 부엉이', '회색 부엉이' 등으로 꾸며 주는 말을 넣을 수 있어. 또, 앉아 있는 모습을 관찰하여 '다소곳이 앉아 있습니다.', '조용히 앉아 있습니다.' 등으로 꾸며 주는 말을 넣을 수도 있어.

밥에서 ⑩ 뜨거운 김이 ⑩ 모락모락 난다.

확인 문제 다음 문장에서 꾸며 주는 말을 <u>모두</u> 찾아 ○표를 하세요.

1 마당에 낙엽이 우수수 떨어졌습니다.
2 푸른 하늘에 구름이 둥실둥실 떠갑니다.
3 폭신한 곰 인형을 꼬옥 안아 주었습니다.

정답 1. 우수수 2. 푸른, 둥실둥실 3. 폭신한, 꼬옥

• 보기에 있는 꾸며 주는 말을 넣어 문장을 만들어 봅시다.

보기

차가운	시원한	아름다운
힘차게	조심조심	콸콸
훨훨	퐁퐁	솔솔

꾸며 주는 말	만든 문장
차가운, 퐁퐁	차가운 물이 옹달샘에서 퐁퐁 솟아오른다.
예 아름다운, 훨훨	예 아름다운 새가 하늘을 훨훨 날아간다.
예 힘차게, 시원한	예 산을 힘차게 올랐더니 정상에서 시원한 바람을 만났다.
예 콸콸, 조심조심	예 콸콸 솟아오르는 샘물을 손으로 조심조심 떠 마셨다.
예 시원한, 훨훨	예 시원한 바람을 맞으며 나도 새처럼 훨훨 날고 싶다.

• 독도에 사는 괭이갈매기의 모습을 보고 꾸며 주는 말을 넣어 짧은 글을 써 봅시다.

▲ 괭이갈매기

예 우리나라 독도에는 멋진 괭이갈매기가 삽니다. 귀여운 아기 괭이갈매기는 멋진 어미 괭이갈매기를 부릅니다. 어미 괭이갈매기는 먹이를 물고 뒤뚱뒤뚱 아기 괭이갈매기에게 갑니다. 아기 괭이갈매기가 반갑게 맞이합니다.

확인 문제

다음 꾸며 주는 말을 넣어 문장을 만들어 쓰세요.

1 예쁜, 아장아장 ➡ _____

2 넓은, 힘차게 ➡ _____

정답 1. 예 예쁜 아기가 아장아장 걷습니다. 2. 예 넓은 운동장에서 힘차게 달립니다.

국어 76~79쪽 교과서 76~79쪽 문제와 답

▶ 그림에 어울린다고 생각하는 꾸며 주는 말에 ○표를 해 봅시다.

(노란 , 예쁜)
우산을 쓰고 학교
에 간다.

(튼튼한 , 멋진)
거북선이 바다에
나간다.

▶ 1에서 고른 꾸며 주는 말과 그 말을 고른 까닭을 친구들과 이야기해 봅시다.
　㉔ 우산 색깔을 보고 노란 우산이라고 했어. / 우산 모양을 보고 예쁜 우산이라고 했어. /
　거북선의 모습이 멋지게 보여서 멋진 거북선이라고 했어.

▶ 보기 처럼 꾸며 주는 말을 빈칸에 넣어 문장을 만들어 봅시다.
　보기

> • 예쁜 꽃이 피었다.　　• 꽃이 활짝 피었다.

• ㉔ 빨간 　딸기를
먹었다.
• 딸기를 ㉔ 맛있게
먹었다.

• ㉔ 귀여운 　강아지가
달린다.
• 강아지가 ㉔ 빠르게
달린다.

▶ 사진에 어울리는 꾸며 주는 말을 생각해 보기 처럼 문장을 만들어 봅시다.
　보기

> • 말이 달려온다. ➡ 멋있는 말이 힘차게 달려온다.

• 아이들이 종이비행기를 날린다.
➡ 아이들이 종이비행기를 ㉔ 힘껏 날린다.

• 파도가 모래밭으로 몰려온다.
➡ ㉔ 거센 파도가 모래밭으로 ㉔ 끝없이 몰려온다.

• 황새가 날갯짓을 한다.
➡ ㉔ 멋진 황새가 날갯짓을 ㉔ 우아하게 한다.

▶ 보기 에 있는 꾸며 주는 말을 골라 사진을 설명하는 문장을 써 봅시다.

보기

빠르게	커다란	시커먼	붉은
화려한	뜨거운	멋있는	넓은

꾸며 주는 말	사진을 설명하는 문장
넓은	누리호가 넓은 하늘로 발사되었다.
예 시커먼	예 누리호가 시커먼 연기를 내뿜는다.

「식물은 어떻게 자랄까?」 교과서 92~93쪽 문제와 답

교과서 92~93쪽 문제와 답

글의 특징

땅콩과 포도, 개구리밥 같은 식물의 특징을 꾸며 주는 말로 자세히 설명한 그림책

▶ 「식물은 어떻게 자랄까?」를 읽고 물음에 답해 봅시다.

• 고소한 땅콩이 열리는 식물의 꽃은 무슨 색인가요? 예 노란색입니다.

• 덩굴손이 꼬불꼬불 뻗어 가며 자라는 나무에서 열리는 과일은 무엇인가요? 예 포도입니다.

• 사람들이 '개구리밥'이라고 부르는 까닭은 무엇인가요?

　예 개구리가 물속에서 나올 때 입가에 밥풀처럼 붙기 때문입니다.

▶ 밑줄 그은 낱말의 뜻으로 알맞은 말을 찾아 선으로 이어 봅시다.

예

노랑꽃을 활짝 피웠어.	작은 열매 따위가 많이 매달려 있는 모양.
땅속에서 조롱조롱 열매를 맺었구나.	물체의 겉면이 고르지 않게 높고 낮은 모양.
올록볼록 껍데기 속에는 고소한 땅콩이 들어 있어.	꽃잎 따위가 한껏 핀 모양.
나뭇잎이 우수수 떨어진 걸까?	바람에 나뭇잎 따위가 많이 떨어지는 소리나 모양.

▶ 「식물은 어떻게 자랄까?」에서 꾸며 주는 말을 찾아 문장을 만들고, 소리 내어 읽어 봅시다.

꾸며 주는 말	만든 문장
고소한	아버지께서 사 주신 고소한 군밤을 먹었다.
예 쑥쑥	예 내 동생은 키가 쑥쑥 자란다.
예 올록볼록	예 선물 상자의 포장지가 올록볼록하다.
예 탐스러운	예 할머니 댁에 탐스러운 토마토가 열렸다.

🦊 국어 94~98쪽 　교과서 96~98쪽 문제와 답

▶ 소율이가 겪은 일을 시간 순서대로 정리해 봅시다.

아침	① 날씨가 맑아서 (예 기분)이/가 좋았다. ② 학교 가는 길에 교통 봉사를 해 주시는 분께 (예 인사)을/를 했다.
낮	③ 화단에서 봄철 (예 식물)을/를 관찰했다. ④ 운동장에서 (예 달리기를 했다). ⑤ 수업을 마치고 집으로 돌아왔다.
저녁	⑥ 저녁을 먹고 도서관에 가서 (예 동생)과/와 (예 그림책)을/를 읽었다.

▶ 소율이가 겪은 일을 살펴보고 소율이가 느꼈을 생각이나 느낌을 나타내는 붙임딱지
를 붙여 봅시다.

장소	겪은 일(한 것, 본 것, 들은 것)	생각이나 느낌
집	화창하게 맑은 하늘을 봄.	예 기쁘고 행복함./즐거움./반가움.
학교	운동장에서 친구들과 달리기를 함.	예 긴장됨./기쁘고 행복함./즐거움.
도서관	동생과 그림책을 읽음.	예 즐거움./궁금함./기쁘고 행복함.

▶ 소율이가 쓴 일기를 읽고 물음에 답해 봅시다.

　• 소율이는 언제 어디에서 있었던 일을 일기로 썼나요?

　　예 수업 시간에 운동장에서 있었던 일을 일기로 썼습니다.

　• 소율이에게 무슨 일이 있었나요?

　　예 출발하는 방법과 빠르게 달리는 방법을 배운 다음에 세 명씩 달리기를 했습니다.

　• 소율이는 겪은 일에 대해 어떤 생각이나 느낌이 들었나요?

　　예 달리기를 하기 전에 긴장되고 떨렸습니다. 그렇지만 친구들이 달리기를 잘했다고
　　　박수를 치고 칭찬해 줘서 기분이 좋았습니다.

▶ 소율이가 쓴 일기를 다시 읽고 일기에 어떤 제목을 붙이면 좋을지 친구들과 이야기해
봅시다.

제목	그렇게 생각한 까닭
예 두근두근 달리기	예 소율이가 수업 시간에 세 명씩 달리기를 한 것을 글감으로 일기를 썼고, 달리기를 하기 전에 긴장되고 떨렸다고 하였으므로, 소율이의 마음과 중요한 일이 잘 드러나도록 제목을 붙였습니다.

▶ 일기의 글감을 정하는 방법을 알아보며 알맞은 말을 `보기` 에서 찾아 써 봅시다.

> **보기**
>
> 　　들은 것　　　슬펐던 일　　　화났던 일　　　본 것

　• 하루에 겪은 일 가운데에서 한 것, (예 본 것), (예 들은 것)을 떠올려 본다.

　• 떠올린 것 가운데에서 기뻤던 일, (예 슬펐던 일), (예 화났던 일) 따위가 무엇인지
　　생각해 본다. / • 그 가운데에서 가장 인상 깊은 일을 골라 일기로 쓴다.

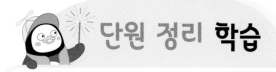 단원 정리 **학습**

핵심 1 　꾸며 주는 말을 넣어 문장 읽고 쓰기

1 꾸며 주는 말

- '예쁜', '활짝'처럼 뒤에 오는 말을 꾸며 그 뜻을 자세하게 해 주는 말을 '꾸며 주는 말'이라고 합니다.

  예
  - 예쁜 꽃이 피었다.
  - 꽃이 활짝 피었다.

2 꾸며 주는 말을 사용하면 좋은 점

- 자신의 생각을 정확하게 나타낼 수 있습니다.

  예 급식을 맛있게 먹었다.

- 생각이나 느낌을 실감 나게 표현할 수 있습니다.

  예 날씨가 쌀쌀해서 오들오들 떨었다.

- 대상에 대해 좀 더 생생하게 설명할 수 있습니다.

  예 검은 말이 힘차게 달려온다.

> 꾸며 주는 말을 사용하면
> 문장을 더욱 실감 나고 생생
> 하게 표현할 수 있어.

핵심 2 　자신의 생각을 담은 일기 쓰기

1 일기의 글감 정하는 방법

- 하루에 겪은 일 가운데에서 한 것, 본 것, 들은 것을 떠올려 봅니다.
- 떠올린 것 가운데에서 기뻤던 일, 슬펐던 일, 화났던 일 따위가 무엇인지 생각해 봅니다.
- 그 가운데에서 가장 인상 깊은 일을 골라 일기로 씁니다.

2 겪은 일을 일기로 쓰는 방법

- 자신이 겪은 일을 중심으로 글감을 찾습니다.
- 인상 깊은 일을 정리합니다.
  - 언제, 어디에서, 누구와, 무슨 일이 있었나?
  - 어떤 생각이나 느낌이 들었나?
- 날짜와 날씨, 제목, 겪은 일, 생각이나 느낌의 순서대로 일기를 씁니다.
- 다 쓴 다음 고쳐 쓸 부분이 없는지 확인합니다.

중요
241003-0155
01 꾸며 주는 말에 대해 바르게 설명한 것에 ○표를 하세요.

(1) 문장에서 '누가'에 해당하는 말입니다.
( )

(2) 뒤에 오는 말을 꾸며 그 뜻을 자세하게 해 주는 말입니다. ( )

(3) 문장과 문장 사이에 놓여 두 문장을 자연스럽게 이어 주는 말입니다. ( )

[02~03] 다음 글을 읽고, 물음에 답하세요.

> **가** 오늘 할머니, 할아버지와 옥수수밭에 갔다.
> 할아버지께서 나를 보고 웃으셨다.

> **나** 오늘 할머니, 할아버지와 넓은 옥수수밭에 갔다.
> 할아버지께서 나를 보고 활짝 웃으셨다.

241003-0156
02 글 **가**와 **나** 중 더 실감 나고 생생하게 느껴지는 것은 어느 것인지 쓰세요.

( )

241003-0157
03 이 글에 나오는 꾸며 주는 말은 무엇인가요?
( )

① 넓은, 활짝
② 나를, 보고
③ 오늘, 옥수수밭
④ 갔다, 웃으셨다
⑤ 할머니, 할아버지

[04~05] **보기**처럼 사진이나 그림에 어울리는 꾸며 주는 말을 넣어 문장을 완성하세요.

보기

• 예쁜 꽃이 피었다.
• 꽃이 활짝 피었다.

241003-0158
04

(1) ( ) 거북선이 바다에 나간다.
(2) 거북선이 바다에 ( ) 나간다.

241003-0159
05

(1) ( ) 우산을 쓰고 학교에 간다.
(2) 우산을 쓰고 학교에 ( ) 간다.

[06~07] 보기 처럼 사진이나 그림에 어울리는 꾸며 주는 말을 넣어 문장을 완성하세요.

보기

• 말이 달려온다.
➡ 멋있는 말이 힘차게 달려온다.

241003-0160

06

• 아이들이 종이비행기를 날린다.
➡ 아이들이 종이비행기를 (   ) 날린다.

241003-0161

07

• 황새가 날갯짓을 한다.
➡ (   ) 황새가 날갯짓을 (   ) 한다.

서술형
241003-0162

08 꾸며 주는 말로 '뜨거운'과 '넓은'을 모두 넣어 다음 사진을 설명하는 문장을 쓰세요.

_____

_____

도움말 뜨거운 것은 무엇인지, 넓은 것은 무엇인지 찾아 사진을 설명하는 문장을 써 봅니다.

[09~10] 다음 글을 읽고, 물음에 답하세요.

조그만 새싹이 ㉠쑥쑥 자라더니 ㉡노랑꽃을 활짝 피웠어.
꽃이 지면 열매가 열리겠지?
그런데 기다리고 기다려도 안 열려.
열매는 어디에 있을까?

어머, 어머!
몰래 땅속에서 ㉢조롱조롱 열매를 맺었구나.
㉣올록볼록 껍데기 속에는 ㉤고소한 땅콩이 들어 있어.

241003-0163

09 글에서 설명하는 식물의 특징으로 알맞은 것을 두 가지 고르세요. (,   )

① 흰색 꽃이 핍니다.
② 노란색 꽃이 핍니다.
③ 땅속에서 열매를 맺습니다.
④ 꽃이 피기 전에 열매가 생깁니다.
⑤ 줄기가 버팀대를 돌돌 감으며 자랍니다.

241003-0164

10 ㉠~㉤ 중 꾸며 주는 말이 아닌 것은 무엇인가요? (   )

① ㉠ 쑥쑥
② ㉡ 노랑꽃
③ ㉢ 조롱조롱
④ ㉣ 올록볼록
⑤ ㉤ 고소한

[11~13] 다음 글을 읽고, 물음에 답하세요.

> 덩굴손이 꼬불꼬불 쭈욱,
>
> 버팀대를 ㉠돌돌 감고 뻗어 가.
> 빙글빙글 따라가면 무엇이 있을까?
>
> 우아, 탐스러운 포도가 열렸어!
> 알맹이가 송알송알, 보랏빛 포도야.
> 새콤달콤 아주 맛나.
> 동글동글 잎이 연못 위에 동동.
> 나뭇잎이 ㉡우수수 떨어진 걸까?
>
> 아니, 물 위에 떠서 자라는 개구리밥이야.
> 개구리가 먹는 밥이냐고?
> 아니, 아니.
> 개구리가 물속에서 나올 때 입가에 밥풀처럼 붙는다고 개구리밥이라 부른대.

241003-0165

11 이 글을 읽고 알 수 있는 사실이 <u>아닌</u> 것은 무엇인가요? ( )

① 포도의 색
② 포도의 맛
③ 개구리밥이 자라는 곳
④ 개구리가 주로 먹는 먹이
⑤ 개구리밥이란 이름이 붙은 까닭

241003-0166

12 다음 특징을 가진 식물을 찾아 쓰세요.

> 덩굴손이 꼬불꼬불 뻗어 가며 자랍니다.

( )

241003-0167

13 ㉠과 ㉡을 넣어 문장을 바르게 만든 것에 ○표를 하세요.

(1) ┌─ ㉠ 돌돌 ─┐

① 휴지를 돌돌 말아 쥐었다. ( )
② 친구들과 운동장을 돌돌 달렸다.
( )

(2) ┌─ ㉡ 우수수 ─┐

① 벚꽃이 우수수 떨어졌다. ( )
② 서커스 공연이 시작되자 사람들이 우수수 몰려들었다. ( )

[14~15] 소율이의 학교생활을 순서대로 정리한 그림을 보고, 물음에 답하세요.

1  2  3

241003-0168

14 소율이가 겪은 일의 순서대로 번호를 쓰세요.

(1) 식물 관찰하기 ( )
(2) 집으로 돌아가기 ( )
(3) 운동장에서 달리기하기 ( )

241003-0169

15 1과 2에서 겪은 일에 대한 소율이의 생각이나 느낌으로 알맞은 것을 선으로 이으세요.

(1) 1 •   • ① 신기함.

(2) 2 •   • ② 긴장됨.

[16~18] 다음 글을 읽고, 물음에 답하세요.

| 20○○년 4월 23일 수요일 | 날씨: 화창하게 맑은 날 |

제목: (㉠)

오늘 수업 시간에 달리기를 했다. 선생님께서 출발하는 방법과 빠르게 달리는 방법을 가르쳐 주셨다. 나는 달리기를 좋아해서 열심히 연습했다. 연습이 끝나고 세 명씩 달리기를 했다. 출발선에 서 있는데 너무 긴장되고 떨렸다. 그래도 용기를 내서 끝까지 달렸다. 반 친구들이 박수를 치며 달리기를 잘한다고 칭찬해 주었다. 기분이 참 좋았다.

16 241003-0170

이 일기의 글감은 무엇인가요? ( )

① 계주 선수로 뽑힌 일
② 운동회 연습을 한 일
③ 달리기를 하다 넘어진 일
④ 친구들과 공놀이를 한 일
⑤ 수업 시간에 달리기를 한 일

17 241003-0171

소율이의 마음은 어떻게 변하였는지 빈칸에 들어갈 알맞은 말을 쓰세요.

(1) 출발선에 서 있을 때

[   ]

↓

(2) 친구들이 칭찬해 주었을 때

[   ]

18 241003-0172

㉠에 들어갈 일기의 제목으로 가장 알맞은 것에 ○표를 하세요.

(1) 안타까운 달리기 ( )
(2) 빠르게 달리는 방법 ( )
(3) 두근두근 떨리는 달리기 ( )

중요
19 241003-0173

겪은 일을 일기로 쓰는 방법으로 알맞지 <u>않은</u> 것은 무엇인가요? ( )

① 인상 깊은 일을 정리합니다.
② 겪은 일을 중심으로 글감을 찾습니다.
③ 다 쓴 다음 고쳐 쓸 부분을 확인합니다.
④ 인상 깊은 일이 없으면 재미있게 꾸며서 씁니다.
⑤ 날짜와 날씨, 제목, 겪은 일, 생각이나 느낌의 순서대로 일기를 씁니다.

서술형
20 241003-0174

어제 하루 동안 겪었던 일 중 인상 깊은 일을 떠올려 일기를 간단히 쓰세요.

| 년 월 일 요일 | 날씨: |

제목: ( )

_____

_____

_____

_____

_____

도움말 제목은 중요한 일이 잘 드러나도록 붙이고, 언제, 어디에서, 누구와 무슨 일이 있었는지, 그때의 생각이나 느낌은 어떠했는지 잘 드러나도록 써 봅니다.

분위기를 살려 읽어요

81쪽 단원 정리 학습에서 더 자세히 공부해 보세요.

단원 학습 목표

1. 겹받침을 바르게 읽고 쓸 수 있습니다.
   - 겹받침이 있는 낱말을 읽고 쓸 수 있습니다.
   - 겹받침이 있는 낱말에 주의하며 글을 읽을 수 있습니다.
2. 작품을 분위기에 알맞게 읽을 수 있습니다.
   - 시의 분위기를 살펴볼 수 있습니다.
   - 시의 분위기를 생각하며 소리 내어 읽을 수 있습니다.

단원 진도 체크

회차		학습 내용	진도 체크
1차	단원 열기	단원 학습 내용 미리 보고 목표 확인하기	✓
	교과서 내용 학습	「누가 누가 잠자나」	✓
2차	교과서 내용 학습	겹받침이 있는 낱말 읽고 쓰기	✓
	교과서 내용 학습	「바다에 쓰레기가 모여 있다고?」	✓
3차	교과서 내용 학습	「바람은 착하지」	✓
	교과서 내용 학습	「오늘」	✓
4차	교과서 내용 학습	국어 활동 학습하기	✓
	교과서 문제 확인	교과서 문제 해결하기	✓
5차	단원 정리 학습	단원 학습 내용 정리하기	✓
	단원 확인 평가	확인 평가를 통한 단원 학습 상황 파악하기	✓

해당 부분을 공부하고 나서 ✓표를 하세요.

<시 함께 읽기>

시에서 바람이 신문지로 목도리를 만드는 모습을 몸짓으로 표현해 보는 중이야.

민들레꽃을 챙겨 주는 바람의 모습에서 엄마 같은 따뜻한 마음이 느껴졌어.

너희들 얘기를 들어 보니 따뜻한 분위기가 느껴지는 시인 것 같아.

친구들의 말과 행동을 통해서 작품의 분위기를 파악할 수 있어요. 여러분도 이 친구들처럼 작품의 분위기에 알맞게 글을 읽어 본 적이 있나요?

4단원에서는 작품을 분위기에 알맞게 읽는 활동을 할 거예요. 또, 겹받침이 있는 낱말에 주의하며 글을 읽어 볼 거예요.

국어 114~117쪽   학습 목표 ▶ 배울 내용 살펴보기

「누가 누가 잠자나」

· 글의 종류: 시
· 글쓴이: 목일신
· 글의 특징: 반복되는 말이 리듬감을 주어 노래하듯이 읽으면 자장가 같은 느낌이 납니다.

- - - - - - - - - - - - - - - -

■ 분위기에 알맞게 시를 읽는 여러 가지 방법
· 주고받으며 읽습니다.
· 손뼉을 치거나 발을 구르며 읽습니다.
· 시에서 떠오르는 장면을 몸짓으로 표현하며 읽습니다.

㉠넓고 넓은 ★밤하늘엔

누가 누가 잠자나.
_{반복되는 말}
하늘 나라 아기별이

깜박깜박 잠자지.
_{반복되는 말}

깊고 깊은 숲속에선

누가 누가 잠자나.
_{반복되는 말}
산새 들새 모여 앉아

꼬박꼬박 잠자지.
_{반복되는 말}

포근포근 엄마 품엔

누가 누가 잠자나.
_{반복되는 말}
우리 아기 예쁜 아기

새근새근 잠자지.
_{반복되는 말}

★ 바르게 읽기

[밤하느렌]	[밤하늘엔]
(○)	(×)

241003-0175

01 이 시를 읽을 때 떠올리면 도움이 되는 경험으로 알맞은 것은 무엇인가요? (   )

① 따뜻한 외투를 샀던 경험
② 자장가를 들으며 잠들었던 경험
③ 깊은 숲속에서 길을 잃었던 경험
④ 아빠와 함께 놀이동산에 갔던 경험
⑤ 비행기를 타고 하늘을 날았던 경험

241003-0176

02 다음은 시를 읽는 여러 가지 방법 중 무엇인지 알맞은 것에 ○표를 하세요.

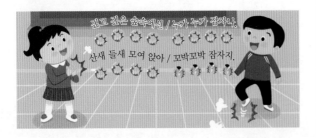

(1) 주고받으며 읽기   (   )
(2) 손뼉을 치거나 발을 구르며 읽기 (   )
(3) 시에서 떠오르는 장면을 몸짓으로 표현하며 읽기   (   )

중요 241003-0177

03 이 시를 여러 가지 방법으로 읽고 생각이나 느낌을 알맞게 말하지 <u>못한</u> 친구의 이름을 쓰세요.

영은: 친구와 시를 주고받으며 읽으니 장면을 잘 떠올릴 수 있었어.
하윤: 몸짓으로 표현하며 읽으니 시에 나오는 인물의 마음을 느낄 수 있었어.
현주: 손뼉을 치거나 발을 구르며 읽으니 운동이 되어 몸이 건강해지는 것 같았어.

(   )

241003-0178

04 ㉠을 바르게 읽은 것은 무엇인가요? (   )

① [넓꼬 넓은]   ② [넓꼬 넙은]
③ [넙꼬 널븐]   ④ [널꼬 널븐]
⑤ [널코 널픈]

도움말 받침 'ㄼ'은 보통 [ㄹ]로 발음하며, 받침 'ㄼ, ㄾ' 뒤에 연결되는 'ㄱ, ㄷ, ㅅ, ㅈ'은 [ㄲ, ㄸ, ㅆ, ㅉ]로 발음합니다. 또한 낱말의 받침 뒤가 'ㅇ'으로 시작하는 글자인 경우, 받침의 뒷글자가 'ㅇ'으로 옮겨 가 소리 납니다.

국어 118쪽   학습 목표 ▶ 겹받침이 있는 낱말 읽고 쓰기

많다 [만타]	가위 [가위]	여덟 [여덜]	몫 [목]

・글의 특징: 여러 낱말을 읽어 보며 어떻게 소리 나는지 살펴볼 수 있습니다.

㉠학교	낚시 [낙씨]	사랑 [사랑]	강물 [강물]	㉡앉다

없다 [업따]	오리 [오리]	㉢있다	나라 [나라]

걷다 [걷따]	쉬다 [쉬다]	흙 [흑]

🐧 **낱말 풀이**

몫 여럿이 나누어 가지는 각 부분.

중요
241003-0179

05 ㉠, ㉢을 소리 나는 대로 바르게 읽은 것끼리 선으로 이으세요.

・① [학꾜]

(1) ㉠ 학교 •

・② [학쿄]

・③ [읻따]

(2) ㉢ 있다 •

・④ [읻타]

241003-0180

06 ㉡을 소리 나는 대로 바르게 읽은 것에 ○표를 하세요.

(1) [안따]   ( )

(2) [안타]   ( )

241003-0181

07 위 낱말들 중에서 '가위', '사랑', '오리', '나라', '쉬다'의 공통점은 무엇인가요? ( )

① 받침이 없는 낱말입니다.
② 모두 겹받침이 들어갑니다.
③ 모두 쌍받침이 들어갑니다.
④ 소리 내어 읽은 것과 쓴 것이 같습니다.
⑤ 소리 내어 읽은 것과 쓴 것이 다릅니다.

241003-0182

08 낱말의 뜻을 생각하며 다음 그림에 알맞은 낱말은 무엇인지 위에서 찾아 쓰세요.

국어 119쪽　　　학습 목표 ▶ 겹받침이 있는 낱말 읽고 쓰기

- 글의 특징: 낱말에 있는 받침을 기준으로 낱말들을 나누었습니다.

- 낱말들을 나눈 기준

기준 1	받침이 있는지 없는지에 따라
기준 2	받침에 사용한 자음자의 개수에 따라
기준 3	받침의 종류에 따라

- 쌍받침과 겹받침
- 쌍받침: 낱말에 사용하는 받침 가운데에서 ㄲ, ㅆ 따위
- 겹받침: 낱말에 사용하는 받침 가운데에서 ㄳ, ㄵ, ㄶ, ㄼ 따위

⊙ 어떻게 나누었을까요?

가위, 오리, 나라, 쉬다 │ 많다, 여덟, 몫, 학교, 낚시, 사랑, 강물, 앉다, 없다, 있다, 걷다, 흙
└ 받침이 없는 낱말　　└ 받침이 있는 낱말

어떻게 나누었을까요?

학교, 사랑, 강물, ⓒ │ 많다, 여덟, 몫, 낚시, 앉다, ⓒ, 있다, 흙
└ 자음자 한 개를 받침으로 사용한 낱말　└ 자음자 두 개를 받침으로 사용한 낱말

어떻게 나누었을까요?

낚시, 있다 │ 많다, 여덟, 몫, 앉다, 없다, 흙
└ 쌍받침이 있는 낱말　└ 겹받침이 있는 낱말

낱말에 있는 받침을 잘 살펴봐.

중요 241003-0183

09 ⊙의 질문에 대한 대답으로 알맞은 것은 무엇인가요? (　　)

① 한 글자 낱말과 두 글자 낱말
② 받침이 없는 낱말과 받침이 있는 낱말
③ 받침이 있는 낱말과 쌍받침이 있는 낱말
④ 받침이 없는 낱말과 겹받침이 있는 낱말
⑤ 쌍받침이 있는 낱말과 겹받침이 있는 낱말

241003-0184

10 ⓒ과 ⓒ에 들어갈 알맞은 낱말을 찾아 쓰세요.

(1) ⓒ: (　　　　　　　　　)
(2) ⓒ: (　　　　　　　　　)

241003-0185

11 쌍받침이 있는 낱말끼리 짝 지은 것에 ○표를 하세요.

(1) 몫 – 흙　　　　　　　　(　　)
(2) 낚시 – 있다　　　　　　(　　)

서술형 241003-0186

12 위 낱말 중에서 겹받침이 있는 낱말을 하나 골라 보기 처럼 문장을 쓰세요.

보기

괜찮다	지환이는 길을 가다가 넘어졌지만 다치지 않아서 괜찮다.

낱말	문장
(1)	(2) _____
_____	_____

도움말 위 낱말 중에서 겹받침이 있는 낱말을 고른 뒤, 그 낱말이 들어가는 자연스러운 문장을 만듭니다.

국어 122쪽 학습 목표 ▶ 겹받침이 있는 낱말 읽고 쓰기

놀이 방법

❶ 짝과 가위바위보를 하고, 이겼을 때 가위는 세 칸, 바위는 두 칸, 보는 한 칸씩 말을 옮긴다.

❷ 도착한 칸에 있는 낱말을 바르게 읽는다.

❸ 바르게 읽지 못하면 원래 자리로 돌아간다.

· 그림의 특징: 겹받침의 발음 규칙을 찾으며 '퐁당퐁당 가위바위보' 놀이를 합니다.

■ 겹받침 발음 규칙 찾기

· 대부분 앞 받침인 'ㄱ', 'ㄴ', 'ㅂ'으로 발음합니다.

– 받침 'ㄺ' → [ㄱ]

– 받침 'ㄵ', 'ㄶ' → [ㄴ]

– 받침 'ㅄ' → [ㅂ]

· 겹받침은 한 받침만 소리 납니다.

· '앉다', '끊다'와 같이 '다'로 끝나는 낱말은 '타' 또는 '따'로 발음합니다.

· 예외적으로 다르게 발음되는 때도 있습니다.

 흰색 부분을 연필로 칠해 봐.

241003-0187

13 다음 낱말들의 공통점을 정리하여 빈칸에 들어갈 알맞은 말을 쓰세요.

| 묶다 | 엊다 | 있다 | 앉다 | 끊다 |

'다'로 끝나는 낱말은 '타' 또는 '☐'로 발음합니다.

(   )

중요

14 241003-0188

㉠에 들어갈 발음은 무엇인가요? (   )

① [괜찮나]   ② [괜찮하]

③ [괜찬나]   ④ [괜찬하]

⑤ [괜차나]

241003-0189

15 ㉡에 들어갈 알맞은 발음에 ○표를 하세요.

([여덜] , [여덥])

241003-0190

16 이 놀이를 통해 알게 된 겹받침 발음 규칙으로 알맞은 것을 두 가지 고르세요. (,   )

① 받침 'ㄺ'은 'ㅅ'으로 발음합니다.

② 받침 'ㄶ'은 'ㅎ'으로 발음합니다.

③ 받침 'ㄵ'은 'ㄴ'으로 발음합니다.

④ 대부분 앞 받침으로 발음합니다.

⑤ 겹받침은 두 개의 받침이 한꺼번에 소리 납니다.

「**바다에 쓰레기가 모여 있다고?**」

· 글의 종류: 주장하는 글
· 글의 특징: 바다에 플라스틱 쓰레기 더미가 만들어진 원인에 대해 설명하고 이를 막기 위한 환경 단체의 노력, 우리가 실천할 일에 관해 주장하는 글입니다.

 낱말 풀이

더미   많은 물건이 한데 모여 쌓인 큰 덩어리.
요트   유람, 항해, 경주 등에 쓰는 속도가 빠른 서양식 배.

중심 내용 요트 경기를 하던 사람이 바다에 있는 플라스틱 쓰레기 더미를 발견했습니다.

1 플라스틱 쓰레기가 ㉠**많은** 바다가 있다는 말을 들어 본 적이 있나요? 플라스틱 쓰레기 ㉡**더미**는 1997년에 **요트** 경기를 하던 사람이 발견했어요. 그 뒤 다른 바다에서도 플라스틱 쓰레기 더미가 있다는 것을 알았어요.

플라스틱 쓰레기 더미를 발견한 사람

▪ 띄어 읽기에 주의하며 읽기
· 의미를 묶어서 띄어 읽습니다.
· '누가(무엇이)' 다음에 띄어 읽습니다.
· 문장 부호에 따라 띄어 읽습니다.

241003-0191

17 바다에서 요트 경기를 하던 사람이 발견한 것은 무엇인가요? (   )

① 수많은 요트
② 커다란 파도
③ 수영하는 사람들
④ 물고기를 잡는 어부
⑤ 플라스틱 쓰레기 더미

중요 241003-0192

18 ㉠을 소리 나는 대로 바르게 읽은 것은 무엇인가요? (   )

① [마는]   ② [많은]
③ [만은]   ④ [많흔]
⑤ [만흔]

241003-0193

19 ㉡의 뜻으로 알맞은 그림에 ○표를 하세요.

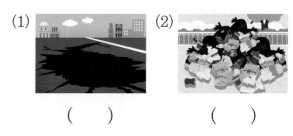
(1)   (2)

(   )   (   )

241003-0194

20 문장을 자연스럽게 띄어 읽은 친구의 이름을 쓰세요.

연우: 플라스틱 쓰레기가 많은 바다가∨있다는 말을∨들어 본 적이 있나요?
하영: 플라스틱∨쓰레기가∨많은∨바다가∨있다는∨말을∨들어∨본∨적이∨있나요?

(   )

중심 내용 바다에서 사용한 그물, 부표, 우리가 함부로 버리는 페트병, 물휴지, 과자 봉지 따위가 바다로 흘러들어 가서 플라스틱 쓰레기 더미가 더 커진다고 합니다.

② 바다에 있는 플라스틱 쓰레기 더미는 바다에서 물고기를 잡거나 기를 때 사용한 그물, **부표** 따위가 모여서 만들어져요. 그리고 이 더
<u>플라스틱 쓰레기 더미가 만들어진 원인</u>
미는 우리가 함부로 버리는 페트병, 물휴지, 과자 봉지 따위가 강을 거쳐 바다로 흘러들어 가서 점점 더 커진다고 해요.

중심 내용 플라스틱 쓰레기가 바다에 모이는 것을 막으려고 환경 단체들도 노력하고 있고, 우리도 해야 할 몫을 찾아서 실천해야 합니다.

③ 플라스틱 쓰레기가 바다에 모이는 것을 막으려고 많은 사람이 노력하고 있어요. 환경 단체들은 해안가에 있는 플라스틱 쓰레기를 줍
<u>★ 환경 단체들의 노력</u>
거나 바다에 떠다니는 쓰레기를 모아 ㉠<u>없애기도</u> 해요. 우리도 함께 노력할 수 있어요. 평소에 일회용 플라스틱을 덜 사용하거나 플라스
<u>우리들이 실천할 일</u>
틱 제품을 재활용할 수 있도록 **분류**해서 버려요. 일상생활에서 우리 가 해야 할 ㉡<u>몫을</u> 찾아 함께 실천해요.

■ 겹받침과 쌍받침이 있는 낱 말과 띄어 읽기에 주의하며 글을 읽는 방법
• 선생님의 시범을 본 뒤 소리 내어 읽기
• 혼자 소리 내어 읽기
• 짝과 소리 내어 읽기
• 모둠원과 소리 내어 읽기

★ 바르게 받아쓰기

없애기도	없에기도
(○)	(×)

🎓 **낱말 풀이**

부표 물 위에 띄워 위치 를 알려 주는 물건.
분류 종류에 따라서 나눔.

241003-0195
21 바다에 있는 플라스틱 쓰레기 더미가 만들어진 <u>원인이 아닌 것</u>은 무엇인가요? (   )

① 그물
② 부표
③ 페트병
④ 물휴지
⑤ 물고기 뼈

서술형
241003-0196
22 환경 단체들은 플라스틱 쓰레기가 바다에 모이 는 것을 막으려고 어떤 노력을 하는지 쓰세요.

_____

_____

도움말 글 ③에서 환경 단체들의 노력을 찾아봅니다.

241003-0197
23 다음 낱말의 뜻으로 알맞은 것끼리 선으로 이으 세요.

(1) 부표 •

• ① 종류에 따라서 나 눔.

(2) 분류 •

• ② 물 위에 띄워 위치 를 알려 주는 물건.

중요
241003-0198
24 ㉠, ㉡을 바르게 소리 내어 읽은 것에 ○표를 하세요.

(1) ㉠: [업쌔기도]   (   )
(2) ㉡: [목슬]   (   )

국어 128~132쪽   학습 목표 ▶ 시의 분위기 살펴보기

「**바람은 착하지**」

· 글의 종류: 시
· 글쓴이: 권영상
· 글의 특징: 바람이 구석진 응달에 홀로 핀 민들레꽃에게 신문지로 목도리를 해 주며 힘내라고 용기를 주는 내용의 시입니다.

★ 바르게 읽기

[골모그로]	[골목그로]
(○)	(×)

 낱말 풀이

슬그머니 남이 알아차리지 못하게 슬며시.
공중 하늘과 땅 사이의 빈 곳.
응달 햇볕이 잘 들지 아니하는 그늘진 곳.
뚜벅뚜벅 발자국 소리를 뚜렷이 내며 잇따라 걸어가는 소리. 또는 그 모양.

바람이 마루 위에 놓인

신문지 한 장을 끌고

슬그머니 골목으로 나간다.
     └ 바람이 신문지 한 장을 끌고 간 곳

훌훌훌, / **공중**에 집어 던져서는

데굴데굴 길거리에 굴려서는

구깃구깃 구겨서는

골목, / 구석진 **응달**로 찾아가

달달달 떠는

어린 민들레꽃에게

쓱, 목도리를 해 준다.
└ 바람이 신문지로 만든 것

그러고는

㉠**힘내렴!**
└ 바람의 따뜻한 마음
딱 그 말만 하고

골목을 걸어 나간다, **뚜벅뚜벅**.
     └ 담담한 분위기가 느껴짐.

■ 시의 분위기를 파악하는 방법
· 떠오르는 장면을 몸짓으로 표현합니다.
· 시 속 인물에 대한 생각이나 느낌을 나눕니다.
· 시의 분위기를 친구들과 이야기합니다.

중요
25 241003-0199
이 시와 관련 있는 날씨로 알맞은 것은 무엇인가요? ( )

① 눈이 오는 날   ② 비가 오는 날
③ 바람이 부는 날   ④ 햇볕이 강한 날
⑤ 우박이 내리는 날

26 241003-0200
바람이 신문지 한 장을 끌고 간 곳은 어디인가요? ( )

① 마루   ② 골목
③ 화장실   ④ 목도리 가게
⑤ 민들레 꽃밭

27 241003-0201
바람이 신문지를 목도리로 만든 까닭은 무엇인가요? ( )

① 구깃구깃 구겼더니 목도리 모양이 되어서
② 마루 위에 놓인 신문지와 같이 놀고 싶어서
③ 바람이 골목길을 걸어갈 때 목이 너무 추워서
④ 달달달 떠는 민들레꽃을 따뜻하게 해 주기 위해서
⑤ 마루 위에 놓인 신문지가 너무 외롭고 심심해 보여서

241003-0202

28 ⊙을 말할 때 바람의 마음으로 알맞은 것을 <u>두</u> <u>가지</u> 고르세요. (,   )

① 화난 마음   ② 미안한 마음
③ 서운한 마음   ④ 따뜻한 마음
⑤ 꽃을 아껴 주는 마음

241003-0203

29 이 시를 읽고 떠오르는 장면을 몸짓으로 알맞게 표현한 것에 ○표를 하세요.

(1)

(2)

데굴데굴 길거 리에 굴려서는	골목을 걸어 나 간다, 뚜벅뚜벅.
( )	( )

서술형 241003-0204

30 이 시에 나오는 바람, 신문지, 민들레꽃 중에서 하나를 골라 그것에 대한 자신의 생각이나 느낌을 쓰세요.

(1) 고른 것: (   )

(2) 생각이나 느낌: _____

_____

도움말 시의 상황을 살펴보고, 바람, 신문지, 민들레꽃에 대한 생각이나 느낌을 씁니다.

241003-0205

31 이 시의 분위기를 바르게 말한 친구의 이름을 쓰세요.

> 다은: 바람이 골목을 뚜벅뚜벅 걸어 나가는 장면에서 무서운 분위기가 느껴졌어.
>
> 서준: 바람이 신문지로 어린 민들레꽃을 덮어 주는 장면에서 따뜻한 분위기가 느껴졌어.

(   )

241003-0206

32 이 시를 읽고 떠오르는 장면을 그림으로 알맞게 표현한 것에 ○표를 하세요.

(1)

(2)

(   )   (   )

중요 241003-0207

33 이 시를 친구들과 읽는 방법으로 알맞지 <u>않은</u> 것은 무엇인가요? (   )

① 둘이서 시를 나누어 읽습니다.
② 시에 어울리는 몸짓을 하며 읽습니다.
③ 시에 어울리는 그림을 보여 주며 읽습니다.
④ 민들레꽃의 잘못을 떠올리며 읽습니다.
⑤ 바람의 마음을 생각하며 함께 소리 내어 읽습니다.

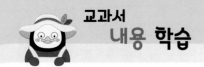

국어 134~137쪽   학습 목표 ▶시의 분위기를 생각하며 소리 내어 읽기

「오늘」

· 글의 종류: 시
· 글쓴이: 이준관
· 글의 특징: 기분 좋은 하루를 생각하며 즐겁고 신나는 기분을 표현한 시입니다.

■ 시의 분위기를 살펴 읽는 방법
· 시 속 인물의 마음을 표정으로 나타냅니다.
· 시 속 인물에게 하고 싶은 말을 떠올려 봅니다.

🎓 낱말 풀이

함빡 분량이 차고도 남도록 넉넉하게.
⑩ 함빡 웃는 아기의 모습이 정말 귀엽습니다.
절로 '저절로'의 준말.
⑩ 친구의 응원에 절로 힘이 납니다.

나는 오늘이 좋아.

오늘 아침 일찍 새들이

나를 깨워 주었고,

저것 봐!

㉠오늘은 좋은 일이 많을 거야.
아침 일찍 새들이 깨워 주었고 해가 함빡 웃었기 때문에

해가 **함빡** 웃잖아.

오늘 학교에서는

선생님 질문에

자신 있게

대답할 수 있을 거야.

입에서 **절로** 휘파람이 나오는

즐거운 오늘.

㉡안녕! 즐겁게 만날 친구도 많고

㉢야호! 신나게 할 일도 많은

나는 오늘이 좋아.

★ 바르게 읽기

[오느리]	[오늘이]
(○)	(×)

'나'는 왜 오늘이 좋다고 했는지 살펴봐.

★ 바르게 읽기

[만코]	[만고]
(○)	(×)

241003-0208

34 시 속 '나'가 ㉠처럼 말한 까닭으로 알맞은 것을 두 가지 고르세요. (,   )

① 해가 함빡 웃어서
② 휘파람을 잘 불게 되어서
③ 아침 일찍 새들이 깨워 주어서
④ 갑자기 머리가 좋아지게 되어서
⑤ 선생님 질문 내용을 미리 알게 되어서

중요 35 **241003-0209**

㉡과 ㉢을 읽을 때 알맞은 목소리는 무엇인가요? (   )

① 밝고 힘찬 목소리
② 크고 화난 목소리
③ 작고 조용한 목소리
④ 힘없고 우울한 목소리
⑤ 귀찮고 재미없는 목소리

36 241003-0210

이 시의 분위기로 알맞은 것은 무엇인가요?

( )

① 무겁고 슬픈 분위기
② 즐겁고 신나는 분위기
③ 긴장되고 무서운 분위기
④ 평화롭고 조용한 분위기
⑤ 시끄럽고 어수선한 분위기

중요
37 241003-0211

시 속 '나'의 마음을 표정으로 알맞게 나타낸 것에 ○표를 하세요.

(1)

(2)

( )   ( )

38 241003-0212

시 속 '나'에게 하고 싶은 말을 알맞게 한 친구의 이름을 쓰세요.

> 연희: 같이 기분 좋게 학교에 가고 싶다고 말하고 싶어.
> 건우: '나'가 학교에서 선생님의 질문에 긴장한 까닭을 물어보고 싶어.

( )

서술형
39 241003-0213

자신의 경험을 떠올려 시의 한 부분을 바꾸어 쓰세요.

> 오늘 학교에서는
> 선생님 질문에
> 자신 있게
> 대답할 수 있을 거야.

> 오늘 학교에서는
>
> _____
>
> _____
>
> _____

도움말 기분 좋게 보냈던 학교생활을 떠올려 봅니다.

40 241003-0214

이 시를 바꾸어 쓰는 방법으로 알맞은 것 두 가지에 ○표를 하세요.

(1) 바꾸어 쓴 시에 그림도 그려 봅니다.

( )

(2) 내가 기분 좋았던 하루를 떠올려 봅니다.

( )

(3) 친구가 바꾼 시의 내용을 보고 비슷하게 바꿉니다. ( )

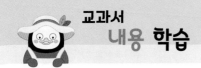
국어 활동 60~63쪽

겹받침을 바르게 읽고 쓰기

• 그림에 어울리는 문장을 생각하며 빈칸에 알맞은 낱말을 찾아 선으로 이어 봅시다.

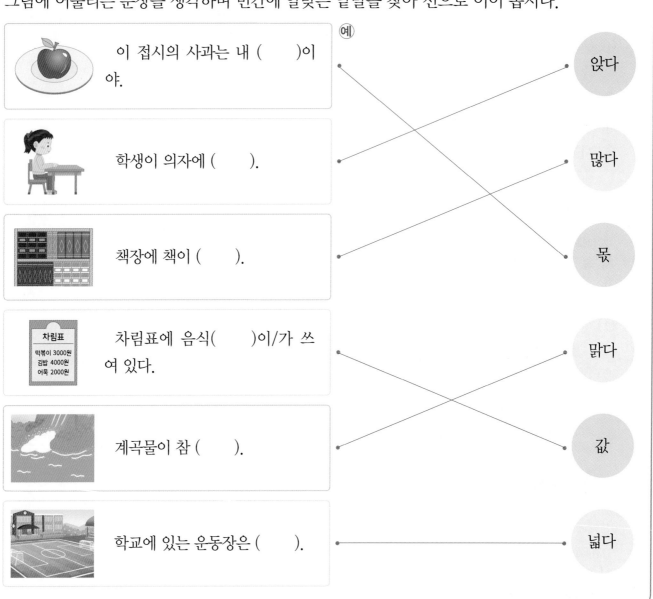

예)

이 접시의 사과는 내 (　　　)이 야.

학생이 의자에 (　　　).

책장에 책이 (　　　).

차림표에 음식(　　　)이/가 쓰여 있다.

계곡물이 참 (　　　).

학교에 있는 운동장은 (　　　).

앉다

많다

몫

맑다

값

넓다

차림표
떡볶이 3000원
김밥 4000원
어묵 2000원

확인 문제 다음 문장의 밑줄 그은 낱말을 바르게 읽은 것에 ○표를 하세요.

1 필통에 연필이 <u>많다</u>(　[만따]　,　[만타]　).

2 바닷물이 참 <u>맑다</u>(　[막따]　,　[말따]　).

3 건물 앞에 있는 주차장은 <u>넓다</u>(　[널따]　,　[넙다]　).

정답 1. [만타] 2. [막따] 3. [널따]

• 보기 에서 알맞은 낱말을 찾아 문장을 만들어 봅시다.

보기
끊어졌다	없어	얹은
넋이	읽는다	짧아진다

예

① 손을 무릎 위에 얹 은 자세로 있었다.

② 나는 깜짝 놀라 넋 이 나갔다.

③ 고무줄이 끊 어 졌 다 .

④ 오늘은 왜 이렇게 힘이 없 어 ?

⑤ 내 동생은 책을 자주 읽 는 다 .

⑥ 내 연필이 점점 짧 아 진 다 .

확인 문제 **다음 문장에 들어갈 알맞은 낱말을 선으로 이으세요.**

1 지갑이 책상 위에 왜 ( )? • • ① 넋이

2 바구니에 ( ) 천을 없앴다. • • ② 없어

3 ( ) 나간 상태에서 간신히 차에 탔다. • • ③ 얹은

정답 1. ② 2. ③ 3. ①

- 겹받침이 있는 낱말을 활용해 보기 처럼 짧은 글을 써 봅시다.

겹받침이 있는 낱말

> 앉다, 얹다, 몫, 넋, 읽다, 붉다, 맑다, 밟다, 넓다,
> 짧다, 없다, 가엾다, 끊다, 괜찮다, 귀찮다

보기

앉았다	나는 수업 시간이 되어서 의자에 앉았다.

예

앉아	도서관 의자에 앉아 책을 읽으면 정말 행복하다.
귀찮게	가끔 친구들이 귀찮게 해서 속상할 때도 있다.
넓은	나는 친구들과 넓은 공원에서 산책을 했다.

- 밑줄 그은 말에 주의하며 문장을 바르게 읽고 확인해 봅시다.

문장	내 이름	친구 이름
① 내 몫이[목씨] 너무 적다.	○ ○ ○	○ ○ ○
② 이마에 손을 얹어[언저] 보았다.	○ ○ ○	○ ○ ○
③ 귀찮다고[귀찬타고] 생각하지 말고 최선을 다하자.	○ ○ ○	○ ○ ○
④ 여기는 책상도 없고[업꼬] 의자도 없다[업따].	○ ○ ○	○ ○ ○
⑤ 날씨가 참 맑다[막따].	○ ○ ○	○ ○ ○
⑥ 고래가 사는 바다는 매우 넓다[널따].	○ ○ ○	○ ○ ○

매우 잘함: ●●●, 잘함: ●●, 보통임: ●

확인 문제 밑줄 그은 낱말을 바르게 읽은 것에 ○표를 하세요.

1 미국은 땅이 넓다.   (1) [넙따] ( )   (2) [널따] ( )

2 이 음식은 내 몫이 아니다.   (1) [목씨] ( )   (2) [목시] ( )

3 귀찮다고 청소를 안 하면 방이 지저분해진다.   (1) [귀찬다고] ( )   (2) [귀찬타고] ( )

정답 **1.** (2) ○   **2.** (1) ○   **3.** (2) ○

교과서 문제 **확인**

활동 내용

겹받침이 있는 낱말을 바르게 읽고 쓰기

▶ **겹받침이 있는 낱말을 바르게 읽고 써 봅시다.**

보기

맑다[막따]   밟다[밥따]   몫[목]   얹다[언따]   끊다[끈타]   값[갑]

• 보기 에 있는 낱말의 뜻을 생각하며 알맞은 그림을 찾아 선으로 이어 보세요.

예
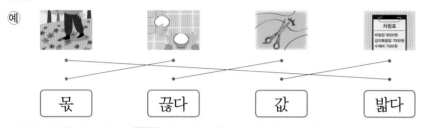

| 몫 | 끊다 | 값 | 밟다 |

• 낱말의 뜻을 생각하며 보기 에서 알맞은 낱말을 찾아 써 보세요.

예
 얹 다   맑 다

글의 특징

바다에 플라스틱 쓰레기 더미가 만들어진 원인과 이를 막기 위한 환경 단체의 노력, 우리가 실천해야 할 일을 주장하는 글

▶ **「바다에 쓰레기가 모여 있다고?」를 읽고 물음에 답해 봅시다.**

• 바다에서 플라스틱 쓰레기 더미는 어떻게 만들어지나요?

  예 바다에서 물고기를 잡거나 기를 때 사용한 그물, 부표 따위가 모여서 만들어지고, 우리가 함부로 버린 페트병, 물휴지, 과자 봉지 따위가 강을 거쳐 바다로 흘러들어가서 커집니다.

• 환경 단체들은 플라스틱 쓰레기가 바다에 모이는 것을 막으려고 어떤 노력을 하나요?

  예 해안가에 있는 플라스틱 쓰레기를 줍거나 바다에 떠다니는 쓰레기를 모아 없앱니다.

• 바다에 플라스틱 쓰레기가 모이는 것을 막으려고 우리는 어떤 노력을 할 수 있나요?

  예 일회용 플라스틱을 덜 사용하고 플라스틱 제품을 재활용합니다.

▶ **낱말의 뜻으로 알맞은 말을 선으로 이어 봅시다.**

예
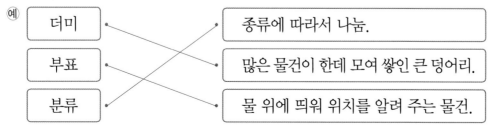

더미		종류에 따라서 나눔.
부표		많은 물건이 한데 모여 쌓인 큰 덩어리.
분류		물 위에 띄워 위치를 알려 주는 물건.

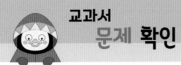
「바람은 착하지」 교과서 130~131쪽 문제와 답

▶ 「바람은 착하지」를 읽고 물음에 답해 봅시다.

• 바람이 신문지 한 장을 끌고 어디로 나갔나요? ㉮ 골목입니다.

• 바람은 신문지로 무엇을 만들었나요? ㉮ 목도리를 만들었습니다.

• "힘내렴!"이라고 할 때 바람은 어떤 마음이었을까요?

　㉮ 따뜻한 마음, 어린 민들레꽃을 아껴 주는 마음이었을 것 같습니다.

▶ 「바람은 착하지」의 분위기를 알아봅시다.

• 시에 나오는 바람, 신문지, 민들레꽃에 대한 자신의 생각이나 느낌을 써 보세요.

바람	㉮ 신문지로 어린 민들레꽃에게 목도리를 해 주는 모습에서 엄마처럼 따뜻한 마음이 느껴졌습니다.
신문지	㉮ 바람에 이끌려 던져지거나 굴려질 때, 그리고 구겨질 때는 속상한 마음이 느껴졌는데, 목도리가 될 때는 뿌듯한 마음이 느껴졌습니다.
민들레꽃	㉮ 구석진 응달에 홀로 피어 있는 모습에서 안쓰러운 마음이 느껴졌습니다.

글의 특징

바람이 구석진 응달에 홀로 핀 민들레꽃에게 신문지로 목도리를 해 주며 힘내라고 용기를 주는 내용의 시

「오늘」 교과서 136~137쪽 문제와 답

▶ 「오늘」을 읽고 물음에 답해 봅시다.

• '나'가 "오늘은 좋은 일이 많을 거야."라고 한 까닭은 무엇인가요?

　㉮ 아침 일찍 새들이 깨워 주었고 해가 함빡 웃었기 때문입니다.

• "안녕!", "야호!"는 어떤 목소리로 읽어야 할까요? ㉮ 밝고 힘찬 목소리로 읽습니다.

• '나'는 오늘 어떤 기분이 들었을까요? ㉮ 즐거운 기분, 신나는 기분이었을 것입니다.

▶ 「오늘」의 분위기에 알맞게 시를 소리 내어 읽어 봅시다.

• '나'의 마음을 표정으로 나타내어 보세요.

㉮

즐겁고 신나는 표정

• '나'에게 하고 싶은 말을 써 보세요.

　㉮ 선생님의 질문에 자신 있게 대답할 때 어떤 기분이 드니?

▶ 자신의 경험과 관련지어 「오늘」을 바꾸어 쓰고, 소리 내어 읽어 봅시다.

오늘 학교에서는 선생님 질문에 자신 있게 대답할 수 있을 거야.	→	오늘 학교에서는 ㉮ 큰 소리로 선생님과 친구들에게 웃으며 인사할 수 있을 거야.

글의 특징

기분 좋은 하루를 생각하며 즐겁고 신나는 기분을 표현한 시

분위기를 생각하며 시를 소리 내어 읽는 것을 '낭송'이라고 해.

기분 좋았던 하루를 떠올려 시를 바꾸어 써 봐.

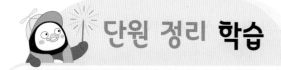 단원 정리 **학습**

핵심 **1** 겹받침을 바르게 읽고 쓰기

- 대부분 앞 받침인 'ㄱ', 'ㄴ', 'ㅂ'으로 발음합니다.
  - '몫', '넋'에서 받침 'ㄳ'은 'ㄱ'으로 발음합니다.
  - '앉다', '얹다'에서 받침 'ㄵ'은 'ㄴ'으로 발음합니다.
  - '끊다', '않다'에서 받침 'ㄶ'은 'ㄴ'으로 발음합니다.
  - '가엾다', '없다'에서 받침 'ㅄ'은 'ㅂ'으로 발음합니다.
- 겹받침은 한 받침만 소리가 납니다.
- '앉다', '끊다'와 같이 '다'로 끝나는 낱말은 '타' 또는 '따'로 발음합니다.
- 예외적으로 다르게 발음되는 때도 있습니다.

> 낱말에 사용하는 받침 가운데에서 ㄲ, ㅆ은 쌍받침, ㄳ, ㄵ, ㄶ, ㄼ 따위는 겹받침이라고 해.

핵심 **2** 작품을 분위기에 알맞게 읽기

1 시의 분위기를 파악하는 방법 알기

- 시를 읽고 떠오르는 장면을 몸짓으로 표현합니다.

> 시에서 일어나는 일이나 인물의 행동에 어울리는 몸짓을 떠올려 봐.

- 시 속 인물에 대한 생각이나 느낌을 나누어 봅니다.

예	
바람	신문지로 어린 민들레꽃에게 목도리를 해 주는 모습에서 엄마처럼 따뜻한 마음이 느껴졌습니다.
신문지	바람에 이끌려 던져지거나 굴려질 때, 그리고 구겨질 때는 속상한 마음이 느껴졌는데, 목도리가 될 때는 뿌듯한 마음이 느껴졌습니다.
민들레꽃	구석진 응달에 홀로 피어 있는 모습에서 안쓰러운 마음이 느껴졌습니다.

- 시의 분위기를 친구들과 이야기 나누어 봅니다.

2 시의 분위기 살펴보기

- 시 속 인물의 마음을 그려 봅니다.
- 시 속 인물에게 하고 싶은 말을 떠올려 봅니다.
- 시의 분위기를 친구들과 이야기해 봅니다.

[01~03] 다음 시를 읽고, 물음에 답하세요.

넓고 넓은 밤하늘엔
누가 누가 잠자나.
하늘 나라 아기별이
깜박깜박 잠자지.

깊고 깊은 숲속에선
누가 누가 잠자나.
산새 들새 ㉠모여 앉아
꼬박꼬박 잠자지.

포근포근 엄마 품엔
누가 누가 잠자나.
우리 아기 예쁜 아기
새근새근 잠자지.

241003-0215

01 다음은 이 시를 읽는 방법 가운데 어떤 방법에 해당하는지 알맞은 것에 ○표를 하세요.

포근포근 엄마 품엔 /
누가 누가 잠자나.

(1) 손뼉을 치거나 발을 구르며 읽기
( )

(2) 시에서 떠오르는 장면을 몸짓으로 표현
하며 읽기 ( )

서술형 241003-0216

02 이 시를 읽고 떠오르는 생각이나 느낌을 쓰세요.

_____

_____

도움말 시의 내용을 파악한 뒤, 떠오르는 생각이나 느낌을 쓰
도록 합니다.

241003-0217

03 ㉠을 소리 나는 대로 바르게 읽은 것에 ○표를
하세요.

(1) [모여 안자] ( )

(2) [모여 앉자] ( )

[04~05] 다음을 보고, 물음에 답하세요.

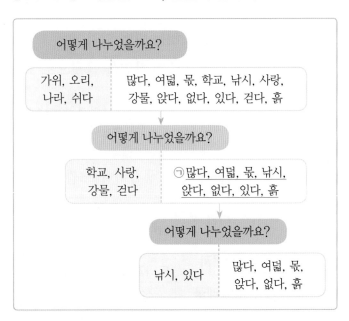

어떻게 나누었을까요?

가위, 오리, 나라, 쉬다	많다, 여덟, 못, 학교, 낚시, 사랑, 강물, 앉다, 없다, 있다, 걷다, 흙

어떻게 나누었을까요?

학교, 사랑, 강물, 걷다	㉠많다, 여덟, 못, 낚시, 앉다, 없다, 있다, 흙

어떻게 나누었을까요?

낚시, 있다	많다, 여덟, 못, 앉다, 없다, 흙

중요 241003-0218

04 이와 같이 낱말들을 나눈 기준과 관련 있는 것
은 무엇인가요? ( )

① 자음 ② 모음

③ 받침 ④ 글자 수

⑤ 띄어쓰기

05 ㉠의 낱말들을 '쌍받침'이 있는 낱말과 '겹받침'이 있는 낱말로 나누어 쓰세요.

241003-0219

(1) 쌍받침	낚시, ( )
(2) 겹받침	많다, 여덟, 몫, ( ), ( ), ( )

241003-0220

06 겹받침이 있는 낱말로 이루어진 문장을 <u>두 가지</u> <u>고르세요.</u> (,   )

① 이 사과는 내 몫입니다.
② 쓰레기는 쓰레기통에 버립니다.
③ 나는 사이 나쁜 친구가 없습니다.
④ 여름 방학에 바다에 갈 계획입니다.
⑤ 어머니께서 맛있는 반찬을 만들고 계십니다.

중요
07 다음 중 낱말을 소리 나는 대로 바르게 읽은 것은 무엇인가요? (   )

241003-0221

① 몫 – [못]
② 값 – [갑]
③ 없어 – [업서]
④ 묶다 – [묵타]
⑤ 읽다 – [일따]

[08~09] 다음 글을 읽고, 물음에 답하세요.

㉮ 바다에 있는 플라스틱 쓰레기 더미는 바다에서 물고기를 잡거나 기를 때 사용한 그물, 부표 따위가 모여서 만들어져요. 그리고 이 더미는 우리가 함부로 버리는 페트병, 물휴지, 과자 봉지 따위가 강을 거쳐 바다로 흘러들어 가서 점점 더 커진다고 해요.

㉯ 플라스틱 쓰레기가 바다에 모이는 것을 막으려고 많은 사람이 노력하고 있어요. 환경 단체들은 해안가에 있는 플라스틱 쓰레기를 줍거나 바다에 떠다니는 쓰레기를 모아 없애기도 해요. 우리도 함께 노력할 수 있어요. 평소에 일회용 플라스틱을 덜 사용하거나 플라스틱 제품을 재활용할 수 있도록 분류해서 버려요. 일상생활에서 우리가 해야 할 몫을 찾아 함께 실천해요.

241003-0222

08 글 ㉮와 ㉯ 중 바다에 플라스틱 쓰레기 더미가 만들어진 원인이 나타난 부분의 기호를 쓰세요.

(   )

241003-0223

09 환경 단체가 플라스틱 쓰레기가 바다에 모이는 것을 막기 위해 한 노력을 <u>두 가지</u> 고르세요.

(,   )

① 페트병을 씻어서 바다에 버렸습니다.
② 바다에 떠다니는 쓰레기를 모아 없앴습니다.
③ 해안가에 있는 플라스틱 쓰레기를 주웠습니다.
④ 물휴지가 강을 거쳐 바다로 흘러들어 갈 수 있도록 버렸습니다.
⑤ 바다에서 물고기를 잡을 때 그물이나 부표를 많이 사용했습니다.

241003-0224

10 밑줄 그은 낱말을 바르게 소리 내어 읽은 것끼리 알맞게 짝 지은 것은 무엇인가요? ( )

> 우리도 쓰레기 섬을 <u>없애기</u> 위해 우리가 해야 할 <u>몫을</u> 알고 실천합시다.

① [업쌔기] – [목쓸] ② [업쌔기] – [목을]
③ [업새기] – [못쓸] ④ [업애기] – [못을]
⑤ [업애기] – [목쓸]

[11~15] 다음 시를 읽고, 물음에 답하세요.

> 바람이 마루 위에 놓인
> 신문지 한 장을 끌고
> 슬그머니 골목으로 나간다.
>
> ㉠훌훌훌,
> 공중에 집어 던져서는
> 데굴데굴 길거리에 굴려서는
> 구깃구깃 구겨서는
>
> 골목,
> 구석진 응달로 찾아가
> ㉡달달달 떠는
> 어린 민들레꽃에게
> 쓱, 목도리를 해 준다.
>
> 그러고는
> ㉢힘내렴!
> 딱 그 말만 하고
> ㉣골목을 걸어 나간다, 뚜벅뚜벅.

241003-0225

11 바람이 신문지로 만든 것은 무엇인가요? ( )

① 마루   ② 응달   ③ 골목
④ 목도리   ⑤ 민들레꽃

241003-0226

12 ㉠~㉢에서 어린 민들레꽃을 아껴 주는 바람의 마음을 알 수 있는 부분의 기호를 쓰세요.

( )

241003-0227

13 ㉣을 읽고 떠오르는 장면을 몸짓으로 표현한 것으로 알맞은 것에 ○표를 하세요.

(1)    (2)

( )   ( )

241003-0228

14 시 속 인물에 대한 생각이나 느낌으로 알맞은 것끼리 선으로 이으세요.

(1) 바람 •

• ① 구석진 응달에 홀로 피어 있는 모습에서 안쓰러운 마음이 느껴졌습니다.

(2) 민들레꽃 •

• ② 신문지로 어린 민들레꽃에게 목도리를 해 주는 모습에서 따뜻한 마음이 느껴졌습니다.

중요 241003-0229

15 이 시의 분위기로 알맞은 것은 무엇인가요?

( )

① 쓸쓸한 분위기   ② 차가운 분위기
③ 따뜻한 분위기   ④ 무서운 분위기
⑤ 어수선한 분위기

[16~18] 다음 시를 읽고, 물음에 답하세요.

나는 오늘이 좋아.

오늘 아침 일찍 새들이
나를 깨워 주었고, / 저것 봐!
㉠오늘은 좋은 일이 많을 거야.
해가 함빡 웃잖아.

오늘 학교에서는 / 선생님 질문에
자신 있게 / 대답할 수 있을 거야.

입에서 절로 휘파람이 나오는
즐거운 오늘.

안녕! 즐겁게 만날 친구도 많고
야호! 신나게 할 일도 많은

나는 오늘이 좋아.

241003-0230

16 '내'가 ㉠처럼 말한 까닭으로 알맞지 <u>않은</u> 것은 무엇인가요? (　　)

① 해가 함빡 웃어서
② 신나게 할 일도 많아서
③ 즐겁게 만날 친구도 많아서
④ 집에서 키울 새를 선물 받을 것이어서
⑤ 선생님 질문에 자신 있게 대답할 수 있어서

중요
241003-0231

17 '나'의 기분으로 알맞은 것은 무엇인가요?

(　　)

① 즐겁고 신납니다.
② 슬프고 속상합니다.
③ 긴장되고 두렵습니다.
④ 화가 나고 짜증 납니다.
⑤ 부끄럽고 당황스럽습니다.

서술형
241003-0232

18 '나'에게 궁금한 점이나 하고 싶은 말을 보기 처럼 쓰세요.

보기

무엇을 좋아하는지 물어보고 싶어.

_____

_____

도움말 시 속에 등장하는 '나'에게 궁금한 점이나 하고 싶은 말을 떠올려 봅니다.

241003-0233

19 겹받침의 발음에 주의하며 그림의 낱말을 바르게 읽은 것에 ○표를 하세요.

괜찮다

(1) [괜찬타]　　　　　　　　(　　)
(2) [괜찬따]　　　　　　　　(　　)

241003-0234

20 다음 낱말을 소리 나는 대로 바르게 읽은 것끼리 선으로 이으세요.

· ① [귀찬따]

(1) 귀찮다 ·　　· ② [귀찬타]

(2) 넓다 ·　　· ③ [널따]

· ④ [넙따]

5

마음을 짐작해요

103쪽 단원 정리 학습에서 더 자세히 공부해 보세요.

단원 학습 목표

1. 다른 사람의 마음을 짐작할 수 있습니다.
   - 인물의 마음을 짐작할 수 있습니다.
   - 인물의 마음을 짐작하며 글을 읽을 수 있습니다.
2. 의미가 드러나게 띄어 읽을 수 있습니다.
   - 헷갈리기 쉬운 낱말에 주의하며 읽을 수 있습니다.
   - 자연스럽게 띄어 읽을 수 있습니다.

단원 진도 체크

회차		학습 내용	진도 체크
1차	단원 열기	단원 학습 내용 미리 보고 목표 확인하기	✓
2차	교과서 내용 학습	「자전거 타기, 성공!」	✓
	교과서 내용 학습	「강아지 돌보기」	✓
3차	교과서 내용 학습	헷갈리기 쉬운 낱말에 주의하며 읽기	✓
	교과서 내용 학습	「밤 다섯 개」	✓
4차	교과서 내용 학습	국어 활동 학습하기	✓
	교과서 문제 확인	교과서 문제 해결하기	✓
5차	단원 정리 학습	단원 학습 내용 정리하기	✓
	단원 확인 평가	확인 평가를 통한 단원 학습 상황 파악하기	✓

해당 부분을 공부하고 나서 ✓표를 하세요.

가은이가 출발하려는 버스를 타기 위해서 뛰어가며 말하고 있어요. 가은이의 말과 행동을 통해서 가은이의 다급한 마음을 짐작할 수 있어요.

5단원에서는 다른 사람의 마음을 짐작하며 글을 읽어 볼 거예요. 또, 헷갈리기 쉬운 낱말에 주의하며 글을 자연스럽게 띄어 읽어 볼 거예요.

국어 156~159쪽   학습 목표 ▶ 인물의 마음 짐작하기

「자전거 타기, 성공!」

· 글의 종류: 일기

· 글의 특징: 아빠와 자전거 타기 연습을 하다 마침내 자전거 타기에 성공하여 뿌듯한 마음이 잘 나타난 일기입니다.

■ 인물의 마음을 짐작하며 글을 읽으면 좋은 점

· 글의 내용을 더 잘 이해할 수 있습니다.

· 인물의 마음이 더 생생하게 느껴집니다.

 낱말 풀이

격려해 용기나 의욕이 솟아나도록 북돋게 해.

20○○년 5월 10일 ○요일	날씨: 바람이 시원한 날

중심 내용 소영이는 자전거 타는 연습을 하기 위해 아빠와 함께 놀이터로 나갔습니다.

1 지난주부터 자전거 타는 연습을 하고 있다. 자전거를 혼자서 멋지게 타고 싶은데 마음처럼 잘 안된다.

오늘은 아빠와 자전거 타는 연습을 하기로 했다. 아빠와 나는 함께 놀이터로 나갔다. _{자전거 타는 연습을 하기 위해서} 힘차게 연습을 시작했지만 자꾸만 자전거가 쓰러지려고 했다. 그럴 때마다 아빠가 자전거 뒤를 잡아 주시며 다시 해 보자고 **격려해** 주셨다. ㉠나는 너무 힘들었다. 그래도 자전거 타는 방법 _{포기하지 않고 노력하는 마음, 최선을 다하는 마음} 을 빨리 배우고 싶은 마음에 열심히 연습했다.

중심 내용 소영이는 자전거 타는 방법을 빨리 배우고 싶어 열심히 연습을 하였습니다.

2 "어? 된다, 된다! 소영아, 잘하고 있어!"

241003-0235

01 이 글의 종류를 보기 에서 찾아 쓰세요.

보기

일기   편지   독서 감상문

(   )

241003-0236

02 소영이가 놀이터에서 한 일은 무엇인가요?

(   )

① 술래잡기   ② 점심 먹기

③ 그네 타기   ④ 자전거 고치기

⑤ 자전거 타는 연습하기

241003-0237

03 소영이에게 있었던 일 중 가장 먼저 일어난 일에 ○표를 하세요.

(1) 아빠와 함께 놀이터로 나갔습니다.

(   )

(2) 아빠께서 자전거 뒤를 잡아 주셨습니다.

(   )

(3) 지난주부터 자전거 타는 연습을 하고 있었습니다.   (   )

중요 241003-0238

04 ㉠에 드러난 소영이의 마음으로 알맞은 것을 두 가지 고르세요. (,   )

① 미안한 마음   ② 서운한 마음

③ 고마운 마음   ④ 노력하는 마음

⑤ 최선을 다하는 마음

아빠의 칭찬이 끝나자마자 나는 또 넘어지고 말았다. 아빠는 내가 다칠까 봐 걱정하시며 내일 다시 연습하자고 하셨다. 하지만 왠지 오늘은 꼭 성공할 것 같은 느낌이 들었다. 나는 다시 **페달**을 힘차게 밟았다.

중심 내용 소영이는 혼자 자전거를 탈 수 있게 되었습니다.

③ 한참을 집중하며 타다 보니 저 멀리서 아빠가 달려오는 모습이 보였다.

"우아, 제가 지금 혼자 타고 있는 거예요?"
　　　　　신기하고 기쁜 마음
"그럼, 아까부터 그랬단다."

아빠가 웃으며 말씀하셨다. 아빠와 나는 손뼉을 마주치며 소리를 질렀다. 자전거를 혼자 탈 수 있게 되어 참 **뿌듯한** 하루였다.
기쁘고 흐뭇한 마음　　　　　　　　　자전거를 혼자 타게 되어서

■ 소영이에게 있었던 일

자전거 타는 연습을 하려고 아빠와 함께 놀이터로 나감.
↓
소영이는 놀이터에서 자전거 타는 연습을 함.
↓
혼자서 자전거를 타게 됨.

 낱말 풀이

페달 발로 밟거나 눌러서 기계류를 작동시키는 부품.
뿌듯한 기쁨이나 감격이 마음에 가득 차서 벅찬.

241003-0239
05 소영이가 뿌듯한 하루였다고 생각한 까닭은 무엇인가요? ( )

① 아빠보다 달리기를 잘해서
② 자전거를 혼자 탈 수 있게 되어서
③ 아빠와 저녁때까지 놀이터에서 놀아서
④ 놀이터에 있는 사람들에게 칭찬을 들어서
⑤ 아빠께 자전거 타는 법을 가르쳐 드려서

241003-0240
06 시간의 흐름에 따른 소영이의 마음 변화로 알맞은 것은 무엇인가요? ( )

① 뿌듯한 마음 → 귀찮은 마음
② 귀찮은 마음 → 신기한 마음
③ 귀찮은 마음 → 포기하고 싶은 마음
④ 최선을 다하는 마음 → 실망한 마음
⑤ 최선을 다하는 마음 → 뿌듯한 마음

서술형 241003-0241
07 아빠의 마음이 드러난 부분을 찾아보고, 아빠의 마음을 짐작해서 쓰세요.

(1) 아빠의 마음이 드러난 부분: _____

(2) 아빠의 마음: _____

도움말 아빠의 말이나 행동을 살펴보고, 그 속에 담긴 마음을 짐작해 봅니다.

중요 241003-0242
08 인물의 마음을 짐작하며 글을 읽으면 좋은 점에 대해 잘못 말한 친구의 이름을 쓰세요.

병운: 글의 짜임에 대해 잘 알 수 있어.
혜진: 글의 내용을 더 잘 이해할 수 있어.
승윤: 인물의 마음이 더 생생하게 느껴져.

( )

국어 160~165쪽   학습 목표 ▶ 인물의 마음을 짐작하며 글 읽기

「강아지 돌보기」

· 글의 종류: 생활문
· 글의 특징: 할머니께서 여행을 가신 동안 할머니 댁 강아지 콩이를 돌봐 주며 느꼈던 마음을 쓴 글입니다.

★ 바르게 받아쓰기

설레는	설레는
(○)	(×)

 낱말 풀이

설레는 마음이 가라앉지 않고 들떠서 두근거리는.

중심 내용 할머니께서 일주일 동안 여행을 가시게 되어서 할머니 댁 강아지 콩이를 돌보게 되었습니다.

1 "일주일만 우리 콩이 좀 잘 돌봐 줘."

휴대 전화 너머로 할머니 목소리가 들렸어요. 콩이는 할머니께서 키우시는 강아지예요. 할머니께서 일주일 동안 여행을 떠나시게 되어 그동안 우리 집에서 콩이를 돌보기로 했어요.

'야호! 할머니 댁에서만 볼 수 있었던 콩이를 우리 집에서 돌보게 된
남의 집이나 가정을 높여 부르는 말.
다니!'

나는 가슴이 두근거렸어요.
설레는 마음
"주영아, 할머니께서 돌아오실 때까지 우리가 잘 돌봐 주자."

엄마 말씀에 나는 **설레는** 마음으로 고개를 끄덕였어요. 그런데 ㉠한
설레는 마음
편으로는 콩이가 나를 잘 따라 줄지 걱정도 되었어요.

241003-0243

09 주영이가 할머니께서 키우시는 강아지를 돌보게 된 까닭은 무엇인가요? (   )

① 할머니께서 몸이 편찮으셔서
② 할머니 댁이 공사를 하게 돼서
③ 콩이가 주영이를 잘 따라 주어서
④ 주영이가 콩이를 너무 보고 싶어 해서
⑤ 할머니께서 일주일 동안 여행을 가셔서

241003-0244

10 다음과 같은 뜻을 지닌 낱말을 찾아 세 글자로 쓰세요.

> 마음이 가라앉지 않고 들떠서 두근거리는 마음.

(   ) 마음

중요
11 241003-0245

콩이가 온다는 소식을 들었을 때 주영이의 마음을 짐작할 수 있는 부분으로 알맞은 것 두 가지에 ○표를 하세요.

(1) 나는 가슴이 두근거렸어요.   (   )
(2) 휴대 전화 너머로 할머니 목소리가 들렸어요.   (   )
(3) 엄마 말씀에 나는 설레는 마음으로 고개를 끄덕였어요.   (   )

241003-0246

12 ㉠을 통해 알 수 있는 주영이의 마음은 무엇인가요? (   )

① 우울한 마음   ② 흐뭇한 마음
③ 걱정되는 마음   ④ 부끄러운 마음
⑤ 만족스러운 마음

중심 내용 주영이는 콩이가 좋아한다는 간식을 주면서 친해지려고 노력하였습니다.

2 며칠 뒤, 콩이가 우리 집에 왔어요. 콩이는 조금 **낯선 눈치**였어요. 나는 콩이와 친해질 수 있는 방법을 고민했어요. ㉠가장 먼저 콩이가 좋아한다는 간식을 주기로 했어요. 간식을 내 손바닥에 올려놓고 내밀자 콩이가 내 앞으로 천천히 다가왔어요. 손바닥 냄새도 맡고 내 주변을 돌면서 살폈어요. 한참을 **서성이던** 콩이는 마음이 놓였는지 그제야 간식을 먹었어요. 그 뒤로 콩이는 밥도 잘 먹고 물도 잘 마셨어요.
콩이가 잘 적응한 모습 ★
㉡"엄마, 콩이가 우리 집에 적응한 것 같아요. 정말 다행이에요."

중심 내용 주영이는 콩이와 공놀이를 하면서 친해졌습니다.

3 저녁이 되자 콩이는 장난감 공을 물고 나에게 다가왔어요. ㉢나는 장난감 공을 콩이 앞으로 살짝 던져 주었어요. 콩이는 신났는지 점점 더
콩이와 친해지고 싶은 마음
꼬리를 힘차게 흔들었어요. 서로 공을 주고받으면서 나는 콩이와 꽤
콩이의 신난 모습
친해진 기분이 들었어요.

★ 바르게 받아쓰기

다행이에요	다행이예요
(○)	(×)

 낱말 풀이

낯선 전에 본 기억이 없어 익숙하지 않은.
㉑ 새 학년이 되어 만난 새 친구들은 서로 낯선 눈치였습니다.
눈치 속으로 생각하는 것이 겉으로 드러나는 어떤 태도.
서성이던 한곳에 서 있지 않고 주위를 왔다 갔다 하던.

241003-0247

13 주영이가 콩이와 친해지기 위해서 가장 먼저 한 일에 ○표를 하세요.

(1) 콩이의 이름 불러 주기 ( )

(2) 콩이가 좋아하는 간식 주기 ( )

(3) 장난감 공을 갖고 콩이와 놀기 ( )

241003-0248

14 콩이가 간식을 먹기 전에 한 행동을 <u>두 가지</u> 고르세요. (,)

① 물을 마셨습니다.

② 꼬리를 힘차게 흔들었습니다.

③ 주영이 주변을 돌면서 살폈습니다.

④ 현관문 밖으로 나가려고 했습니다.

⑤ 주영이의 손바닥 냄새를 맡았습니다.

241003-0249

15 이 글에서 일이 일어난 차례대로 번호를 쓰세요.

(1) 콩이는 밥도 잘 먹고 물도 잘 마셨습니다.
( )

(2) 주영이는 콩이와 공을 주고받으면서 친해졌습니다. ( )

(3) 주영이는 콩이와 친해질 수 있는 방법을 고민했습니다. ( )

중요
16
241003-0250
㉠~㉢ 중에서 다음과 같은 주영이의 마음이 드러나는 말이나 행동을 찾아 기호를 쓰세요.

걱정을 내려놓고 안심하는 마음

( )

■ 「강아지 돌보기」의 내용 정리

> 할머니께서 일주일 동안 콩이를 돌봐 달라고 하심.
> ↓
> 주영이는 콩이가 좋아하는 간식을 주고 함께 공놀이를 함.
> ↓
> 콩이를 데리고 집 근처 공원으로 산책을 나감.
> ↓
> 할머니께서 돌아오셔서 콩이와 헤어짐.

★ 바르게 읽기

[짧븐]	[짤은]
(○)	(×)

 낱말 풀이

작별 인사를 나누고 헤어짐. 또는 그 인사.

중심 내용 주영이는 엄마와 함께 콩이를 데리고 공원으로 산책을 나갔습니다.

4 다음 날 아침, 엄마와 함께 콩이를 데리고 집 근처 공원으로 산책을 나갔어요. 공원에 도착하자 콩이는 꼬리를 흔들었어요. 나는 콩이와 발을 맞추며 함께 걸었어요. 엄마는 나와 콩이의 모습을 사진으로 찍어 주셨지요. 나는 콩이와 정말로 친구가 된 것 같은 기분이 들었어요.

중심 내용 콩이와 지내는 마지막 날 주영이는 무척 아쉬웠지만 콩이와 작별 인사를 나누었습니다.

5 어느새 콩이가 우리 집에서 지내는 마지막 날이 되었어요. 나는 아침부터 너무 슬펐어요. / ㉠"엄마, 일주일이 너무 ★짧은 것 같아요."
　콩이와 헤어지기 아쉬운 마음
　나는 눈물이 날 것만 같았어요. / "띵동!"
　초인종 소리가 울리고 할머니께서 오셨어요. 콩이는 할머니를 보자 반갑게 꼬리를 흔들며 현관문 앞으로 달려갔어요. ㉡할머니께서는 그동안 콩이를 잘 돌봐 주어서 정말 고맙다고 말씀하셨어요. 나는 무
　고마운 마음
척 아쉬웠지만 콩이와 **작별** 인사를 나누었어요. 정말 특별한 일주일이었어요.

241003-0251

17 주영이가 콩이와 한 일에 ○표를 하세요.

(1) 산책하기 　　　　　　　(　)
(2) 물놀이하기 　　　　　　(　)
(3) 다른 강아지와 놀기 　　(　)

중요
241003-0252

18 ㉠과 ㉡에서 주영이와 할머니의 마음을 짐작한 것으로 알맞은 것끼리 선으로 이으세요.

(1) | ㉠: 주영이 | ・ 　　・① | 고마운 마음 |

(2) | ㉡: 할머니 | ・ 　　・② | 헤어지기 아쉬운 마음 |

241003-0253

19 이 글 전체에서 일이 일어난 차례대로 알맞게 기호를 쓰세요.

> ㉮ 할머니께서 돌아오셔서 콩이와 헤어졌습니다.
> ㉯ 콩이를 데리고 집 근처 공원으로 산책을 나갔습니다.
> ㉰ 주영이는 콩이가 좋아하는 간식을 주고 함께 공놀이를 했습니다.
> ㉱ 할머니께서 일주일 동안 콩이를 돌봐 달라고 하셨습니다.

㉱ → (　) → (　) → (　)

국어 166~167쪽　　학습 목표 ▶헷갈리기 쉬운 낱말에 주의하며 읽기

고마운 윤아에게

　윤아야, 안녕? 난 2학년 1반 김예린이야.

　어제 학교를 ㉠맞히고 집에 가는 길에 넘어진 나를 네가 도와주었잖아. / 사실 어제는 삼촌이 오시기로 한 날이라 마음이 **들떠** 있었어. 그래서 자꾸만 걸음이 빨라졌지 뭐니? 그러다 꽈당 넘어진 <u>거야.</u> 　㉡　무릎이 아파서 눈물이 핑 돌았지. / 그런데 갑자기
<u>빨리 걷다가 생긴 일</u>
네가 나타나서 "괜찮니?" 하며 날 일으켜 주었잖아.

　<u>어제는 너무 당황해서 고맙다는 말을 제대로 못 했어.</u> / 윤아야,
<u>예린이가 윤아에게 편지를 쓴 까닭</u>
그때 도와줘서 정말 고마워. / 우리 앞으로 더 친하게 지내자.

20○○년 6월 ○○일

너의 친구, 예린이가

■헷갈리기 쉬운 낱말에 주의하며 글을 읽어야 하는 까닭

• 글의 내용을 정확하게 파악하기 위해서입니다.

• 상대가 전달하고자 하는 내용을 오해하지 않기 위해서입니다.

• 글의 종류: 편지

• 글의 특징: 예린이가 넘어졌을 때 도움을 주었던 윤아에게 고마움을 전하는 내용의 편지입니다.

■헷갈리기 쉬운 낱말 뜻

┌ 맞혔다: 목표에 닿게 했다.
└ 마쳤다: 어떤 일을 끝냈다.
┌ 거름: 밭에 뿌리는 비료.
└ 걸음: 걷는 동작.
┌ 다쳤다: 부딪치거나 넘어져 몸에 상처를 입었다.
└ 닫혔다: 열려 있던 것이 도로 제자리로 가 막혔다.

🐧 **낱말 풀이**

들떠 마음이나 분위기가 가라앉지 아니하고 조금 흥분되어.

241003-0254

20 예린이가 윤아에게 전하는 마음은 무엇인가요?

(　)

① 그리운 마음　　② 궁금한 마음

③ 서운한 마음　　④ 고마운 마음

⑤ 신기한 마음

241003-0255

21 예린이의 걸음이 빨라진 까닭은 무엇인가요?

(　)

① 윤아보다 빨리 걷기 위해서

② 윤아와 대화하며 가고 싶어서

③ 무릎이 아파서 치료를 받기 위해서

④ 배가 고파서 집에 빨리 가기 위해서

⑤ 삼촌이 오시기로 한 날이라 마음이 들떠서

241003-0256

22 ㉠을 문장의 뜻에 알맞은 낱말로 고쳐 쓰세요.

맞히고 ➡ (　　　　　)

중요 241003-0257

23 ㉡에 들어갈 알맞은 낱말을 찾아 ○표를 하세요.

(1) 다친 (　)　　(2) 닫힌 (　)

학습 목표 ▶헷갈리기 쉬운 낱말에 주의하며 읽기

■ 헷갈리기 쉬운 낱말 뜻 알기

부치다	빈대떡이나 달걀 등을 프라이팬에 기름을 둘러 익혀 만든다.
붙이다	서로 떨어지지 않게 하다.
늘이다	원래 길이보다 길게 하다.
느리다	빠르지 않다.
때	옷이나 몸에 묻은 더러운 먼지.
떼	행동을 같이하는 무리.
반듯이	물건이나 행동이 비뚤지 않고 바르게 된.
반드시	틀림없이 꼭.
맞다	문제에 대한 답이 틀리지 아니하다.
맡다	코로 냄새를 느끼다.
바치다	신이나 웃어른께 정중히 드리다.
받치다	물건의 밑이나 옆 따위에 다른 물체를 대다.

241003-0258

24 그림에 알맞은 낱말을 찾아 선으로 이으세요.

· ① 붙이다

· ② 부치다

중요 241003-0259

25 다음 문장에 알맞은 낱말을 골라 ○표를 하세요.

(1) 교실에 책상들이 (반드시 , 반듯이)
놓여 있습니다.

(2) 나는 내 꿈을 (반드시 , 반듯이) 이루
고 싶습니다.

서술형 241003-0260

26 다음 문장에서 밑줄 그은 낱말이 잘못된 까닭을
쓰고, 알맞은 낱말로 고쳐 쓰세요.

동생이 꽃향기를 맞고 있습니다.

(1) 잘못된 까닭: _____

_____

(2) 알맞은 낱말: _____

도움말 '맞다'의 뜻을 생각하며 문장을 살펴봅니다. 문장의 내
용을 정확하게 전달하기 위한 알맞은 낱말을 생각해
봅니다.

241003-0261

27 그림에 어울리는 낱말을 보기 에서 찾아 쓰세요.

보기

바칩니다   받칩니다

· 컵을 쟁반에
(   ).

241003-0262

28 다음 빈칸에 공통으로 들어갈 알맞은 낱말에 ○
표를 하세요.

글을 읽을 때 헷갈리기 쉬운 낱말에 주
의하며 읽어야 하는 까닭은 글의 내용을
☐ 파악하고 상대가 전하고 싶은
내용을 ☐ 전달받기 위해서입니다.

(1) 천천히   (   )

(2) 정확하게   (   )

(3) 재미있게   (   )

학습 목표 ▶ 글을 자연스럽게 띄어 읽는 방법을 생각하며 읽기

중심 내용 또야는 엄마가 주신 삶은 밤 다섯 개를 친구들에게 모두 줘 버렸습니다.

1 또야네 엄마가 삶은 밤 다섯 개를 또야한테 주면서,
또야네 엄마가 또야에게 주신 것
"가지고 나가 동무들하고 나눠 먹어라." / 그랬어요.
늘 친하게 어울리는 사람.
또야 너구리는 좋아라 밤 다섯 개를 가지고 밖으로 나갔어요.

㉠"애들아, 이리 와. 삶은 밤 줄게."
기대되는 마음, 설레는 마음, 뿌듯한 마음
골목길 여기저기서 애들이 모여들었어요.

★ 바르게 읽기

[살믄]	[살믄]
(○)	(×)

아기 너구리 코야랑 후야랑 차야랑 찌야, 뽀야 모두 다섯이었어요.

애들이 다투어 손바닥을 내밀자 또야는 밤 하나씩 나눠 줬어요.

코야 한 개, 후야 한 개, 차야 한 개, 찌야 한 개, 뽀야 한 개.

에계계, 그러고 나니 밤 다섯 개 다 줘 버렸어요.

중심 내용 또야는 자신의 것이 하나도 남지 않아서 울었고, 그 모습에 친구들도 따라 울었습니다.

2 또야 것이 안 남았네요. / 애들은 삶은 밤을 까먹기 시작했어요.

또야는 애들이 맛있게 먹는 걸 바라보다가 그만,

"으앙!" / 하고 울어 버렸어요. / 애들은 ㉡눈이 휘둥그레져서 또야를
또야가 친구들에게 삶은 밤을 모두 주고 빈손이 되어서   놀라거나 두려워서 눈이 크고 둥글게 되어서.
봤어요. 알고 보니 삶은 밤 다섯 개 다 나눠 주고 또야는 빈손이었지요.

「밤 다섯 개」

· 글의 종류: 이야기
· 글쓴이: 권정생
· 글의 특징: 엄마가 주신 밤 다섯 개를 친구들에게 모두 주어 속상한 또야에게 엄마가 다시 밤을 주었다는 내용의 이야기입니다.

■ 글을 자연스럽게 띄어 읽는 방법

· '누가(무엇이)' 다음에 조금 쉬어(∨) 읽습니다.
· 문장이 너무 길면 문장의 뜻을 생각하며 한 번 더 쉬어(∨) 읽습니다. 예를 들어 '누구를(무엇을)' 뒤에서 조금 쉬어(∨) 읽습니다.
· ∨는 ∨보다 조금 더 쉬어 읽습니다. 문장과 문장 사이에서는 조금 더 쉬어(∨) 읽습니다.

---

29 241003-0263

또야네 엄마가 또야에게 주신 것은 무엇인지 쓰세요.

(   )

30 241003-0264

㉠에서 짐작할 수 있는 또야의 마음으로 알맞은 것은 무엇인가요? (   )

① 화난 마음   ② 기쁜 마음
③ 궁금한 마음   ④ 창피한 마음
⑤ 두려운 마음

31 241003-0265

㉡에 알맞은 표정을 찾아 ○표를 하세요.

(1)   (2)

(   )   (   )

중요 32 241003-0266

이와 같은 글을 자연스럽게 띄어 읽는 방법에 대해 잘못 말한 친구의 이름을 쓰세요.

> 세연: 문장과 문장 사이는 빨리 읽어야 해.
> 현주: 문장이 너무 길면 문장의 뜻을 생각하며 한 번 더 쉬어 읽어야 해.

(   )

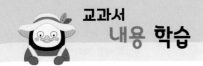

■ 띄어 읽을 때 사용하는 문장 부호
• ∨(쐐기표)는 조금 쉬어 읽는 것을 나타냅니다.
• ∨∨(겹쐐기표)는 ∨(쐐기표)보다 조금 더 쉬어 읽는 것을 나타냅니다.

 낱말 풀이

울상 울려고 하는 얼굴 표정.
비쭉비쭉 비웃거나 언짢거나 울려고 할 때 소리 없이 입을 내밀고 실룩거리는 모양.

애들도 갑자기 어쩔 줄 모르다가 그만 **울상**을 지었어요. / 모두가 입을 **비쭉비쭉**하다가, / "으앙! 으앙!" / 소리 내어 따라 울었어요.
걱정되는 마음, 당황스러운 마음, 미안한 마음

중심 내용 우는 소리에 또야 엄마가 오셔서 또야에게 삶은 밤 한 개를 주셨고, 또야는 친구들과 함께 그 밤을 맛있게 먹었습니다.

❸ 골목길에서 우는 소리가 하도 크게 들려 또야네 엄마가 나와 봤어요.

"애들아, 왜 우니?" / "또야 밤 우리가 다 먹었어요."
궁금한 마음, 놀란 마음
코야가 울음을 그치고 얼른 대답했어요.

㉠또야네 엄마는 웃음이 나왔어요. 얼른 앞치마 주머니에서 삶은 밤 한 개를 꺼내었어요. / 똥그란 삶은 밤 한 개가 또야 손에 쥐어졌어요. / 또야는 울던 울음을 그쳤어요. / 애들 모두가 조용해졌어요. 함께 삶은 밤을 맛있게 먹었어요.

241003-0267

33 또야 친구들은 우는 또야를 보고 어떻게 하였나요? ( )

① 골목길로 다들 도망갔습니다.
② 또야를 울보라고 놀렸습니다.
③ 또야에게 밤을 되돌려주었습니다.
④ 입을 비쭉비쭉하다가 따라 울었습니다.
⑤ 또야 엄마에게 또야의 밤을 달라고 했습니다.

241003-0268

34 다음 문장에 알맞은 표정을 선으로 이으세요.

(1) 울상을 짓다. •

(2) 입을 비쭉 비쭉하다. •

• ①

• ②

서술형 241003-0269

35 이야기 속 인물과 대화를 한다고 할 때 '또야 엄마'에게 하고 싶은 말을 쓰세요.

_____

_____

도움말 이야기의 내용을 생각하며 이야기 속 인물에게 하고 싶은 말을 생각해 봅니다.

중요 241003-0270

36 ㉠을 바르게 띄어 읽은 것에 ◯표를 하세요.

(1) 또야네 엄마는∨웃음이 나왔어요.∨∨얼른∨앞치마 주머니에서∨삶은 밤 한 개를∨꺼내었어요.

(2) 또야네∨엄마는 웃음이∨∨나왔어요.∨얼른∨∨앞치마 주머니에서∨삶은 밤 한∨개를 꺼내었어요.

다른 사람의 마음 짐작하기

• 「딱지치기」에서 민서의 말과 행동에 드러난 마음으로 알맞은 것에 ○표를 해 보세요.

	민서의 말과 행동
말	"오빠, 봤어? 내가 딱지 하나를 뒤집었어!"
행동	민서는 신나서 폴짝폴짝 뛰었다.

➡️

민서의 마음
미안해요 (　　　)
뿌듯해요 (　○　)
심심해요 (　　　)
부끄러워요 (　　　)

• '나'의 마음을 바르게 짐작한 동물을 찾아 ○표를 해 보세요.

민서가 딱지를 '나'보다 더 잘 치게 될까 봐 걱정했을 것 같아.

민서가 즐거워하는 모습을 보고 기뻤을 것 같아.

○

민서의 딱지를 모두 따지 못해서 아쉬웠을 것 같아.

• 인물의 마음을 짐작하는 방법으로 알맞은 것에 모두 ○표를 해 보세요.

인물에게 일어난 일을 정리해 본다.	○
인물의 생김새를 떠올려 본다.	
인물의 말이나 행동을 찾아본다.	○

확인 문제 인물의 마음을 짐작하는 방법으로 알맞은 것에 모두 ○표를 하세요.

1 인물의 말이나 행동을 찾아봅니다. (　　　)

2 인물에게 일어난 일을 정리해 봅니다. (　　　)

3 인물의 가족이나 친구를 떠올려 봅니다. (　　　)

정답 1. ○ 2. ○

국어 활동 73쪽

인물의 마음을 짐작하며 글 읽기

• 「갯벌 체험」에서 우진이에게 일어난 일을 바르게 말한 친구를 찾아 ○표를 해 보세요.

우진이는 엄마, 아빠와 갯벌 체험을 했어.

[ ] 선아

우진이는 바구니에 조개를 가득 담았어.

[ ] 진수

우진이는 아빠와 소중한 시간을 보냈어.

[○] 민정

인물의 마음을 짐작하기 위해서는 인물에게 있었던 일을 정리해 보고, 인물의 말이나 행동에 드러난 마음을 짐작해 봐야 해.

• 「갯벌 체험」에서 우진이의 말이나 행동에 드러난 마음을 짐작해 보세요.

예 우진이의 말이나 행동	우진이의 마음
나는 매우 신나서 자리를 옮겨 다니며 조개를 캤다. / "정말 즐거워요. 다음에 또 오고 싶어요!"	즐거운 마음 신나는 마음

 **확인
문제** **1** 다음에서 짐작할 수 있는 선호의 마음을 쓰세요.

선호는 조개를 많이 캐고 싶었지만 생각만큼 많이 캐지 못해서 아쉬웠다.

(   )

정답 **1.** 예 아쉬운 마음, 서운한 마음

국어 활동 74~76쪽

의미가 드러나게 띄어 읽기

- 낱말의 뜻을 생각하며 문장에 알맞은 말을 골라 ○표를 해 봅시다.

 뜨거운 음식은 (시켜서 , (식혀서)) 조심히 먹어야 한다.

 나는 학교를 마치고 집으로 ((갔다) , 같다).

- 글을 읽고 잘못 쓴 말을 찾아 바르게 고쳐 써 봅시다.

> 오늘 오후에 엄마께서 나에게 두부 한 모를 사 오라고 말씀하셨다. 그런데 가게에서 아무리 찾아보아도 두부가 보이지 않았다. 나는 물건에 가격표를 부치고 계시는 아주머니께 두부가 있는 곳을 여쭤보았다. 아주머니께서 알려 주신 곳으로 가니 두부가 있었다. 분명 조금 전에 지나쳤던 곳인데 두부가 거기에 있었다니! 앞으로 주변을 자세히 살펴야겠다고 생각했다.
> 계산을 맞히고 장바구니에 두부를 조심스레 넣었다. 나는 아주머니께 감사하다는 인사를 드리고 집으로 돌아왔다.

예 (부치고) ➡ [붙이고]   (맞히고) ➡ [마치고]

- 친구들이 문장을 자연스럽게 읽는 방법을 말하고 있습니다. 알맞게 말한 친구를 모두 찾아 ○표를 해 봅시다.

띄어 읽는 방법에 따라 강조하고 싶은 내용이 달라져. **현진** ○	띄어 읽기는 최대한 빠르게 읽으려고 필요한 거야. **서우**
문장이 길더라도 특별히 더 쉬어 읽을 필요는 없어. **찬우**	문장이 길면 중요한 부분마다 나누어 읽는 것이 좋아. **하민** ○
띄어 읽는 방법은 규칙이 있어서 누구나 읽는 방법이 똑같아. **유경**	띄어 읽는 방법은 읽는 사람마다 다를 수 있어. **윤호** ○

확인 문제 다음 문장에 알맞은 낱말을 골라 ○표를 하세요.

1 수업을 (맞히고 , 마치고) 친구와 집으로 왔습니다.
2 미술 작품을 벽에 (부치고 , 붙이고) 천천히 작품을 감상했습니다.

정답 1. 마치고 2. 붙이고

「자전거 타기, 성공!」 교과서 158~159쪽 문제와 답

▶ **「자전거 타기, 성공!」**을 읽고 물음에 답해 봅시다.

• 소영이가 놀이터에서 한 일은 무엇인가요?

　㉎ 자전거 타는 연습을 했습니다.

• 소영이가 힘들어도 자전거 타는 연습을 계속한 까닭은 무엇인가요?

　㉎ 자전거 타는 방법을 빨리 배우고 싶어서입니다.

• 소영이가 뿌듯한 하루였다고 생각한 까닭은 무엇인가요?

　㉎ 자전거를 혼자 탈 수 있게 되어서입니다.

▶ **「자전거 타기, 성공!」**을 읽고 인물의 마음을 짐작하는 방법을 알아봅시다.

• 소영이에게 있었던 일을 정리해 보세요.

자전거 타는 연습을 하려고 아빠와 함께 놀이터로 나감.	㉎ 소영이는 놀이터에서 자전거 타는 연습을 함.	㉎ 혼자서 자전거를 타게 됨.

• 소영이의 말이나 행동에 드러난 소영이의 마음을 짐작해 보세요.

	소영이의 말이나 행동	소영이의 마음
말	"우아, 제가 지금 혼자 타고 있는 거예요?" →	신기하고 기쁜 마음
행동	힘들었지만 열심히 연습했다. →	㉎ 포기하지 않고 노력하는 마음, 인내하는 마음

▶ **「자전거 타기, 성공!」**에서 인물의 마음이 드러난 부분을 더 찾아보고 인물의 마음을 짐작해 봅시다.

　㉎ "아빠와 나는 손뼉을 마주치며 소리를 질렀다."라는 부분을 보니 소영이가 정말 기뻐하고 있는 것 같습니다.

글의 특징

아빠와 자전거 타기 연습을 하다 드디어 자전거 타기에 성공한 소영이의 뿌듯한 마음이 잘 나타난 일기

자신이 소영이가 되어 자전거 타기에 성공했다고 상상해 봐.

「강아지 돌보기」 교과서 163~165쪽 문제와 답

교과서 163~165쪽 문제와 답

글의 특징

일주일 동안 할머니께서 맡긴 강아지를 돌보며 느꼈던 마음을 쓴 생활문

▶ 「강아지 돌보기」를 읽고 물음에 답해 봅시다.

• 할머니께서 키우시는 강아지 이름은 무엇인가요? ㉖ 콩이입니다.

• 주영이가 할머니께서 키우시는 강아지를 돌보게 된 까닭은 무엇인가요?

  ㉖ 할머니께서 일주일 동안 여행을 떠나시게 되었기 때문입니다.

• 주영이가 강아지와 친해지려고 가장 먼저 한 일은 무엇인가요?

  ㉖ 콩이가 좋아하는 간식을 주었습니다.

▶ 뜻에 알맞은 낱말을 보기 에서 찾아 쓰고 소리 내어 읽어 봅시다.

보기

| 낯선 | 설레는 | 눈치 |

㉖

낱말	뜻
설레는	마음이 가라앉지 않고 들떠서 두근거리는.
눈치	속으로 생각하는 것이 겉으로 드러나는 어떤 태도.
낯선	전에 본 기억이 없어 익숙하지 않은.

▶ 「강아지 돌보기」의 내용을 정리하고 인물의 마음을 짐작해 봅시다.

• 「강아지 돌보기」의 내용을 차례대로 정리해 보세요.

| 할머니께서 일주일 동안 콩이를 돌봐 달라고 하셨다. | | ㉖ 주영이는 콩이가 좋아하는 간식을 주고 함께 공놀이를 했다. |

| ㉖ 할머니께서 돌아오셔서 콩이와 헤어졌다. | | 콩이를 데리고 집 근처 공원으로 산책을 나갔다. |

• 인물의 말이나 행동에 드러난 마음을 짐작해 보세요.

㉖

인물	말이나 행동		마음
주영	"엄마, 콩이가 우리 집에 적응한 것 같아요. 정말 다행이에요."	→	걱정을 내려놓고 안심하는 마음
할머니	할머니께서는 그동안 콩이를 잘 돌봐 주어서 정말 고맙다고 말씀하셨어요.	→	고마운 마음

교과서 166~167쪽 교과서 166~167쪽 문제와 답

활동 내용

• 고마움을 전하는 내용의 편지글 읽기
• 그림에 어울리는 낱말 찾아 문장 만들기

▶ **편지를 읽고 물음에 답해 봅시다.**

• 예린이의 걸음이 빨라진 까닭은 무엇인가요?

⑩ 삼촌이 오시기로 한 날이라 마음이 들떴기 때문입니다.

• 예린이가 윤아에게 편지를 쓴 까닭은 무엇인가요?

⑩ 윤아에게 고마운 마음을 전하기 위해서입니다.

▶ **빈칸에 들어갈 알맞은 낱말을 찾아 ○표를 해 봅시다.**

• 학교를 _____ 집에 가는 길에 넘어진 나를 네가 도와주었잖아.

마치고
(○)

맞히고
( )

• 그래서 자꾸만 _____이 빨라졌지 뭐니?

거름
( )

걸음
(○)

• _____ 무릎이 아파서 눈물이 핑 돌았지.

다친
(○)

닫힌
( )

맞춤법이 틀리면 뜻이 잘못 전달될 수 있어.

「밤 다섯 개」 교과서 174쪽 문제와 답

글의 특징

엄마가 주신 밤 다섯 개를 친구들에게 모두 주어 속상한 또야에게 엄마가 다시 밤을 주었다는 이야기

▶ **「밤 다섯 개」를 읽고 물음에 답해 봅시다.**

• 또야는 엄마에게 무엇을 받아서 밖으로 나갔나요? ⑩ 삶은 밤 다섯 개입니다.

• 또야는 왜 빈손이 되었나요? ⑩ 친구들에게 밤을 다 주었기 때문입니다.

• 또야 친구들은 우는 또야를 보고 어떻게 했나요?

⑩ 어쩔 줄 모르다가 울상을 지었습니다.

▶ **「밤 다섯 개」에 쓰인 문장에 알맞은 표정을 선으로 이어 봅시다.**

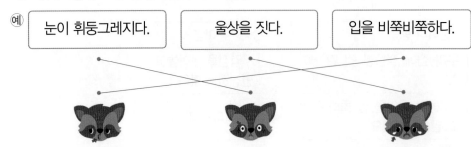

⑩ 눈이 휘둥그레지다.   울상을 짓다.   입을 비쭉비쭉하다.

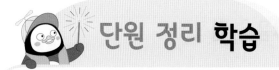

단원 정리 학습

다른 사람의 마음 짐작하기

● 인물에게 있었던 일을 정리해 봅니다.
● 인물의 말이나 행동에 드러난 마음을 짐작해 봅니다.

> 인물의 마음을 짐작하며 글을 읽으면 글의 내용을 더 잘 이해할 수 있고 인물의 마음이 더 생생하게 느껴져.

의미가 드러나게 띄어 읽기

1 헷갈리기 쉬운 낱말에 주의하며 읽어야 하는 까닭

● 글의 내용을 정확하게 파악하기 위해서입니다.

> 예
> • 그래서 자꾸만 (거름 ,(걸음))이 빨라졌지 뭐니?
> • ((다친), 닫힌) 무릎이 아파서 눈물이 핑 돌았지.

● 상대가 전달하고자 하는 내용을 오해하지 않기 위해서입니다.

2 글을 자연스럽게 띄어 읽는 방법

● '누가(무엇이)' 다음에 조금 쉬어(∨) 읽습니다.

> 예
> 또야 것이∨안 남았네요.

● 문장이 너무 길면 문장의 뜻을 생각하며 한 번 더 쉬어(∨) 읽습니다. 예를 들어 '누구를(무엇을)' 뒤에서 조금 쉬어(∨) 읽습니다.

> 예
> 애들은∨삶은 밤을∨까먹기 시작했어요.

● ∨(겹쐐기표)는 ∨(쐐기표)보다 조금 더 쉬어 읽습니다. 문장과 문장 사이에서는 조금 더 쉬어(∨) 읽습니다.

> 예
> 또야 것이∨안 남았네요.∨애들은∨삶은 밤을∨까먹기 시작했어요.

[01~02] 다음 글을 읽고, 물음에 답하세요.

> 행복 요정이 오솔길을 가는데 시끌벅적한 소리가 들렸어요.
> "오소리야! 이게 얼마 만이야! 반갑다, 반가워!"
> "너구리야! 반갑다, 정말 반가워!"

241003-0271

01 오소리와 너구리는 오솔길에서 무엇을 하고 있나요? ( )

① 손을 맞잡으며 춤을 추고 있습니다.
② 오해가 쌓여 말싸움을 하고 있습니다.
③ 서로의 친구를 소개시켜 주고 있습니다.
④ 소곤소곤 속삭이며 이야기하고 있습니다.
⑤ 오랜만에 만나 서로 시끌벅적하게 인사하고 있습니다.

중요 241003-0272

02 오소리와 너구리의 마음으로 알맞은 것에 ○표를 하세요.

(1) 반가운 마음 ( )
(2) 속상한 마음 ( )
(3) 가슴 아픈 마음 ( )

[03~05] 다음 글을 읽고, 물음에 답하세요.

> 지난주부터 자전거 타는 연습을 하고 있다. 자전거를 혼자서 멋지게 타고 싶은데 마음처럼 잘 안된다.
> ㉠오늘은 아빠와 자전거 타는 연습을 하기로 했다. 아빠와 나는 함께 놀이터로 나갔다. 힘차게 연습을 시작했지만 자꾸만 자전거가 쓰러지려고 했다. 그럴 때마다 아빠가 자전거 뒤를 잡아 주시며 다시 해 보자고 격려해 주셨다. ㉡나는 너무 힘들었다. ㉢그래도 자전거 타는 방법을 빨리 배우고 싶은 마음에 열심히 연습했다.

241003-0273

03 자꾸만 자전거가 쓰러지려고 할 때 아빠께서는 어떻게 하셨나요? ( )

① 큰 소리로 혼을 내셨습니다.
② 잠깐 쉬자고 말씀하셨습니다.
③ 그만 포기하라고 설득하셨습니다.
④ 뒤에서 자전거를 잡아 주셨습니다.
⑤ 페달을 빨리 밟으라고 말씀하셨습니다.

241003-0274

04 '나'에게 있었던 일의 차례대로 알맞게 기호를 쓰세요.

> ㉮ 아빠와 자전거 타는 연습을 하기 위해 놀이터로 나갔습니다.
> ㉯ 너무 힘들었지만 자전거 타는 방법을 빨리 배우고 싶어서 계속 연습했습니다.
> ㉰ 힘차게 연습을 시작했지만 자꾸만 자전거가 쓰러지려고 했습니다.

( ) → ( ) → ( )

05 ㉠~㉢ 중에서 포기하지 않고 노력하는 '나'의 마음을 짐작할 수 있는 부분의 기호를 쓰세요.

(   )

[06~10] 다음 글을 읽고, 물음에 답하세요.

㉮ 며칠 뒤, 콩이가 우리 집으로 왔어요. 콩이는 조금   ㉠   눈치였어요.

나는 콩이와 친해질 수 있는 방법을 고민했어요. 가장 먼저 콩이가 좋아한다는 간식을 주기로 했어요. 간식을 내 손바닥에 올려놓고 내밀자 콩이가 내 앞으로 천천히 다가왔어요. 손바닥 냄새도 맡고 내 주변을 돌면서 살폈어요. 한참을 서성이던 콩이는 마음이 놓였는지 그제야 간식을 먹었어요. 그 뒤로 콩이는 밥도 잘 먹고 물도 잘 마셨어요.

㉡"엄마, 콩이가 우리 집에 적응한 것 같아요. 정말 다행이에요."

㉯ 어느새 콩이가 우리 집에서 지내는 마지막 날이 되었어요. 나는 아침부터 너무 슬펐어요.

"엄마, 일주일이 너무 짧은 것 같아요."

나는 금방이라도 눈물이 날 것만 같았어요.

06 콩이가 간식을 먹기 전에 한참을 서성이던 까닭은 무엇인가요? (   )

① 몸이 아파서
② 배가 불러서
③ 친구를 기다리고 있어서
④ 간식에서 이상한 냄새가 나서
⑤ 낯선 곳에 아직 적응을 못해서

07 ㉠에 들어갈 낱말로, 다음과 같은 뜻을 가진 낱말은 무엇인가요? (   )

전에 본 기억이 없어 익숙하지 않은.

① 설렌
② 기쁜
③ 슬픈
④ 친한
⑤ 낯선

중요
08 ㉡에서 알 수 있는 '나'의 마음으로 알맞은 것은 무엇인가요? (   )

① 우울한 마음
② 안심하는 마음
③ 떨리는 마음
④ 불만스러운 마음
⑤ 기분이 상하는 마음

09 일이 일어난 차례대로 알맞게 번호를 쓰세요.

(1) 콩이가 '나'의 집에 왔습니다. (   )
(2) 콩이가 '나'의 집에서 지내는 마지막 날 '나'는 너무 슬펐습니다. (   )
(3) '나'는 콩이와 친해지기 위해서 콩이가 좋아하는 간식을 주기로 했습니다. (   )

서술형
10 글 ㉯의 '나'처럼 헤어지기 아쉬운 마음을 느꼈던 경험을 **보기**와 같이 쓰세요.

보기

여름 방학 때 할머니 댁에서 지내다 집으로 돌아올 때 할머니와 헤어지기 아쉬워서 눈물이 났어.

_____

_____

도움말 일상생활 속에서 누군가와 헤어지기 아쉬운 마음을 언제 느꼈는지 생각해 봅니다.

[11~12] 다음 글을 읽고, 물음에 답하세요.

고마운 윤아에게

윤아야, 안녕? 난 2학년 1반 김예린이야.

어제 학교를 ㉠마치고 집에 가는 길에 넘어진 나를 네가 도와주었잖아.

사실 어제는 삼촌이 오시기로 한 날이라 마음이 들떠 있었어. 그래서 자꾸만 ㉡거름이 빨라졌지 뭐니? 그러다 꽈당 넘어진 거야. ㉢다친 무릎이 아파서 눈물이 핑 돌았지.

그런데 갑자기 네가 나타나서 "괜찮니?" 하며 날 일으켜 주었잖아.

어제는 너무 당황해서 고맙다는 말을 제대로 못 했어.

윤아야, 그때 도와줘서 정말 고마워.

우리 앞으로 더 친하게 지내자.

241003-0281

11 예린이가 윤아에게 고마워한 까닭은 무엇인가요? ( )

① 집에 함께 가 줘서
② 삼촌을 소개시켜 줘서
③ 넘어졌을 때 도와줘서
④ 학교에서 함께 친하게 놀아 줘서
⑤ 자신과 같이 걸음을 빨리 걸어 줘서

중요

241003-0282

12 ㉠~㉢ 중에서 **잘못** 쓴 낱말을 찾아 기호를 쓰고, 바르게 고쳐 쓰세요.

(1) 잘못 쓴 낱말: ( )

(2) 바르게 고쳐 쓰기: ( )

241003-0283

13 낱말의 뜻에 어울리는 그림을 찾아 알맞게 선으로 이으세요.

(1) 늘이다 ·

(2) 느리다 ·

· ①

· ②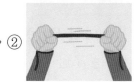

241003-0284

14 그림에 어울리는 알맞은 낱말을 골라 ○표를 하세요.

(1) 동생이 꽃향기를 (맞습니다 , 맡습니다).

(2) 컵을 쟁반에 (바칩니다 , 받칩니다).

241003-0285

15 다음 낱말의 뜻을 생각하며 문장에 어울리는 낱말을 보기 에서 각각 찾아 쓰세요.

보기

때	떼

(1) 들판에 새 ( )를 쫓으려고 허수아비를 세웠습니다.

(2) 아버지께서 수세미로 냄비 기름 ( )를 지우고 계셨습니다.

[16~20] 다음 글을 읽고, 물음에 답하세요.

> 또야 너구리는 좋아라 밤 다섯 개를 가지고 밖으로 나갔어요.
> "얘들아, 이리 와. 삶은 밤 줄게."
> 골목길 여기저기서 애들이 모여들었어요.
> 아기 너구리 코야랑 후야랑 차야랑 찌야, 뽀야 모두 다섯이었어요.
> 애들이 다투어 손바닥을 내밀자 또야는 밤 하나씩 나눠 줬어요.
> 코야 한 개, 후야 한 개. / 차야 한 개, 찌야 한 개, 뽀야 한 개. / 에계계, 그러고 나니 밤 다섯 개 다 줘 버렸어요.
>
> > 또야 것이 안 남았네요.
> > 애들은 삶은 밤을 까먹기 시작했어요.
>
> 또야는 애들이 맛있게 먹는 걸 바라보다가 그만,
> "으앙!"
> 하고 울어 버렸어요.
> 애들은 눈이 휘둥그레져서 또야를 봤어요. 알고 보니 삶은 밤 다섯 개 다 나눠 주고 또야는 빈손이었지요.
> 애들도 갑자기 어쩔 줄 모르다가 그만 ㉠울상을 지었어요.

241003-0286

16 또야가 빈손이 된 까닭은 무엇인가요? (   )

① 또야가 밤을 다 먹어서
② 친구들에게 밤을 다 주어서
③ 바닥에 밤을 다 떨어뜨려서
④ 친구들에게 줄 밤을 잃어버려서
⑤ 골목길에서 친구들에게 밤을 팔아서

241003-0287

중요
17 ㉠에 알맞은 표정을 찾아 ○표를 하세요.

(1)   (2)

(   )   (   )

241003-0288

18 또야의 마음은 어떻게 변하였나요? (   )

① 슬픈 마음 → 불쌍한 마음
② 슬픈 마음 → 창피한 마음
③ 기쁜 마음 → 속상한 마음
④ 기쁜 마음 → 기대하는 마음
⑤ 불쌍한 마음 → 희망찬 마음

서술형
241003-0289

19 이야기 속 또야 친구들에게 하고 싶은 말을 생각하여 쓰세요.

_____

_____

도움말 '또야가 우는 모습을 보고 어떤 생각이 들었어?'와 같은 내용을 생각해 봅니다.

241003-0290

20 [   ] 부분을 자연스럽게 띄어 읽은 친구의 이름을 쓰세요.

은희
> 또야∨것이∨안∨남았네요. ∨∨애들은∨삶은∨밤을∨까먹기 시작했어요.

효섭
> 또야 것이∨안 남았네요. ∨∨애들은∨삶은 밤을∨까먹기 시작했어요.

(   )

6

자신의 생각을 표현해요

123쪽 단원 정리 학습에서 더 자세히 공부해 보세요.

단원 학습 목표

1. 중요한 내용을 찾을 수 있습니다.
    • 글을 읽고 중요한 내용을 찾는 방법을 알 수 있습니다.
    • 중요한 내용을 생각하며 글을 읽을 수 있습니다.
2. 자신의 생각을 표현할 수 있습니다.
    • 글을 읽고 인물의 생각과 그 까닭을 파악할 수 있습니다.
    • 글을 읽고 자신의 생각을 표현할 수 있습니다.

단원 진도 체크

회차		학습 내용	진도 체크
1차	단원 열기	단원 학습 내용 미리 보고 목표 확인하기	✓
	교과서 내용 학습	「공공장소에서의 예절」	✓
2차	교과서 내용 학습	「줄넘기의 좋은 점」	✓
	교과서 내용 학습	「나무뿌리는 무슨 일을 할까」	✓
3차	교과서 내용 학습	「수연이네 가족회의」	✓
	교과서 내용 학습	「누구를 보낼까요」	✓
4차	교과서 내용 학습	「금덩이를 버린 형제」	✓
	교과서 내용 학습	국어 활동 학습하기	✓
	교과서 문제 확인	교과서 문제 해결하기	✓
5차	단원 정리 학습	단원 학습 내용 정리하기	✓
	단원 확인 평가	확인 평가를 통한 단원 학습 상황 파악하기	✓

해당 부분을 공부하고 나서 ✓표를 하세요.

서로를 미워하는 마음이 아예 생기지 않도록 금덩이를 강물에 던진 우애 좋은 형제의 마음이 참 따뜻한 것 같아.

주은이가 글을 읽고 자신의 생각을 글로 표현하고 있어요. 여러분은 글을 읽고 인물의 생각과 그 까닭을 파악하여 생각을 표현할 수 있나요?

6단원에서는 중요한 내용을 생각하며 글을 읽을 거예요. 또, 글을 읽고 인물의 생각과 까닭을 알고 내 생각을 써 볼 거예요.

국어 186~187쪽 내용　　학습 목표 ▶ 배울 내용 살펴보기

「공공장소에서의 예절」

·글의 종류: 광고
·글의 특징: 일상생활 속의 사소한 배려를 통해 함께 행복해질 수 있다 것을 느끼게 해 주는 광고입니다.

■ 광고의 장면 살펴보기

· 장면 **1**: 버스에서 통화할 때 다른 사람을 배려해서 조용히 통화하기
· 장면 **2**: 유모차와 함께 타는 아이 엄마가 편하게 타도록 승강기 단추 대신 눌러 주기
· 장면 **3**: 주변이 깨끗해질 수 있게 다른 사람이 버린 종이컵과 페트병을 쓰레기통에 넣기

함께 배려하면
함께 행복해집니다

공익광고협의회

 낱말 풀이

배려　도와주거나 보살펴 주려고 마음을 씀.

241003-0291

01 이 광고에서 반복되는 낱말을 쓰세요.

(　　　　　　　　)

241003-0292

02 장면 **3**에서 다른 사람이 버린 종이컵과 페트병을 어떻게 했나요? (　　)

① 그냥 두었습니다.
② 예쁘게 꾸몄습니다.
③ 집으로 가져갔습니다.
④ 발로 찌그러트렸습니다.
⑤ 쓰레기통에 넣었습니다.

서술형　241003-0293

03 이 광고를 보고 드는 생각이나 느낌을 쓰세요.

_____

_____

도움말　광고에서 말하고자 하는 '배려'에 대해 생각해 봅니다.

중요　241003-0294

04 이 광고와 관련하여 생활 속에서 배려할 수 있는 일에 대해 **잘못** 말한 친구의 이름을 쓰세요.

아현: 그네를 탈 때 내 순서가 되면 그만 타고 싶을 때까지 계속 탈 수 있어.
유준: 친구에게 가위를 줄 때 친구가 안전하게 잡을 수 있게 가위 손잡이 쪽으로 건네줄 수 있어.

(　　　　　　　　)

학습 목표 ▶ 글을 읽고 중요한 내용 찾는 방법 알기

중심 내용 줄넘기의 좋은 점에 대해 알아봅시다.

1 여러분은 줄넘기를 해 본 적이 있나요? 줄넘기는 양손으로 줄의 끝을 잡고 크게 돌리면서 뛰어넘는 운동입니다. 줄넘기를 하면 좋은 점이 많습니다. 줄넘기의 좋은 점을 알아봅시다.
<u>이 글을 통해 알려 주고 싶은 내용</u>

중심 내용 줄넘기를 하면 몸이 튼튼해집니다.

2 먼저, <u>줄넘기를 하면 몸이 튼튼해집니다.</u> 줄넘기는 몸 전체를 움직
줄넘기의 좋은 점 ①
여서 하는 운동입니다. 줄넘기를 하면 심장, 뼈 따위가 튼튼해지고 몸에 **근육**이 더 많아집니다.

중심 내용 줄넘기는 친구들과 재미있게 할 수 있습니다.

3 다음으로, <u>줄넘기는 친구들과 재미있게 할 수 있습니다.</u> 줄넘기는
줄넘기의 좋은 점 ②
동작을 바꿔 가며 뛸 수 있고 여러 명이 함께 모여 뛸 수도 있어서 지루하지 않게 운동할 수 있습니다.

중심 내용 줄넘기는 언제 어디서나 손쉽게 할 수 있습니다.

4 마지막으로, <u>줄넘기는 언제 어디서나 손쉽게 할 수 있습니다.</u> 줄넘
줄넘기의 좋은 점 ③
기는 간단한 도구인 줄과 줄넘기를 할 수 있는 작은 공간만 있으면 언
<u>줄넘기를 하기 위해 필요한 것 두 가지</u>
제든지 할 수 있기 때문입니다.

「줄넘기의 좋은 점」

· 글의 종류: 설명하는 글
· 글의 특징: 줄넘기를 하면 좋은 점이 있다는 것을 설명하는 글입니다.

■ 중요한 내용을 찾는 방법

· 글의 제목을 알아봅니다.
· 글쓴이가 이 글에서 알려 주고 싶은 것이 무엇인지 생각해 봅니다.
· 줄넘기의 좋은 점을 모두 몇 가지로 설명하고 있는지 살펴봅니다.

🐧 낱말 풀이

근육 뼈와 함께 몸의 전체적인 형태를 잡아 주며 움직임을 가능하게 하는 것.
동작 몸이나 손발 따위를 움직임. 또는 그런 모양.

241003-0295
05 줄넘기를 하기 위해 필요한 것을 <u>두 가지</u> 쓰세요.

(,   )

중요
241003-0296
06 이 글에서 중요한 내용을 찾는 방법으로 알맞은 것 <u>두 가지</u>에 ○표를 하세요.

(1) 글의 제목을 알아봅니다. (   )
(2) 줄넘기의 생김새를 살펴봅니다. (   )
(3) 글쓴이가 이 글을 통해 알려 주고 싶은 것이 무엇인지 생각해 봅니다. (   )

서술형 241003-0297
07 이 글의 중요한 내용을 찾아 빈칸에 알맞은 내용을 정리하여 쓰세요.

줄넘기의 좋은 점

몸이 튼튼해집니다.		언제 어디서나 손쉽게 할 수 있습니다.

도움말 '먼저, 다음으로, 마지막으로'가 나타난 부분 다음에 오는 문장을 잘 살펴봅니다.

국어 193~197쪽　　학습 목표 ▶ 중요한 내용을 생각하며 글 읽기

「나무뿌리는 무슨 일을 할까」

· 글의 종류: 설명하는 글
· 글의 특징: 땅속에서 나무가 흔들리지 않게 잡아 주고, 나무

에 필요한 물과 영양분을 얻어 주고, 잎에서 만들어진 영양분을 모아 두기도 하는 나무뿌리의 역할에 대해 설명한 글입니다.

중심 내용 나무뿌리가 어떤 일을 하는지 알아봅시다.

1 여러분은 나무뿌리를 주의 깊게 본 적이 있나요? 나무뿌리는 우리 눈에 잘 보이지 않지만 중요한 역할을 합니다. 나무뿌리가 어떤
　　　　　　　이 글을 통해 알려 주고 싶은 내용
일을 하는지 알아볼까요?

중심 내용 나무뿌리는 땅속에서 나무가 흔들리지 않게 잡아 줍니다.

2 나무뿌리는 땅속에서 나무가 흔들리지 않
　　　　　　나무뿌리가 하는 역할 ①
게 잡아 줍니다. 몸집이 큰 나무가 거센 바람에도 쉽게 넘어지지 않는 것은 땅속에 있는 뿌리가 단단하게 고정해 주기 때문입니다. 비
　　　　　한곳에 꼭 붙어 있거나 붙어 있게 함.
가 많이 와 땅이 파여도 뿌리가 깊고 넓게 퍼져 있기 때문에 잘 넘어지지 않습니다.

중심 내용 나무는 뿌리를 통해 필요한 물과 영양분을 얻습니다.
　　　　　　　　　　살아 있는 동물이나 식물이 성장하는 데 필요한 것.
3 나무는 필요한 물과 영양분을 뿌리를 이용
　　　　　　나무뿌리가 하는 역할 ②
해 흙에서 얻습니다. 우리가 물과 음식을 먹으며 자라듯이 나무가 자라는 데에도 물과 영양분이 필요합니다. 뿌리는 마치 빨대처럼 흙에서 물과 영양분을 빨아들여서 줄기를 거쳐 잎까지 전달합니다.

중심 내용 나무뿌리는 잎에서 만들어진 영양분을 모아 두기도 합니다.

4 나무뿌리는 잎에서 만들어진 영양분을 모
　　　　　　　나무뿌리가 하는 역할 ③
아 두기도 합니다. 나무뿌리는 나무에 필요한 영양분을 저장하기 때문에 굵고 통통한 모양
　　　　　물건 따위를 잘 모아서 간직함.
으로 자라게 됩니다.

241003-0298

08 몸집이 큰 나무가 거센 바람에도 쉽게 넘어지지 않는 까닭을 **두 가지** 고르세요. (　　,　　)

① 나무의 몸집이 워낙 두꺼워서
② 땅속에 얇고 짧은 뿌리가 많아서
③ 나무뿌리가 깊고 넓게 퍼져 있어서
④ 땅속에 있는 뿌리가 단단하게 고정해 주어서
⑤ 거센 바람이 나무 주변에서는 약하게 불어서

중요
09 241003-0299

'나무뿌리가 하는 일'에 대해 중요한 내용을 알맞게 쓴 부분에 ○표를 하세요.

(1) 글 2: 비가 많이 와 땅이 파여도 깊고 넓게 퍼져 있는 뿌리 덕분에 잘 넘어지지 않습니다. ☐

(2) 글 3: 나무가 자라는 데에도 물과 영양분이 필요합니다. ☐

(3) 글 4: 나무뿌리는 잎에서 만들어진 영양분을 모아 두기도 합니다. ☐

국어 198~201쪽　학습 목표 ▶글을 읽고 인물의 생각과 그 까닭 파악하기

중심 내용 수연이네 가족은 이번 여름 방학에 각자 자신이 가고 싶은 곳에 대해 말했습니다.

1 수연이네 가족은 이번 여름 방학에 가족여행을 가려고 합니다. 그래서 가족이 함께 모여 여름 방학에 여행 갈 곳을 정하기로 했습니다.
수연이네 가족이 회의를 한 까닭
가족은 각자 자신이 가고 싶은 곳에 대해 말했습니다.

중심 내용 아빠는 시골에 있는 친척 집에 가자고 했습니다.

2 아빠　애들아, 아빠는 시골에 있는 친척 집에 가면 좋겠어. 오랜만
아빠가 가고 싶은 곳
에 친척들을 만나면 반가울 거야. 너희도 가면 좋아할 거야.
가고 싶은 까닭

중심 내용 엄마는 산으로 가자고 했습니다.

3 엄마　㉠그것도 좋은 생각이네요. ㉡그런데 산으로 가는 건 어
엄마가 가고 싶은 곳
때요? ㉢산에서 부는 시원한 바람을 맞으면 더위를 잊을 수 있을 것 같아요. ㉣애들아, 너희도 산에 가면 귀여운 다람쥐
가고 싶은 까닭
와 예쁜 꽃도 많이 볼 수 있단다. 산으로 가는 건 어떠니?

「수연이네 가족회의」

· 글의 종류: 대화글
· 글의 특징: 가족여행을 어디로 갈지 정하기 위해 수연이네 가족이 회의를 하면서 대화한 내용을 쓴 글입니다.

■ 인물이 가고 싶어 하는 곳과 그 까닭

인물	가고 싶은 곳	가고 싶은 까닭
아빠	시골 친척 집	오랜만에 친척들을 만나면 반가워서
엄마	산	시원한 바람이 불고 다람쥐와 꽃도 많이 볼 수 있어서

241003-0300

10 수연이네 가족이 회의를 한 까닭은 무엇인가요? (　　)

① 친척 집에 일이 생겨서
② 부모님 건강이 안 좋아지셔서
③ 친척 집에 가는 방법을 정하기 위해서
④ 기분을 좋게 하는 방법을 찾기 위해서
⑤ 가족여행을 어디로 갈지 정하기 위해서

241003-0301

11 아빠와 엄마가 가고 싶은 곳으로 알맞은 것을 선으로 이으세요.

(1) | 아빠 | ·　　·① | 산 |

(2) | 엄마 | ·　　·② | 시골에 있는 친척 집 |

241003-0302

12 ㉠~㉣ 중에서 엄마가 가고 싶어 하는 곳에 대한 까닭이 나타나 있는 두 곳의 기호를 쓰세요.

(　　　,　　　)

중요
13 241003-0303

인물의 생각과 그 까닭을 찾는 방법에 알맞게 빈칸에 들어갈 말을 보기 에서 모두 찾아 쓰세요.

보기

| 말 | 표정 | 행동 | 생김새 |

글에서 인물의 생각과 그 까닭은 인물의 □□□ 등에서 찾을 수 있습니다.

(　　　,　　　,　　　)

■ 인물이 가고 싶어 하는 곳과
그 까닭

인물	가고 싶은 곳	가고 싶은 까닭
수연	바다	수영과 모래놀이를 할 수 있어서
수진	놀이공원	놀이기구를 많이 타고 싶어서

■ 인물의 생각과 그 까닭을 찾는 방법
• 인물의 말에서 찾을 수 있습니다.
• 인물의 행동이나 표정 등에서 찾을 수 있습니다.

■ 인물의 생각과 그 까닭을 파악하며 글을 읽으면 좋은 점
• 인물과 글을 더 잘 이해하게 됩니다.

중심 내용 수연이는 바다에 가자고 했습니다.

4
수연　　ⓐ네, 엄마 생각처럼 산에 가도 재밌겠네요. 그런데 저는 산도 좋지만 바다에 가고 싶어요. 바다에서는 수영도 할 수 있고 모래놀이도 할 수 있어요. 지난해 여름 방학에는 산으로 갔으니 이번에는 바다로 가고 싶어요.
　　　　　 _{수연이가 가고 싶은 곳}　　 _{가고 싶은 까닭}

중심 내용 수진이는 놀이공원에 가자고 했습니다.

5
수진　　저는 산이나 바다도 좋지만 이번에는 꼭 놀이공원에 가고 싶어요. 지난번에 갔을 때에는 사람이 너무 많아서 놀이기구를 많이 못 탔거든요. 얼마나 아쉬웠는지 몰라요. 이번에는 꼭 지난번에 못 탄 놀이기구를 모두 타고 싶어요.
　　　 _{수진이가 가고 싶은 곳}　　　　　　　　　　 _{가고 싶은 까닭}

중심 내용 아빠는 서로의 의견이 달라서 어디로 가야 할지 조금 더 고민해 보자고 했습니다.

6
아빠　　이번 가족여행에 대한 생각이 각자 다르구나. 서로의 생각을 알았으니 각자 조금만 더 고민을 해 보고 다음에 더 이야기하는 건 어때?
　　　　수연이네 가족은 여행을 어디로 가야 할지 고민했습니다.

241003-0304
14 ⓐ을 바탕으로 엄마가 가고 싶어 하는 곳은 어디인지 쓰세요.

（　　　　　　　　　）

241003-0305
15 수연이가 가고 싶어 하는 곳은 어디인가요?
（　　　）
① 산　　　　　② 바다
③ 계곡　　　　④ 친척 집
⑤ 놀이공원

중요
241003-0306
16 수진이가 놀이공원에 가고 싶어 하는 까닭은 무엇인가요? （　　　）
① 수영을 하려고　　② 물놀이를 하려고
③ 사진을 찍으려고　④ 동물을 구경하려고
⑤ 놀이기구를 많이 타려고

241003-0307
17 인물의 생각과 그 까닭을 파악하며 글을 읽으면 좋은 점을 알맞게 말한 친구의 이름을 쓰세요.

유현: 인물과 글을 더 잘 이해할 수 있어.
영준: 글을 분석하며 읽어서 더 많은 지식을 얻을 수 있어.

（　　　　　　　　　）

국어 202~209쪽   학습 목표 ▶글을 읽고 자신의 생각 표현하기

┌─────────── ㉠ ───────────┐

우리 별이 생겨난 날을 기념하는 자리에 지구의 친구를 초대합니다. 지구를 대표할 수 있는 동물이 누구인지 알려 주시고 아래 날짜에 별나라로 보내 주세요.

때: 20○○년 ○월 ○○일 / 곳: 별나라 꽃동산

중심 내용 거북 할아버지는 지구에 대해 잘 아는 자신이 별나라에 가야 한다고 말했습니다.

1 이 초대장을 보고 많은 동물이 몰려들었습니다. 서로 자기가 지구를 대표해 별나라에 가야 한다고 한마디씩 했습니다. / 먼저, 동물 마을에서 나이가 가장 많은 거북 할아버지께서 말씀하였습니다.
<small>동물들이 의논하려는 내용</small>

"나는 아주 오래전부터 지구에서 살았습니다. 그래서 지구에 대해 누구보다 잘 알고 있지요. 여러분이 태어나기 훨씬 전에 일어났던 일
<small>별나라에 가야 하는 까닭</small>
들도 나는 많이 알고 있습니다. 그러니까 내가 별나라에 가야 합니다."

거북 할아버지의 말을 듣고 있던 동물들은 모두 고개를 끄덕였습니다.

「누구를 보낼까요」

· 글의 종류: 동화
· 글쓴이: 이형래
· 글의 특징: 별나라 꽃동산에 가고 싶어 하는 동물들이 각자 자신이 지구를 대표해서 별나라에 가야 하는 생각을 표현한 이야기입니다.

■ 동물들이 말한 별나라에 가야 하는 까닭

동물	별나라에 가야 하는 까닭
거북 할아버지	지구에 대해 누구보다 잘 알고 있어서

241003-0308

18 ㉠에 들어갈 알맞은 말을 [보기]에서 찾아 쓰세요.

[보기]

| 일기 | 초대장 | 독서 기록장 |

( )

241003-0309

19 별나라 친구들이 지구의 친구를 초대하려는 까닭은 무엇인가요? ( )

① 지구에서 남는 자원을 얻으려고
② 지구 친구들과 별나라를 청소하려고
③ 별나라에 지구 친구들을 살게 하려고
④ 지구의 친구들에게 미안함을 전하려고
⑤ 자기네 별이 생겨난 날을 기념하는 자리에 초대하려고

중요 241003-0310

20 동물들은 무엇에 관해 의논하려고 하나요?

( )

① 사진을 찍을 동물 정하기
② 별나라에 대표로 갈 동물 정하기
③ 초대장을 쓸 수 있는 동물 정하기
④ 지구에서 가장 오래 산 동물 알아보기
⑤ 거북 할아버지가 오래 사는 까닭 찾기

서술형 241003-0311

21 거북 할아버지가 별나라에 가야 한다고 말한 까닭은 무엇인지 쓰세요.

_____

_____

도움말 거북 할아버지가 한 말을 통해 알 수 있습니다.

■ 동물들이 말한 별나라에 가야 하는 까닭

동물	별나라에 가야 하는 까닭
아기 곰	지구를 무척 사랑해서 / 지구가 얼마나 아름답고 살기 좋은 곳인지 알려 주기 위해서
원숭이	별나라에서 보고 들은 일을 생생하게 전할 수 있어서

■ 역할에 알맞게 소리 내어 읽을 때 주의할 점
• 인물의 상황이나 인물의 분위기에 어울리는 적당한 크기의 목소리로 읽습니다.
• 실제 인물이 말하는 것처럼 실감 나게 읽습니다.

■ 답장에 들어갈 내용
㉠ 받을 사람 / 첫인사 / 초대에 대한 감사 인사 / 정한 동물과 그 까닭 / 끝인사 / 날짜 / 글쓴이

중심 내용 아기 곰은 지구를 무척 사랑하는 자신이 별나라에 가야 한다고 말했습니다.

② 거북 할아버지 옆에서★ 듣고 있던 아기 곰도 자리에서 일어나 말했습니다.

"저는 나이는 어리지만 지구를 무척 사랑해요. 만약 제가 별나라에
<u>별나라에 가야 하는 까닭</u>
가게 된다면 지구가 얼마나 아름답고 살기 좋은 곳인지 알려 주겠어
<u>별나라에 가야 하는 까닭</u>
요. 지구를 사랑하는 마음보다 더 중요한 것이 있을까요?" / 그 자리
에 모인 동물들은 아기 곰의 말을 듣고 모두 고개를 끄덕였습니다.

중심 내용 원숭이는 보고 들은 일을 생생하게 전할 수 있는 자신이 별나라에 가야 한다고 말했습니다.

③ 원숭이도 일어나서 말했습니다.

★ 바르게 읽기

[여페서]	[옆에서]
(○)	(×)

"별나라에서는 신기한 일이 많이 일어날 것입니다. 저는 별나라에
서 보고 들은 일을 여러분께 생생하게 전할 수 있어요. 별나라가 어
<u>별나라에 가야 하는 까닭</u>   <u>바로 눈앞에 보는 것처럼 또렷하게.</u>
떤 곳인지 궁금해하는 친구가 많잖아요? 그곳의 모습을 잘 전할 수
있는 제가 지구의 대표가 되어야 합니다."

중심 내용 거북 할아버지, 아기 곰, 원숭이의 말을 듣고 다른 동물들은 생각에 잠겼습니다.

④ 거북 할아버지, 아기 곰, 원숭이의 말을 듣고 있던 다른 동물들은 생각
에 잠겼습니다. / 어떤 동물이 지구를 대표해 별나라에 가면 좋을까요?

241003-0312

22 별나라에서 보고 들은 일을 생생하게 전해 줄 수 있다고 말한 동물은 누구인지 쓰세요.

(   )

중요 241003-0313

23 역할을 나누어 소리 내어 읽을 때 알맞게 읽은 것에 ○표를 하세요.

(1) 아기 곰은 굵고 낮은 목소리로 읽습니다. (   )

(2) 원숭이는 활기차고 적극적인 목소리로 읽습니다. (   )

241003-0314

24 별나라에 가고 싶어 하는 세 동물을 모두 쓰세요.

서술형 (,   ,   )

241003-0315

25 이 글의 내용을 바탕으로 쓴 별나라에 보낼 답장입니다. 빈칸에 알맞은 말을 쓰세요.

> 별나라에 저희를 초대해 주셔서 감사합니다. 저희는 지구를 대표해 아기 곰을 보내기로 정했습니다.
>
> 왜냐하면 _____
> _____

도움말 아기 곰이 별나라에 가야 한다고 말한 까닭을 바탕으로 하여 빈칸에 들어갈 내용을 생각해 봅니다.

학습 목표 ▶ 배운 내용 마무리하기

「금덩이를 버린 형제」

·글의 종류: 전래 동화

·글의 특징: 큰 금덩이를 가진 형님에게 자꾸 나쁜 마음이 드는 아우가 자신의 금덩이를 강물에 던져 형제의 우애를 더 깊게 하였다는 이야기입니다.

중심 내용 우애 깊은 형제가 산길을 가다가 금덩이 두 개를 발견해 나눠 가졌습니다.

1 옛날 어느 마을에 가난하지만 마음씨가 착하고 우애가 깊은 형제가 살고 있었습니다. 어
형제 간 또는 친구 간의 사랑이나 정.
느 날, 형제는 산길을 가다가 풀숲에서 금덩이
형제가 산길을 가다가 발견한 것
두 개를 보았습니다. 아우는 기쁜 마음에 큰 것은 형에게 건네주고 작은 것은 자신이 가졌습니다. 그러고 나서 다시 길을 가는데 아우는 점점 형의 큰 금덩이가 욕심났습니다.

중심 내용 형님의 금덩이가 욕심이 나자 아우는 금덩이를 버리면서 형님이 더 소중하다고 했습니다.

2 한참을 가다가 형제는 나루터에서 배를 타
나룻배가 닿고 떠나는 일정한 곳.
게 되었습니다. ㉠배를 타고 강 한가운데쯤 왔

을 때, 아우는 갑자기 금덩이를 강물 속으로 휙
금덩이 때문에 형님이 미워지고 더 욕심이 나서
던져 버렸습니다. 형은 눈이 휘둥그레졌습니다. / "아우야, 그 귀한 금덩이를 왜 버렸니?" 그러자 아우가 대답했습니다.

"금덩이를 갖고 나서부터 자꾸 형님이 미워지고 더 욕심이 나서 버렸습니다. 저에게는 형님이 더 소중해요."

중심 내용 형도 아우의 말을 듣고 금덩이를 강물 속에 던져 버렸습니다.

3 이 말을 듣고 보니 형도 부끄러워져서 금덩이를 강물 속에 던져 버렸습니다. 그 뒤로 형제는 이전보다 더 우애가 깊어졌습니다.

241003-0316

26 형제가 산길을 가다가 발견한 것은 무엇인지 쓰세요.

(   )

241003-0317

27 아우가 ㉠과 같이 행동한 까닭은 무엇인가요?

(   )

① 더 많은 금덩이를 얻고 싶어서
② 금덩이 때문에 배가 가라앉아서
③ 형님이 더 큰 금덩이를 준다고 해서
④ 형님과 크게 싸우고 난 뒤 화가 나서
⑤ 금덩이 때문에 형님이 미워지고 더 욕심이 나서

241003-0318

28 아우가 금덩이보다 더 소중하게 생각하는 사람은 누구인지 쓰세요.

(   )

중요
29 241003-0319

이 글을 읽고 자신의 생각을 까닭과 함께 알맞게 말한 친구의 이름을 쓰세요.

> 하석: 형님은 욕심쟁이인 것 같아. 큰 금덩이를 갖고도 동생 것을 탐냈잖아.
> 채윤: 형제의 마음이 따뜻한 것 같아. 서로를 생각하는 마음으로 금덩이를 강물에 버렸잖아.

(   )

중요한 내용 찾기

• 「저마다 다른 동물의 생김새」를 읽고 설명에 해당하는 동물을 찾아 선으로 이어 봅시다.

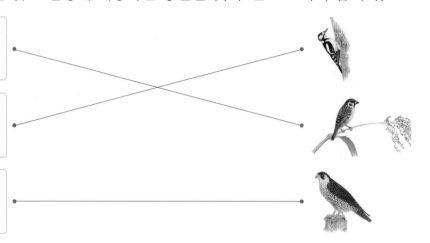

| 곡식을 쪼아 먹어서 부리가 짧고 뭉툭하다. |
| 나무를 파서 벌레를 먹기 때문에 부리가 매우 뾰족하다. |
| 고기를 먹고 살아서 부리가 고기를 찢기에 알맞게 생겼다. |

• 「저마다 다른 동물의 생김새」를 다시 읽고, 중요한 내용을 바르게 말한 친구를 모두 찾아 ○표를 해 봅시다.

지연: 이 글은 여러 동물의 생김새를 알려 주고 있어. ○

태현: 이 글에서 알 수 있는 '동물의 생김새가 다른 까닭'은 모두 세 가지야. ○

혜진: 이 글을 읽으면 동물을 치료하는 방법을 알 수 있어. ☐

> 중요한 내용을 정리하려면 글의 제목을 알아보고, 글쓴이가 알려 주고 싶은 것은 무엇인지 생각해 보며, 글의 내용을 모두 몇 가지로 나누어 설명하고 있는지 살펴봐.

• 「저마다 다른 동물의 생김새」에서 중요한 내용을 찾아 정리해 봅시다.

제목   저마다 다른 동물의 생김새

(예)

| 먹이를 얻고 위험을 피하려고 생김새가 달라졌어요. | 먹이에 따라 생김새가 달라요. | 사는 곳에 따라 생김새가 달라요. |
| 말, 노루 | 참새, 딱따구리, 매, 독수리 | 물방개, 땅강아지, 가자미, 고등어 |

자신의 생각 표현하기

• 「토끼의 재판」에 나오는 소나무와 토끼가 하는 말을 읽고 빈칸에 알맞은 말을 써 봅시다.

소나무

"사람들은 은혜를 몰라. 내가 맑은 공기를 마시게 해 주는데도 마구 꺾지를 않나, 베어 버리지를 않나! 호랑이야, 얼른 잡아먹어 버려라."

토끼

"당신을 구해 준 나그네님을 잡아먹으려 했군요. 당신처럼 은혜를 모르는 호랑이는 구해 줄 필요가 없어요!"

• 소나무는 _____호랑이_____ 의 말이 옳다고 생각한다.

• 토끼는 _____나그네_____ 의 말이 옳다고 생각한다.

• 「토끼의 재판」을 읽고 등장인물에 대한 자신의 생각을 써 봅시다.

⑩ 호랑이를 다시 궤짝에 들어가게 해서 가둔 토끼가 참 영리하다고 생각한다. / 나그네의 도움을 받았으면서 고마움을 모르고 나그네를 잡아먹으려고 한 호랑이가 벌을 받는 게 당연하다고 생각한다.

확인
문제

1 소나무와 토끼의 의견 중에서 옳다고 생각하는 인물과 그 까닭을 쓰세요.

(1) 인물	
(2) 그 까닭	

정답 **1.** ⑩ (1) 토끼 (2) 호랑이가 자신을 구해 준 나그네의 은혜도 모르기 때문에

교과서 문제 확인

 「공공장소에서의 예절」 교과서 187쪽 문제와 답

▶ 「공공장소에서의 예절」을 보고 물음에 답해 봅시다.
- 광고에서 반복되는 낱말은 무엇인가요? 예 배려
- 장면 1에서 다른 사람을 배려하는 행동은 무엇인가요?
  예 버스에서 통화할 때 조용히 통화하는 것입니다.
- 장면 2에서 승강기 단추를 대신 눌러 준 까닭은 무엇일까요?
  예 유모차와 함께 타는 아이 엄마가 편하게 타기 바랐기 때문입니다.
- 장면 3에서 다른 사람이 버린 종이컵과 페트병을 주워서 쓰레기통에 넣은 까닭은
  무엇일까요? 예 주변을 깨끗하게 하기 위해서입니다.

▶ 「공공장소에서의 예절」을 보며 어떤 생각이나 느낌이 들었는지 써 봅시다.
  예 다른 사람을 배려하는 모습이 보기 좋았다. / 나도 남을 배려하는 생활을 실천하고
  싶다. / 배려받는 사람들은 고마움을 느낄 것 같다.

▶ 「공공장소에서의 예절」에 나온 것처럼 자신이 생활 속에서 남을 배려할 수 있는 일
에는 무엇이 있을지 이야기해 봅시다. 친구에게 가위를 줄 때 친구가 안전하게 잡을
수 있게 가위 손잡이 쪽으로 건네줄 수 있어. / 그네를 탈 때 혼자만 오래 타지 않고 뒤
에서 기다리는 친구와 번갈아 탈 수 있어. / 예 준비물을 안 가져온 친구를 위해 준비물
을 빌려줄 거야. / 버스에서 할아버지, 할머니께 자리를 양보해 드릴 거야.

글의 특징

일상생활 속의 사소한 배려를 보여 주며 함께 배려하면 행복해질 수 있다는 것을 느끼게 해 주는 광고

 「줄넘기의 좋은 점」 교과서 190~191쪽 문제와 답

▶ 「줄넘기의 좋은 점」을 읽고 물음에 답해 봅시다.
- 줄넘기는 어떤 방법으로 하는 운동인가요?
  예 양손으로 줄의 끝을 잡고 크게 돌리면서 뛰어넘는 운동입니다.
- 줄넘기를 지루하지 않게 할 수 있는 까닭은 무엇인가요?
  예 동작을 바꿔 가며 뛸 수 있고 여러 명이 함께 모여 뛸 수도 있기 때문입니다.
- 줄넘기를 하려면 무엇무엇이 필요한가요?
  예 줄과 줄넘기를 할 수 있는 작은 공간입니다.

▶ 「줄넘기의 좋은 점」에서 중요한 내용을 찾아 정리해 봅시다.

예

제목	
줄넘기의 좋은 점	몸이 튼튼해진다.
	친구들과 재미있게 할 수 있다.
	언제 어디서나 손쉽게 할 수 있다.

글의 특징

줄넘기를 하면 좋은 점 세 가지를 정리하여 설명하는 글

글에서 줄넘기의 좋은 점에 대해 자세히 설명하는 부분을 찾아봐.

「나무뿌리는 무슨 일을 할까」 교과서 195~196쪽 문제와 답

교과서 195~196쪽 문제와 답

▶ 「나무뿌리는 무슨 일을 할까」를 읽고 물음에 답해 봅시다.

- 나무가 쉽게 넘어지지 않는 까닭은 무엇인가요?
  예 땅속에 있는 뿌리가 단단하게 고정해 주기 때문입니다.
- 나무는 뿌리를 이용해 흙에서 무엇을 얻나요? 예 물과 영양분입니다.
- 나무뿌리가 굵고 통통한 모양으로 자라게 되는 까닭은 무엇인가요?
  예 나무에 필요한 영양분을 저장하기 때문입니다.

▶ 낱말의 뜻을 생각하며 알맞은 낱말을 보기 에서 찾아 빈칸에 써 봅시다.

보기

| 고정 | 영양분 | 저장 |

예

고정
한곳에 꼭 붙여 있거나 붙어 있게 함.

저장
물건 따위를 잘 모아서 간직함.

영양분
살아 있는 동물이나 식물이 성장하는 데 필요한 것.

글의 특징

나무뿌리의 역할에 대해 세 가지로 나누어 설명하는 글

「수연이네 가족회의」 교과서 201쪽 문제와 답

교과서 201쪽 문제와 답

▶ 「수연이네 가족회의」를 읽고 물음에 답해 봅시다.

- 수연이네 가족이 회의를 한 까닭은 무엇인가요?
  예 가족여행을 어디로 갈지 정하려고 회의했습니다.
- 수연이네 가족이 가족회의에서 여행 갈 곳을 정하지 못한 까닭은 무엇인가요?
  예 가족의 생각이 각자 달랐기 때문입니다.

▶ 「수연이네 가족회의」를 읽고 인물이 가고 싶어 하는 곳과 그 까닭을 정리해 봅시다.

예

인물	가고 싶은 곳	가고 싶은 까닭
아빠	시골 친척 집	오랜만에 친척들을 만나면 반가워서
엄마	산	시원한 바람이 불고 다람쥐와 꽃도 볼 수 있어서
수연	바다	수영과 모래놀이를 할 수 있어서
수진	놀이공원	놀이기구를 많이 타고 싶어서

글의 특징

여름 방학 때 가족여행으로 갈 장소에 대해 가족회의를 하는 내용의 글

수연이네 가족이 한 말을 통해 가고 싶은 곳을 알아보고 가고 싶은 까닭도 함께 찾아봐.

「누구를 보낼까요」 교과서 206~209쪽 문제와 답

▶ 「누구를 보낼까요」를 읽고 물음에 답해 봅시다.
- 어디에서 온 초대장인가요? 예 별나라에서 온 것입니다.
- 별나라에 가고 싶어 하는 동물은 누구누구인가요? 예 거북 할아버지, 아기 곰, 원숭이입니다.

▶ 동물들이 자신이 별나라에 가야 한다고 말한 까닭을 써 봅시다.

동물	별나라에 가야 하는 까닭
거북 할아버지	지구에 대해 누구보다 잘 알고 있습니다.
아기 곰	예 저는 지구를 무척 사랑합니다. / 지구가 얼마나 아름답고 살기 좋은 곳인지 알려 주겠습니다.
원숭이	예 별나라에서 보고 들은 일을 생생하게 전할 수 있습니다.

▶ 별나라에 누구를 보내면 좋을지 생각해 보고 자신의 생각을 친구들 앞에서 발표해 봅시다.
- 지구를 대표해 누가 가면 좋을지 친구들과 이야기해 보세요.
  예 나는 거북 할아버지가 가야 한다고 생각해. 거북 할아버지는 지구를 가장 많이 아니까 별나라 친구들에게 지구를 잘 알려 줄 수 있을 거야.
- 별나라에 보낼 편지를 써 보세요.

> 예
> 별나라에 초대해 주신 분께
> 　안녕하세요? 저는 지구에 살고 있는 ○○○입니다. / 별나라에 우리를 초대해 주셔서 고맙습니다. 우리는 지구를 대표해 거북 할아버지를 보내기로 정했습니다. 거북 할아버지는 지구에 대해 누구보다 잘 알고 있으므로 여러분께 지구에 대해 잘 알려 드릴 것입니다. / 그럼 안녕히 계세요.
> 　　　　　　　　20○○년 ○○월 ○○일 / 지구에 살고 있는 ○○ 드림

글의 특징

지구를 대표하여 별나라에 갈 동물을 뽑기 위해 거북 할아버지, 아기 곰, 원숭이의 생각과 그 까닭에 관해 쓴 이야기

> 동물들이 말한 까닭을 떠올려 보고, 어떤 동물이 지구를 대표해서 별나라에 가면 좋을지 생각해 봐.

「금덩이를 버린 형제」 교과서 213쪽 문제와 답

▶ 「금덩이를 버린 형제」를 읽고 물음에 답해 봅시다.
- 형제가 산길을 가다가 발견한 것은 무엇인가요? 예 금덩이 두 개입니다.
- 배를 타고 가던 아우가 갑자기 금덩이를 강물에 던져 버린 까닭은 무엇인가요?
  예 형님이 미워지고 욕심이 났기 때문입니다.
- 아우가 금덩이보다 더 소중하게 생각하는 것은 무엇인가요? 예 형님입니다.

▶ 「금덩이를 버린 형제」를 읽고 어떤 생각이 들었는지 그 내용을 까닭과 함께 이야기해 봅시다. 예 형제의 마음이 따뜻한 것 같아서 나도 동생에게 따뜻하게 대해야겠다고 생각했어.

글의 특징

욕심나는 마음 때문에 아우가 자신의 금덩이를 강물에 던져서 형과의 우애를 지켰다는 내용의 전래 동화

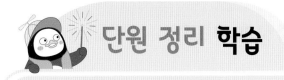

단원 정리 학습

핵심 1 중요한 내용 찾기

● 글의 제목을 알아봅니다.

● 글쓴이가 이 글에서 알려 주고 싶은 것은 무엇인지 생각해 봅니다.

● 글의 내용을 모두 몇 가지로 나누어 설명하고 있는지 살펴봅니다.

> 글 「줄넘기의 좋은 점」 은 줄넘기의 좋은 점을 세 가지로 나누어 설명하고 있어.

핵심 2 자신의 생각 표현하기

1 인물의 생각과 그 까닭을 파악하면 좋은 점

● 인물과 글을 더 잘 이해하게 됩니다.

● 인물이 제시한 생각과 그 까닭이 알맞은지 따져 볼 수 있습니다.

2 인물의 생각과 그 까닭을 찾는 방법

● 주로 인물의 말 속에서 생각을 찾을 수 있습니다.

● 인물의 말 이외에 인물의 생각을 나타내는 부분이나 인물의 행동, 표정 등에서도 찾을 수 있습니다.

● 인물의 말에서 생각을 찾고 그다음 말에서 생각에 대한 좋은 점, 옳은 점 등의 뒷받침하는 내용이 나온 부분에서 까닭을 찾습니다.

> 나는 이번 여름 방학 때 시골에 있는 친척 집에 여행 가면 좋겠어. 오랜만에 친척들을 만나면 반가울 거야.

[01~02] 다음 광고를 보고, 물음에 답하세요.

241003-0320

01 이 광고의 장면과 서로 관련 있는 것을 선으로 이으세요.

(1) 장면 1 •

(2) 장면 2 •

(3) 장면 3 •

• ① 버스에서 통화할 때는 조용히 통화하기

• ② 다른 사람이 버린 종이컵과 페트병을 쓰레기통에 넣기

• ③ 유모차와 함께 타는 아이 엄마가 있을 경우 승강기 단추 대신 눌러 주기

서술형

241003-0321

02 이 광고와 관련해 우리가 생활 속에서 배려할 수 있는 일에는 무엇이 있을지 쓰세요.

_____

_____

도움말 생활 속에서 배려를 했거나 배려를 받은 상황, 또는 배려하는 상황을 본 경험을 떠올려 봅니다.

[03~05] 다음 글을 읽고, 물음에 답하세요.

> ㉠먼저, 줄넘기를 하면 몸이 튼튼해집니다. 줄넘기는 몸 전체를 움직여서 하는 운동입니다. ㉡줄넘기를 하면 심장, 뼈 따위가 튼튼해지고 몸에 근육이 더 많아집니다.
> ㉢다음으로, 줄넘기를 친구들과 재미있게 할 수 있습니다. 줄넘기를 동작을 바꿔 가며 뛸 수 있고 여러 명이 함께 모여 뛸 수도 있어서 지루하지 않게 운동할 수 있습니다.

241003-0322

03 이 글은 무엇에 관해 쓴 글인가요? ( )

① 줄넘기 하는 장소
② 줄넘기의 좋은 점
③ 줄넘기가 비싼 까닭
④ 줄넘기할 때 입는 옷
⑤ 줄넘기를 하기 힘든 까닭

중요

241003-0323

04 이 글의 중요한 부분을 찾는 방법에 관한 질문을 잘못 말한 친구의 이름을 쓰세요.

> 지수: 이 글의 제목은 무엇인가요?
> 명준: 글쓴이가 이 글에서 알려 주고 싶은 것은 무엇인가요?
> 가희: 이 글에서 반복적으로 나오는 낱말을 다른 낱말로 어떻게 바꿀까요?

( )

241003-0324

05 ㉠~㉢ 중에서 중요한 내용이 아닌 부분의 기호를 쓰세요.

( )

[06~10] 다음 글을 읽고, 물음에 답하세요.

나무뿌리가 어떤 일을 하는지 알아볼까요?

나무뿌리는 땅속에서 나무가 흔들리지 않게 잡아 줍니다. 몸집이 큰 나무가 거센 바람에도 쉽게 넘어지지 않는 것은 땅속에 있는 뿌리가 단단하게 ㉠고정해 주기 때문입니다. 비가 많이 와 땅이 파여도 뿌리가 깊고 넓게 퍼져 있기 때문에 잘 넘어지지 않습니다.

나무는 필요한 물과 영양분을 뿌리를 이용해 흙에서 얻습니다. 우리가 물과 음식을 먹으며 자라듯이 나무가 자라는 데에도 물과 영양분이 필요합니다. 뿌리는 마치 빨대처럼 흙에서 물과 영양분을 빨아들여서 줄기를 거쳐 잎까지 전달합니다.

나무뿌리는 잎에서 만들어진 ㉡영양분을 모아 두기도 합니다. 나무뿌리는 나무에 필요한 영양분을 ㉢저장하기 때문에 굵고 통통한 모양으로 자라게 됩니다.

241003-0325
06 이 글의 제목으로 알맞은 것은 무엇인가요?

( )

① 나무뿌리는 무슨 일을 할까?
② 나무가 숲속에서 하는 일은 무엇일까?
③ 나무를 심어야 하는 까닭은 무엇일까?
④ 나무가 사람하고 비슷한 점은 무엇일까?
⑤ 나무에서 얻을 수 있는 것은 무엇일까?

241003-0326
07 나무는 필요한 물과 영양분을 무엇을 이용해 흙에서 얻는지 쓰세요.

( )

241003-0327
08 ㉠~㉢ 중에서 다음 뜻을 가진 낱말을 찾아 각각 기호를 쓰세요.

(1)	(2)	(3)
한곳에 꼭 붙어 있거나 붙어 있게 함.	물건 따위를 잘 모아서 간직함.	살아 있는 동물이나 식물이 성장하는 데 필요한 것.

( ) ( ) ( )

중요
241003-0328
09 나무뿌리가 하는 일을 잘못 정리한 부분에 ×표를 하세요.

(1) 나무는 뿌리를 이용해 빨대처럼 흙을 빨아들입니다. ( )
(2) 나무뿌리는 땅속에서 나무가 흔들리지 않게 잡아 줍니다. ( )
(3) 나무뿌리는 잎에서 만들어진 영양분을 모아 두기도 합니다. ( )

241003-0329
10 나무뿌리에 대해 더 알아보고 싶은 내용을 알맞게 말한 친구의 이름을 쓰세요.

예린: 인간이 살아갈 때 나무를 어떻게 이용하는지 알고 싶어.
주영: 나무뿌리에서 줄기까지 영양분이 어떻게 이동하는지 알고 싶어.

( )

[11~14] 다음 글을 읽고, 물음에 답하세요.

수연이네 가족은 이번 여름 방학에 가족여행을 가려고 합니다. 그래서 가족이 함께 모여 여름 방학에 여행 갈 곳을 정하기로 했습니다. 가족은 각자 자신이 가고 싶은 곳에 대해 말했습니다.

아빠   얘들아, 아빠는 시골에 있는 친척 집에 가면 좋겠어. 오랜만에 친척들을 만나면 반가울 거야. 너희도 가면 좋아할 거야.

엄마   그것도 좋은 생각이네요. 그런데 산으로 가는 건 어때요? 산에서 부는 시원한 바람을 맞으면 더위를 잊을 수 있을 것 같아요. 얘들아, 너희도 산에 가면 귀여운 다람쥐와 예쁜 꽃도 많이 볼 수 있단다. 산으로 가는 건 어떠니?

수연   ㉠네, 엄마 생각처럼 산에 가도 재밌겠네요. ㉡그런데 저는 산도 좋지만 바다에 가고 싶어요. 바다에서는 ㉢수영도 할 수 있고 모래놀이도 할 수 있어요. 지난해 여름 방학에는 산으로 갔으니 이번에는 바다로 가고 싶어요.

수진   저는 산이나 바다도 좋지만 이번에는 꼭 놀이공원에 가고 싶어요. 지난번에 갔을 때에는 사람이 너무 많아서 놀이기구를 많이 못 탔거든요. 얼마나 아쉬웠는지 몰라요.

241003-0330
11 수연이네 가족은 무엇을 하고 있는지 쓰세요.

(   )

241003-0331
12 수연이네 가족이 가고 싶어 하는 곳이 <u>아닌</u> 곳은 어디인가요? (   )

① 산   ② 바다   ③ 캠핑장
④ 놀이공원   ⑤ 시골 친척 집

241003-0332
13 아빠와 엄마가 가고 싶어 하는 까닭으로 든 것을 찾아 선으로 이으세요.

(1) 아빠 •

• ① 오랜만에 친척들을 만나면 반가워서

(2) 엄마 •

• ② 시원한 바람이 불고 다람쥐와 꽃도 볼 수 있어서

241003-0333
14 ㉠~㉢ 중에서 수연이가 가고 싶어 하는 곳과 그 까닭이 드러난 부분을 찾아 기호를 쓰세요.

(1) 가고 싶어 하는 곳: (   )
(2) 가고 싶은 까닭: (   )

중요
15 241003-0334
다음 빈칸에 들어갈 알맞은 낱말을 보기 에서 찾아 쓰세요.

보기

말   장소   가족

글 속에서 인물의 생각과 그 까닭은 주로 인물의 [   ]에서 찾을 수 있고, 인물의 행동이나 표정 등에서도 찾을 수 있습니다.

(   )

[16~20] 다음 글을 읽고, 물음에 답하세요.

> ### 초대장
>
> 우리 별이 생겨난 날을 기념하는 자리에 지구의 친구를 초대합니다. 지구를 대표할 수 있는 동물이 누구인지 알려 주시고 아래 날짜에 별나라로 보내 주세요.
>
> 때: 20○○년 ○월 ○○일
> 곳: 별나라 꽃동산

가 이 초대장을 보고 많은 동물이 몰려들었습니다. 서로 자기가 지구를 대표해 별나라에 가야 한다고 한마디씩 했습니다.

먼저, 동물 마을에서 나이가 가장 많은 거북 할아버지께서 말씀하였습니다.

"나는 아주 오래전부터 지구에서 살았습니다. 그래서 지구에 대해 누구보다 잘 알고 있지요. 여러분이 태어나기 훨씬 전에 일어났던 일들도 나는 많이 알고 있습니다. 그러니까 내가 별나라에 가야 합니다."

나 원숭이도 일어나서 말했습니다.

"별나라에서는 신기한 일이 많이 일어날 것입니다. 저는 별나라에서 보고 들은 일을 여러분께 생생하게 전할 수 있어요. 별나라가 어떤 곳인지 궁금해하는 친구가 많잖아요?"

241003-0335

16 동물들이 받은 초대장을 바탕으로 빈칸에 들어갈 알맞은 낱말을 찾아 순서대로 쓰세요.

> 동물들은 별나라로부터 ☐☐☐을/를 ☐☐할 동물을 별나라로 보내 달라는 초대장을 받았습니다.

(,   )

241003-0336

17 거북 할아버지께서 동물들이 태어나기 훨씬 전 일들도 많이 알고 있는 까닭은 무엇인가요? (   )

① 두꺼운 책을 많이 읽어서
② 과거를 볼 수 있는 능력이 있어서
③ 아주 오래전부터 지구에서 살아서
④ 조상들이 남겨 둔 자료를 미리 읽어서
⑤ 별나라에 가끔 여행을 한 적이 있어서

중요
18 241003-0337

원숭이가 별나라에 가야 한다고 말한 까닭을 쓰세요.

(   )

241003-0338

19 역할을 나누어 이 글을 소리 내어 읽을 때 생각해야 할 점 <u>두 가지</u>에 ○표를 하세요.

(1) 모든 말을 똑같은 높낮이로 읽기 (   )
(2) 인물의 분위기에 어울리는 목소리로 읽기   (   )
(3) 실제 인물이 말하는 것처럼 실감 나게 읽기   (   )

서술형
20 241003-0339

이 글을 읽고 별나라에 누구를 보내면 좋을지 **보기** 의 조건에 맞추어 알맞게 쓰세요.

> **보기**
>
> (1) 글에 등장하는 동물 외에 다른 동물을 생각합니다.
> (2) 보내려는 동물과 그 까닭이 들어가게 씁니다.

_____

_____

도움말 글에 등장하는 동물 이외에 별나라에 가면 좋을 동물을 생각해 봅니다.

마음을 담아서 말해요

145쪽 단원 정리 학습에서 더 자세히 공부해 보세요.

단원 학습 목표

1. 자신의 경험을 말할 수 있습니다.
   • 자신의 경험을 떠올리며 이야기를 들을 수 있습니다.
   • 자신의 경험을 발표할 수 있습니다.
2. 고운 말로 이야기를 나눌 수 있습니다.
   • 다른 사람의 마음을 생각하며 고운 말로 대화할 수 있습니다.
   • 고운 말로 생각과 마음을 나눌 수 있습니다.

단원 진도 체크

회차		학습 내용	진도 체크
1차	단원 열기	단원 학습 내용 미리 보고 목표 확인하기	✓
2차	교과서 내용 학습	배울 내용 살펴보기	✓
	교과서 내용 학습	「지우와 머리핀」 / 자신의 경험 발표하기	✓
3차	교과서 내용 학습	다른 사람의 마음을 생각하며 고운 말로 대화하기	✓
	교과서 내용 학습	「메기야, 고마워」	✓
4차	교과서 내용 학습	배운 내용 마무리하기 / 국어 활동 학습하기	✓
	교과서 문제 확인	교과서 문제 해결하기	✓
5차	단원 정리 학습	단원 학습 내용 정리하기	✓
	단원 확인 평가	확인 평가를 통한 단원 학습 상황 파악하기	✓

해당 부분을 공부하고 나서 ✓표를 하세요.

서준이가 친구들 앞에서 주말에 있었던 일을 발표하고 있고, 친구들도 서준이의 이야기를 귀 기울여 듣고 있네요.

7단원에서는 나의 경험을 떠올리며 이야기를 듣고, 나의 경험을 친구들에게 말해 볼 거예요. 또, 다른 사람의 마음을 생각하며 고운 말로 대화하고, 생각과 마음을 고운 말로 나누는 활동을 해 볼 거예요.

교과서 내용 학습

학습 목표 ▶ 배울 내용 살펴보기

■ 그림의 특징
· 그림 **가**: 여자아이가 무거운 책상을 힘들게 옮기고 있고, 남자아이는 그런 여자아이를 놀리는 듯한 표정으로 쳐다보고 있습니다.
· 그림 **나**: 줄넘기를 못해 속상해하는 남자아이를 여자아이가 무시하는 듯한 표정으로 바라보고 있습니다.

■ 고운 말로 말해야 하는 까닭
· 내가 한 말 때문에 친구가 기분이 상할 수 있습니다.
· 친구와 사이가 나빠질 수 있습니다.

241003-0340
01 그림 **가**의 여자아이는 무엇을 하고 있나요?
( )

① 밥을 먹고 있습니다.
② 친구와 싸우고 있습니다.
③ 넘어져서 울고 있습니다.
④ 줄넘기를 하고 있습니다.
⑤ 무거운 책상을 옮기고 있습니다.

중요 241003-0341
02 그림 **가**의 남자아이가 ㉠과 같이 말했을 때 여자아이의 마음은 어떨지 알맞은 것에 ○표를 하세요.

(1) 고마운 마음 ( )
(2) 속상한 마음 ( )

241003-0342
03 그림 **나**의 남자아이는 무엇을 하고 있는지 <u>세 글자</u>로 쓰세요.

( )

서술형 241003-0343
04 그림 **나**의 남자아이에게 고운 말로 어떻게 말해 주면 좋을지 쓰세요.

_____

_____

도움말 남자아이는 줄넘기가 잘되지 않아 속상해하고 있습니다.

국어 220~223쪽   학습 목표 ▶ 자신의 경험을 떠올리며 이야기 듣기

중심 내용 지우는 승강기에서 누군가 잃어버린 머리핀을 보았습니다.

1 오늘 나는 아빠와 함께 **문구점**에 가려고 승강기를 탔다. 그런데 승
    <u>일이 있었던 때와 장소</u>
강기 문이 열리자마자 작고 귀여운 토끼가 그려진 머리핀이 보였다.
나는 아빠에게 누가 머리핀을 **잃어버린** 것 같다고 이야기했다. 아빠
는 머리핀을 잃어버린 사람이 우리 아파트에 사는 사람 가운데 한 명
일 거라고 하셨다. 아빠의 말씀을 들으니, 머리핀을 잃어버리고 속상
해하고 있을 누군가의 모습이 떠올랐다. <u>나도 얼마 전 승강기에서 아
끼는 우산을 잃어버렸을 때 무척 속상했기 때문이다.</u>
            <u>지우가 떠올린 경험</u>

중심 내용 지우는 머리핀 주인을 찾아 주기 위해 안내문을 붙일 생각을 했습니다.

2 나는 아빠에게 머리핀의 주인을 찾아 주고 싶다고 이야기했다. 그
런데 **도무지** 머리핀 주인을 찾을 방법이 떠오르지 않았다. 그때 승강
기에 붙은 전단지가 눈에 띄었다. 나는 머리핀 주인을 찾는 안내문을
        <u>광고하는 글이 적힌 종이.</u>   <u>지우가 머리핀 주인을 찾아 주려고 생각해 낸 방법</u>
붙이면 주인을 찾을 수 있을 것 같다는 생각이 들었다.

「지우와 머리핀」

· 글의 특징: 승강기에서 누군가
잃어버린 머리핀을 보고, 안
내문을 만들어 머리핀의 주인
을 찾아 주려고 한 지우의 이
야기입니다.

낱말 풀이

문구점 학용품이나 사무
용품을 파는 가게.
잃어버린 가졌던 물건이
자신도 모르게 없어져 그
것을 아주 갖지 아니하게
된.
도무지 아무리 해도.
예 선주와는 도무지 말이
통하지 않았다.

241003-0344
05 어디에서 있었던 일인지 빈칸에 들어갈 알맞은
말을 쓰세요.

> 아빠와 함께 문구점에 가려고 [   ]
> 을/를 탔을 때 있었던 일입니다.

(   )

241003-0345
06 지우가 승강기에서 발견한 것은 무엇인가요?

(   )

① 우산   ② 가방
③ 신발   ④ 머리핀
⑤ 목걸이

241003-0346
07 머리핀을 주운 지우는 어떤 경험이 떠올랐는지
알맞은 것에 ○표를 하세요.

(1) 아빠와 문구점에 갔던 경험   (   )
(2) 아끼던 우산을 잃어버렸던 경험 (   )

중요
241003-0347
08 지우와 비슷한 경험을 떠올린 친구의 이름을 쓰
세요.

> 서윤: 학교 복도에서 누가 떨어뜨리고 간
> 물통을 발견하고 주인을 찾아 주려
> 고 선생님께 갖다 드린 적이 있어.
> 승혁: 친구에게 머리핀을 선물했는데, 그
> 친구가 좋아해서 기분이 좋았어.

(   )

■ 자신의 경험을 떠올리며 이야기를 듣는 방법
• 이야기 속 인물에게 어떤 일이 있었는지 살펴봅니다.
• 이야기 속 인물이 어떤 기분일지 짐작해 봅니다.
• 이야기 속 인물의 경험과 비슷한 자신의 경험을 떠올려 봅니다.
• 이야기 속 인물의 경험과 자신의 경험을 비교해 봅니다.

낱말 풀이

소중한 매우 귀하고 중요한.

중심 내용 지우는 예쁜 색 도화지에 '머리핀 주인을 찾습니다!'라고 쓴 안내문을 만들어 승강기에 붙였습니다.

③ 나는 문구점에서 예쁜 색 도화지를 사서 집으로 돌아왔다. 집에서 사인펜으로 '머리핀 주인을 찾습니다.'라고 크게 쓴 안내문을 만들고 머리핀과 함께 승강기에 붙였다. 빨리 머리핀 주인이 이 안내문을 봤으면 좋겠다고 생각했다.

중심 내용 머리핀 주인이 고맙다고 쓴 쪽지를 보고 지우는 뿌듯하고 행복했습니다.

④ 며칠 뒤, 내가 승강기에 붙였던 안내문에 머리핀 주인이 고맙다는 쪽지를 붙였다. 머리핀 주인은 자신이 가장 아끼는 물건을 찾게 되어 무척 기쁘고 나에게 매우 고맙다고 했다. 나는 다른 사람의 **소중한** 물건을 찾아 주게 되어 뿌듯하고 행복했다.

★ 바르게 받아쓰기

붙였다	붙혔다
(○)	(×)

241003-0348

09 지우는 문구점에서 무엇을 샀나요? (   )

① 풀   ② 가위   ③ 색연필
④ 테이프   ⑤ 색 도화지

241003-0349

10 지우가 머리핀 주인을 찾기 위해 한 일은 무엇인가요? (   )

① 분실물 함에 머리핀을 넣었습니다.
② 친구에게 전화를 걸어서 물어봤습니다.
③ 안내문을 만들어 승강기에 붙였습니다.
④ 부모님께 부탁해서 주인을 찾아 달라고 했습니다.
⑤ 주인이라고 생각되는 친구에게 가져다 주었습니다.

241003-0350

11 머리핀 주인이 쪽지에 쓴 내용으로 알맞은 것에 ○표를 하세요.

(1) 머리핀을 꼭 찾고 싶다는 내용 (   )
(2) 머리핀을 찾게 되어 고맙다는 내용
(   )
(3) 머리핀을 다른 사람이 가져갔다는 내용
(   )

중요
12 241003-0351
머리핀 주인을 찾아 준 지우의 마음은 어땠나요? (   )

① 뿌듯했습니다.   ② 고마웠습니다.
③ 부끄러웠습니다.   ④ 질투가 났습니다.
⑤ 실망스러웠습니다.

■ 발표하고 싶은 경험을 말하는 방법

• 언제 경험한 일인지 말합니다.
• 어디에서 경험한 일인지 말합니다.
• 무슨 일을 경험했는지 말합니다.
• 그때의 생각이나 느낌은 어떠했는지 말합니다.

> 한 일, 본 일, 들은 일, 그리고 그에 대한
> 생각이나 느낌을 '경험'이라고 해.

■ 자신의 경험을 바른 자세로 발표하는 방법

• 바른 자세로 서서 말합니다.
• 말끝을 흐리지 않고 말합니다.
• 알맞은 빠르기와 목소리 크기로 말합니다.
• 상황에 어울리는 표정을 짓습니다.

중요
13 241003-0352

한 일, 본 일, 들은 일, 그리고 그에 대한 생각이나 느낌을 무엇이라고 하나요? (   )

① 경험   ② 관찰
③ 생각   ④ 소개
⑤ 발표

서술형
14 241003-0353

나의 경험 중에서 친구들에게 발표하고 싶은 내용을 정리하여 써 보세요.

(1) 있었던 일	
(2) 일이 있었던 때와 장소	
(3) 그때 나의 생각이나 느낌	

도움말 내가 한 일, 보거나 들은 일을 떠올려 씁니다.

서술형
15 241003-0354

14에서 정리한 내용을 바탕으로 친구들에게 발표하고 싶은 나의 경험을 글로 써 보세요.

_____

_____

_____

_____

도움말 14에서 답한 내용을 문장으로 연결하여 씁니다.

16 241003-0355

친구들에게 자신의 경험을 발표하기 위해 떠올린 내용으로 알맞지 않은 것에 ×표를 하세요.

(1) 선주: 우리 오빠는 지금 중학생이고, 운동을 아주 잘해. 나는 이런 오빠가 자랑스러워.   (   )

(2) 민준: 영화를 보려고 가족과 영화관에 갔는데, 동생이 자꾸 큰 소리로 이야기를 해서 다른 사람들이 불편해할까 봐 걱정됐어.   (   )

중요
17 241003-0356

친구들 앞에서 자신의 경험을 발표할 때의 바른 자세로 알맞은 것을 모두 고르세요.
(,   ,   )

① 바른 자세로 말합니다.
② 바닥을 보며 말합니다.
③ 말끝을 흐리며 말합니다.
④ 듣는 사람을 바라보면서 말합니다.
⑤ 알맞은 빠르기와 목소리 크기로 말합니다.

국어 228~229쪽   학습 목표 ▶다른 사람의 마음을 생각하며 고운 말로 대화하기

· 그림의 상황: 여자아이가 실수로 남자아이의 그림을 망쳤습니다. 남자아이는 여자아이에게 씩씩대며 화를 냈습니다.

■ 다른 사람의 마음을 생각하며 고운 말로 대화하는 방법

· 어떤 상황인지 생각합니다.
· 친구의 마음이 어떨지 생각해 봅니다.
· 친구의 마음을 생각하며 고운 말을 사용하여 하고 싶은 말을 전합니다.

1

2

너 때문에 그림을 망쳤잖아. 앞을 잘 보고 다녀야지.

3

4

그림을 망쳐서 많이 화가 났구나. 미안해. 가방이 걸려 있는 줄 몰랐어.

241003-0357

18 그림 1에서 남자아이는 무엇을 하고 있었나요? (   )

① 발표를 하고 있었습니다.
② 운동을 하고 있었습니다.
③ 노래를 부르고 있었습니다.
④ 그림을 그리고 있었습니다.
⑤ 친구들과 집에 가고 있었습니다.

241003-0358

19 그림 4에서 남자아이가 여자아이에게 한 말로 알맞은 것에 ○표를 하세요.

(1) 실수니까 괜찮다고 하였습니다. (   )
(2) 앞을 잘 보고 다니라고 하였습니다.
                                    (   )
(3) 그림을 다시 그려 내라고 하였습니다.
                                    (   )

서술형 241003-0359

20 그림 4에서 남자아이의 말을 들은 여자아이의 기분은 어땠을지 쓰세요.

_____

_____

도움말   그림 4에서 남자아이는 여자아이에게 화를 내고 있습니다.

중요 241003-0360

21 그림 4의 남자아이는 여자아이의 마음을 생각하며 고운 말로 어떻게 말하면 좋겠나요?
                             (   )

① 좀 조용히 해 줄래?
② 내 그림 다시 그려 줘.
③ 내가 먼저 탈게. 기다려 줄래?
④ 책 읽는 친구들을 생각해서 조용히 해 줘.
⑤ 일부러 그림을 망친 것도 아닌데 화내서 미안해.

학습 목표 ▶ 다른 사람의 마음을 생각하며 고운 말로 대화하기

그림 속 상황과 관련된 자신의 경험을 떠올려 봐.

■ 그림의 상황
• 그림 **가**: 남자아이가 무거운 책을 들고 나르는 여자아이의 모습을 보고 있습니다.
• 그림 **나**: 넘어진 남자아이를 여자아이가 걱정하고 있습니다.
• 그림 **다**: 수돗가에서 남자아이가 여자아이에게 물을 튀기고 있습니다.

■ 나의 고운 말 사용 습관 점검하기
• 다른 사람의 마음을 생각하며 말하려고 노력하나요?
• 고마운 마음을 표현한 말을 하려고 노력하나요?
• 미안한 마음을 표현한 말을 하려고 노력하나요?
• 축하하는 마음을 표현한 말을 하려고 노력하나요?

241003-0361

22 그림 **가**의 상황으로 알맞은 것에 ○표를 하세요.

(1) 남자아이가 넘어졌습니다. ( )
(2) 여자아이가 남자아이에게 장난을 치고 있습니다. ( )
(3) 여자아이가 무거운 것을 들고 나르고 있습니다. ( )

중요
241003-0362

23 그림 **가**의 여자아이에게 해 줄 수 있는 고운 말로 알맞은 것은 무엇인가요? ( )

① 그것도 못 드니?
② 도와줘서 고마워.
③ 많이 무겁지? 나눠서 들자.
④ 실수로 그런 거니까 괜찮아.
⑤ 조심했어야지. 너 때문에 다칠 뻔했잖아.

241003-0363

24 그림 **나**에서 남자아이의 마음을 생각하며 남자아이에게 어떻게 말하면 좋을지 알맞은 것을 골라 기호로 쓰세요.

⑦ 괜찮아? 많이 아프겠다.
④ 별로 안 다친 거 같은데 그만 일어나.

( )

241003-0364

25 그림 **다**에서 여자아이는 남자아이에게 고운 말로 어떻게 말하면 좋을까요? ( )

① 악! 차가워!
② 장난 좀 그만해!
③ 네 순서를 기다려 줄래?
④ 네가 잘못했으니까 너 먼저 사과해.
⑤ 물이 튀지 않도록 조심하면 좋겠어.

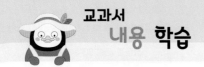
국어 232~239쪽   학습 목표 ▶ 고운 말로 생각과 마음 나누기

「메기야, 고마워」

· 글쓴이: 홍은순
· 글의 종류: 이야기
· 글의 내용: 잉어와 붕어가 살던 조용하던 연못에 며칠 동안 비가 내린 뒤, 험상궂은 모습을 한 메기가 연못에서 함께 살게 되었습니다. 붕어와 잉어가 위험에 빠지자 메기가 도와주었고, 더 이상 메기의 모습이 험상궂게 보이지 않았습니다.

★ 바르게 받아쓰기

며칠 동안	몇일 동안
(○)	(×)

중심 내용 연못에 며칠 동안 비가 내린 뒤, 낯선 물고기가 찾아왔습니다.

1 작은 연못에 물고기들이 살고 있었습니다. 연못 속의 물고기들은 모두 사이좋게 지냈습니다. / 그러던 어느 날이었습니다.

⊙"우르릉 쾅!" / 조용하던 연못에 천둥소리가 요란하게 울려 퍼졌습니다. 그러더니 굵은 빗방울이 쏟아졌습니다. 비는 며칠 동안이나 그치지 않고 계속 내렸습니다.
<u>작은 연못에 있었던 일</u> ★

그렇게 며칠이 지났습니다. 드디어 비가 그치고 나뭇가지 사이로 밝은 햇살이 비쳐 들었습니다. 나뭇가지에 매달린 물방울도 햇살을 받아 반짝반짝 빛나고 있었습니다.

"ⓒ어유, 혼났네! 무슨 비가 그렇게 많이 온담?"

잉어가 환하게 웃으며 말했습니다.

"잉어야, 안녕? 너도 무사했구나."
<u>아무 일 없었구나.</u>
붕어가 입을 벙긋거리며 인사했습니다.

"응, 정말 다행이야. 그런데 저 친구는 누구지?"
<u>처음 보는 물고기</u>

241003-0365

26 작은 연못에 어떤 일이 있었나요? (   )

① 며칠 동안 비가 계속 내렸습니다.
② 동물들이 찾아와 물을 마셨습니다.
③ 잉어가 다른 연못으로 떠났습니다.
④ 연못의 물이 모두 말라 버렸습니다.
⑤ 사람들이 쓰레기를 버려 물이 더러워졌습니다.

241003-0366

27 ⊙은 어떤 소리를 표현한 것인지 글에서 찾아 네 글자로 쓰세요.

(   )

241003-0367

28 비가 그치자 나뭇가지에 매달린 물방울이 햇살을 받아 어떻게 빛났나요? (   )

① 뻐끔   ② 빼곡   ③ 빠릿빠릿
④ 반짝반짝   ⑤ 반질반질

241003-0368

29 잉어가 ⓒ처럼 말한 까닭은 무엇인가요? (   )

① 붕어와 싸워서
② 비가 오지 않아 아쉬워서
③ 며칠 동안 비가 계속 내려서
④ 나뭇가지에 매달린 물방울이 얼어서
⑤ 연못에 비치는 햇살이 너무 따가워서

잉어가 가리키는 곳을 보니 낯선 물고기가 헤엄쳐 오고 있었습니다. 그 물고기는 <u>험상궂게</u> 생긴 데다가 입은 옆으로 길게 찢어져 있었습니다. 그리고 입 양쪽에는 긴 수염도 나 있었습니다.

모양이나 상태가 매우 거칠고 험하게.   메기의 생김새

중심 내용 붕어와 잉어는 메기의 험상궂은 모습 때문에 겁을 먹었지만, 금세 친구가 되었습니다.

② 험상궂은 모습을 본 물고기들은 **슬금슬금** 피하기 시작했습니다.

메기의 모습이 무서워 보였기 때문에

"안녕? 나는 메기란다. 이번 비로 내가 살던 강이 넘쳐 이 연못에 들어오게 되었지. 앞으로 잘 지내자."

메기는 쉰 목소리로 자기를 소개했습니다. 모습만 보고 겁을 먹었던 잉어와 붕어는 메기의 말을 듣고 **안심하게** 되었습니다.

붕어와 잉어가 안심하게 된 까닭

"그랬구나. 날씨도 좋은데 우리 함께 헤엄치면서 놀지 않을래?"

붕어가 다가가서 정답게 말했습니다.

"그래, 좋지!"

★ 바르게 읽기

[거블]	[겁슬]
(○)	(×)

■ 메기와 붕어가 사용한 고운 말

인물	상황	사용한 고운 말
메기	처음 만난 친구들에게	앞으로 잘 지내자.
붕어	인사를 하는 메기에게	우리 함께 헤엄치면서 놀지 않을래?

 날말 풀이

슬금슬금 남이 알아차리지 못하도록 눈치를 살펴 가면서 슬며시 행동하는 모양.

안심하게 모든 걱정을 떨쳐 버리고 마음을 편히 갖게.

241003-0369

30 물고기들이 메기를 피한 까닭은 무엇인가요?
( )

① 화를 잘 내서
② 몸집이 작아서
③ 성격이 나빠서
④ 목소리가 쉬어서
⑤ 모습이 험상궂게 생겨서

241003-0370

31 잉어와 붕어가 안심하게 된 까닭으로 알맞은 것에 ○표를 하세요.

(1) 메기가 맛있는 것을 주어서 ( )
(2) 메기가 잘 지내자며 자기를 소개하는 말을 해서 ( )

241003-0371

32 붕어가 메기에게 같이 하자고 한 일은 무엇인가요? ( )

① 헤엄치면서 노는 것
② 다른 연못에 놀러 가는 것
③ 같이 바다에 가서 노는 것
④ 붕어네 집에 놀러 가는 것
⑤ 다른 물고기들에게 인사하러 가는 것

중요
33 241003-0372

메기와 붕어, 잉어가 함께 헤엄치며 놀 수 있었던 까닭으로 알맞은 것에 ○표를 하세요.

(1) 고운 말로 인사를 해서 ( )
(2) 원래 알고 지내던 사이라서 ( )
(3) 메기의 모습이 험상궂게 생겨서 ( )

■「메기야, 고마워」에 나오는
흉내 내는 말과 그 뜻

• 반짝반짝: 작은 빛이 잠깐
잇따라 나타났다가 사라지
는 모양.

• 슬금슬금: 남이 알아차리지
못하도록 눈치를 살펴 가면
서 슬며시 행동하는 모양.

• 빙그레: 입을 약간 벌리고
소리 없이 부드럽게 웃는 모
양.

 낱말 풀이

넙죽거리며 말대답을 하
거나 무엇을 받아먹을 때
입을 빠르게 벌렸다 닫았
다 하며.

메기는 커다란 입을 **넙죽거리며** 붕어 곁으로 다가갔습니다. 메기는 잉어하고 붕어와 금방 친해졌습니다.

중심 내용 연못에 물장군들이 나타나 붕어와 잉어의 몸에 달라붙어 떨어지지 않았습니다. 이 모습을 본 다른 물고기들은 도망치기에 바빴습니다.

❸ 그러던 어느 날이었습니다. 연못에 갑자기 큰일이 일어났습니다.
물장군들이 나타나 붕어와 잉어의 몸에 달라붙은 일 ★
물장군들이 나타나 붕어와 잉어의 몸에 달라붙어서 떨어지지 않았습니다.
앞발에 달린 날카로운 발톱으로 작은 고기를 잡아먹는 물장군과의 곤충.

"아야, 아야!" / "아이, 따가워!"

붕어와 잉어는 소리쳤습니다.

"누가 좀 도와주세요!"

그러나 아무리 소리쳐도 소용이 없었습니다. 물장군들을 보자, 다른 물고기들도 도망치기에 바빴기 때문이었습니다.
모두 도망가느라 바빴기 때문에

★ 바르게 받아쓰기

않았습니다	안았습니다
(○)	(×)

---

34 241003-0373

붕어와 잉어에게 달라붙어 괴롭힌 것은 무엇인
가요? (   )

① 메기   ② 물풀
③ 돌멩이   ④ 물장군
⑤ 개구리

35 241003-0374

글 ❸에서 위험에 빠진 붕어와 잉어는 뭐라고
소리쳤는지 빈칸에 들어갈 말을 글에서 찾아 쓰
세요.

"누가 좀 (   )!"

36 241003-0375

물장군들을 보고 다른 물고기들이 어떻게 하였
는지 알맞은 것에 ○표를 하세요.

(1) 도망가느라 바빴습니다.   (   )
(2) 웃으며 구경만 했습니다.   (   )
(3) 물장군을 쫓아 버렸습니다.   (   )

중요
37 241003-0376

글 ❸에 대한 생각을 알맞게 말한 친구의 이름
을 쓰세요.

서영: 붕어와 잉어는 위험에 빠진 친구를
도와주려고 하는 물고기들에게 고
마워했을 거야.

강율: 붕어와 잉어는 연못에 갑자기 나타
난 물장군 때문에 무서웠을 거야.

(   )

중심 내용 메기가 나타나 물살을 일으켜 물장군들을 모두 쫓아 주었습니다.

4 그때, 메기가 나타났습니다.

 메기는 물고기들 곁으로 다가

갔습니다. 그리고 **물살을** 일으

켜 물장군들을 모두 쫓아 버렸
<u>메기가 붕어와 잉어를 도와준 방법</u>

습니다.

 "메기야, 고마워."

 물고기들은 진심으로 고맙다는 인사를 했습니다.

 "고맙긴 뭘……."

 메기는 **빙그레** 웃으며 말했습니다. <u>메기가 웃는 모습이 더 정답게</u>

느껴졌습니다. <u>더 이상 메기의 모습이 험상궂게 보이지 않음.</u>

■ 주변 사람에게 고운 말을 전하는 방법

• 전하고 싶은 사람이 누구인지 생각합니다.

• 전하고 싶은 고운 말을 떠올립니다.

• 전하고 싶은 마음, 전하고 싶은 까닭, 전하고 싶은 고운 말을 써 봅니다.

★ 바르게 받아쓰기

쫓아	쫒아
(○)	(×)

낱말 풀이

물살 물이 흘러 내뻗는 힘.

빙그레 입을 약간 벌리고 소리 없이 부드럽게 웃는 모양.

241003-0377

38 물고기들을 도와준 것은 누구인가요? ( )

① 메기　　② 물풀
③ 돌멩이　　④ 물장군
⑤ 개구리

241003-0379

40 물고기들은 메기에게 어떻게 인사하였나요?

( )

① 미안해.　　② 고마워.
③ 도와줘.　　④ 같이 놀자.
⑤ 만나서 반가워.

241003-0378

39 메기가 물장군을 쫓아낸 방법으로 알맞은 것에 ○표를 하세요.

(1) 바람을 일으켜 쫓았습니다. ( )
(2) 물살을 일으켜 쫓았습니다. ( )
(3) 지느러미로 물장군을 떼 주었습니다.
( )

중요
241003-0380

41 주변 사람에게 고운 말을 전할 때 들어가야 할 내용이 아닌 것에 ×표를 하세요.

(1) 전하고 싶은 마음 ( )
(2) 전하고 싶은 고운 말 ( )
(3) 그 마음을 전하고 싶은 까닭 ( )
(4) 전하고 싶은 사람이 사는 곳 ( )

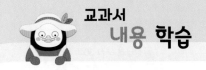
국어 242쪽   학습 목표 ▶ 배운 내용 마무리하기

[42~46] 다음 글을 읽고 물음에 답하세요.

지난 토요일에 열린 초등학교 태권도 대회에서 금메달을 땄다. 대회 전날, 나는 떨려서 잠도 잘 못 잤다. 결승전에서 만난 상대는 나와 같은 체육관에 다니는 은지였다. 드디어 경기가 시작되고 나는 침착하게 경기에 집중했다.

경기가 끝나고 은지는 내 등을 토닥이면서 "금메달 딴 거 축하해."라고 말해 주었다.

은지의 축하를 받으니 은지의 마음이 느껴져 정말 고마웠고 기분이 좋았다. 앞으로도 열심히 운동해서 다음 대회에서도 좋은 성적을 거두고 싶다.

■ 고운 말로 마음을 전하면 좋은 점
• 나의 솔직한 마음을 잘 전달할 수 있습니다.
• 말하는 사람과 듣는 사람의 기분이 모두 좋아집니다.
• 대화를 하는 사람과 나의 사이가 좋아질 수 있습니다.

241003-0381
42 지난 토요일에 '나'는 어떤 일을 겪었나요?

( )

① 친구의 생일을 축하해 주었습니다.
② 태권도 대회에서 금메달을 땄습니다.
③ 피아노 경연 대회에서 1등을 했습니다.
④ 은지가 금메달 딴 것을 축하해 주었습니다.
⑤ 친구와 놀이터에서 만나 신나게 놀았습니다.

241003-0382
43 결승전에서 만난 '나'의 상대는 누구였는지 글에서 이름을 찾아 쓰세요.

( )

서술형
241003-0383
44 경기가 끝나고 은지는 '나'에게 뭐라고 말해 주었는지 쓰세요.

_____

_____

도움말 경기가 끝나고 은지가 '나'의 등을 토닥이며 한 말을 찾아봅니다.

241003-0384
45 은지에게 축하하는 말을 들었을 때 '나'의 마음은 어땠나요? ( )

① 부끄러웠습니다.
② 실망스러웠습니다.
③ 힘들고 속상했습니다.
④ 얄미운 마음이 들었습니다.
⑤ 고마웠고 기분이 좋았습니다.

중요
241003-0385
46 은지처럼 축하하는 말을 전하면 좋은 점으로 알맞은 것을 <u>두 가지</u> 고르세요. (,)

① 슬픔을 나눌 수 있습니다.
② 친구들과 사이가 좋아집니다.
③ 잘못한 것을 사과할 수 있습니다.
④ 있었던 일을 잘 기억할 수 있습니다.
⑤ 말하는 사람과 듣는 사람의 기분이 좋아집니다.

자신의 경험 말하기

• 석현이에게 어떤 일이 있었는지 생각하며 「열대어 기르기」를 읽어 봅시다.

열대어 기르기

　나는 열대어를 좋아한다. <u>알록달록한 색과 선명한 무늬를 지닌 열대어가 헤엄치는 모습을</u> <u>보고 있으면 나도 모르게 마음이 편안해진다.</u> / 얼마 전, 아빠께서 열대어를 길러 보는 게 어
<small>석현이가 열대어를 좋아하는 까닭</small>
떻겠냐고 물어보셨다.

　"석현아, 열대어를 한번 길러 보는 게 어떻겠니?"

　'드디어 내가 열대어를 기를 수 있게 되다니!' / 나는 무척 기뻤다.

　지난 토요일 오후, 아빠와 나는 도서관에 가서 열대어 기르기와 관련된 책을 읽었다. 그리고 책에서 열대어를 기르기 전에 꼭 알아야 할 내용들을 찾아보았다.
<small>석현이가 도서관에 간 까닭</small>

　열대어는 더운 지방에 사는 물고기이기 때문에 물 온도에 예민하다. 또 어항 속의 물을 잘 관리해야 열대어가 오래 살 수 있다. 그리고 열대어에게 많은 관심과 사랑을 주는 것이 중요하다는 것을 알았다. / 도서관에서 책을 다 읽고 열대어를 기르는 데 필요한 물품을 사서 집으로 돌아왔다. 열대어가 살 수 있는 물속 환경이 만들어지면 열대어를 우리 집으로 데려오기로 했다.

• 석현이가 집에서 기르기로 한 것은 무엇인가요?

　예 열대어입니다.

• 석현이가 도서관에 간 까닭은 무엇인가요?

　예 열대어를 기르기 전에 열대어 기르기와 관련된 책을 읽기 위해서입니다.

• 석현이의 경험으로 알맞은 것에 모두 ○표를 해 봅시다.

석현이는 열대어를 보면 마음이 편안해지는 것을 느낀다.	○
지난 토요일 오후, 아빠와 함께 도서관에 가서 열대어 기르기와 관련된 책을 읽었다.	○
열대어가 살 수 있는 물속 환경을 만들어서 열대어를 집으로 데려왔다.	

확인
문제
다음 설명이 맞으면 ○표, 틀리면 ✕표를 하세요.

1 한 일, 본 일, 들은 일, 그리고 그에 대한 생각이나 느낌을 경험이라고 합니다. 　　　(　)

2 친구들 앞에서 경험을 발표할 때 친구의 눈을 바라보지 않고 말합니다. 　　　(　)

정답 1. ○ 2. ✕

- 석현이의 경험과 비슷한 자신의 경험을 말한 친구를 찾아 이름을 써 봅시다. (　　승현　　)

민선	제 짝의 이름은 정하윤입니다. 하윤이는 키가 크고 친절합니다.
승현	저는 강아지를 좋아해서 유기견 돌봄 봉사 활동을 하러 유기견 보호 센터에 다녀왔습니다. 강아지를 키울 환경이 만들어지면 집에서 강아지를 키우고 싶습니다.
수정	저는 은행에서 하는 일을 설명하겠습니다. 은행에서는 사람들의 돈을 맡아 안전하게 보관해 주고 돈이 필요한 사람에게 돈을 빌려줍니다.

- 친구들에게 말하고 싶은 경험을 떠올리고 정리해 봅시다.

있었던 일	㉔ 지난 주말에 부모님과 함께 시장에 가서 내가 좋아하는 떡볶이를 먹었다.
그때의 생각이나 느낌	㉔ 기분이 좋았고 다음에도 시장에 가고 싶다.

국어 활동 102~103쪽

고운 말로 이야기 나누기

- 그림 **가**~**라**에서 친구들에게 할 수 있는 고운 말을 써 봅시다.

가 친구들이 운동장에 쓰레기를 버리는 상황

㉔ 쓰레기를 함부로 버리지 않았으면 좋겠어.

나 친구가 순서를 어기고 끼어드는 상황

㉔ 순서를 지키는 친구들을 생각해서 네 자리로 돌아가면 좋겠어.

다 친구가 복도에서 뛰고 있는 상황

㉔ 다칠 수 있으니까 걸어 다니면 좋겠어.

라 비 오는 날 친구가 우산을 가지고 오지 않은 상황

㉔ 우산을 안 가져왔구나. 우리 같이 쓰고 가자.

확인 문제 다음 중 고운 말을 사용한 것에 ○표, 고운 말을 사용하지 않은 것에 ×표를 하세요.

1 도와줘서 고마워. 　　(　　) 　　**2** 잘난 척 좀 하지 마. 　　(　　)

3 차례를 지키면 좋겠어. 　　(　　) 　　**4** 앞 좀 잘 보고 다녀! 　　(　　)

정답 1. ○ 2. × 3. ○ 4. ×

교과서
문제 확인

 「지우와 머리핀」 교과서 221쪽 문제와 답

▶ 「지우와 머리핀」을 듣고 물음에 답해 봅시다.
- 지우가 승강기 안에서 발견한 것은 무엇인가요? 예 누군가가 잃어버린 머리핀입니다.
- 지우는 머리핀을 발견한 뒤에 어떻게 했나요? 예 주인을 찾아 주려고 안내문을 만들어 머리핀과 함께 승강기에 붙였습니다.

▶ 「지우와 머리핀」의 내용을 정리해 봅시다.
예

| 지우는 승강기 안에서 머리핀을 주웠습니다. | → | 지우는 머리핀 주인을 찾아 주고 싶었습니다. |

↓

| 며칠 뒤, 머리핀 주인이 승강기에 고맙다는 쪽지를 붙였습니다. | ← | 지우는 머리핀 주인을 찾아 주려고 승강기에 안내문과 머리핀을 붙였습니다. |

글의 특징

승강기 안에서 누군가 잃어버린 머리핀을 보고, 안내문을 만들어 머리핀 주인을 찾아 준 지우의 이야기

「메기야, 고마워」 교과서 236~239쪽 문제와 답

▶ 「메기야, 고마워」를 읽고 물음에 답해 봅시다.
- 메기가 작은 연못에서 살게 된 까닭은 무엇인가요?
  예 며칠 동안 비가 계속 내려 메기가 살던 강이 넘쳤기 때문입니다.
- 메기를 처음 본 물고기들은 어떻게 했나요? 예 겁을 먹고 슬금슬금 피하기 시작했습니다.
- 물고기들이 메기에게 고맙다고 한 까닭은 무엇인가요?
  예 물살을 일으켜 물장군들을 모두 쫓아냈기 때문입니다.

▶ 「메기야, 고마워」에 나오는 흉내 내는 낱말과 그에 어울리는 뜻을 선으로 이어 봅시다.
예

| 반짝반짝 | 슬금슬금 | 빙그레 |

| 입을 약간 벌리고 소리 없이 부드럽게 웃는 모양. | 남이 알아차리지 못하도록 눈치를 살펴 가면서 슬며시 행동하는 모양. | 작은 빛이 잠깐 잇따라 나타났다가 사라지는 모양. |

글의 특징

함께 연못에 살던 붕어와 잉어가 위험에 빠졌을 때, 메기가 붕어와 잉어를 도와 위험에서 구해 준 이야기

▶ 「메기야, 고마워」를 다시 읽고 이야기의 내용을 정리해 봅시다.

작은 연못에 낯선 물고기가 헤엄쳐 오고 있었습니다.

예 물고기들은 험상궂게 생긴 메기의 모습을 보고 피했습니다.

물장군이 몸에 붙어 붕어와 잉어가 도와달라고 소리쳤습니다.

예 메기가 물살을 일으켜 물장군을 쫓아냈습니다.

예 물고기들은 메기에게 진심으로 고맙다고 인사했습니다.

▶ 메기처럼 친구들을 도와주었던 경험을 떠올리며 친구들과 이야기해 봅시다.
예 친구가 무거운 물건을 들고 가는데 내가 같이 들어 준 적이 있어.

▶ 주변 사람에게 고운 말로 자신의 마음을 전해 봅시다.
• 고운 말로 마음을 전하고 싶은 사람을 떠올려 보고 어떤 마음을 전하고 싶은지 친구
  들과 이야기해 보세요.

전하고 싶은 사람	예 부모님
전하고 싶은 마음	예 고마운 마음
전하고 싶은 까닭	예 저를 건강하게 잘 키워 주셔서
전하고 싶은 고운 말	예 감사합니다.

• 전하고 싶은 마음을 담은 쪽지를 써 보세요.

예 부모님께
엄마, 아빠! 저 서현이에요. 저를 건강하게 잘 키워 주셔서 감사합니다.
우리 가족 지금처럼 행복하게 지내요.

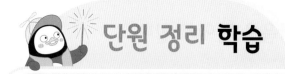

단원 정리 학습

핵심 1 자신의 경험 말하기

1 발표하고 싶은 경험 말하기

● 언제 경험한 일인지 말합니다.

● 어디에서 경험한 일인지 말합니다.

● 무슨 일을 경험했는지 말합니다.

● 그때의 생각이나 느낌은 어떠했는지 말합니다.

2 자신의 경험을 바른 자세로 발표하기

● 바른 자세로 서서 말합니다.

● 말끝을 흐리지 않고 말합니다.

● 알맞은 빠르기와 목소리 크기로 말합니다.

● 상황에 어울리는 표정을 짓습니다.

한 일, 본 일, 들은 일, 그리고 그에 대한 생각이나 느낌을 '경험'이라고 해.

핵심 2 고운 말로 이야기 나누기

1 다른 사람의 마음을 생각하며 고운 말로 대화하기

● 어떤 상황인지 생각합니다.

● 친구의 마음이 어떨지 생각해 봅니다.

● 친구의 마음을 생각하며 고운 말을 사용하여 하고 싶은 말을 전합니다.

2 주변 사람에게 고운 말 전하기

● 전하고 싶은 사람이 누구인지 생각합니다.

● 전하고 싶은 고운 말을 떠올립니다.

● 전하고 싶은 마음, 전하고 싶은 까닭, 전하고 싶은 고운 말을 씁니다.

7. 마음을 담아서 말해요

[01~05] 다음 글을 읽고, 물음에 답하세요.

> 오늘 나는 아빠와 함께 문구점에 가려고 승강기를 탔다. 그런데 승강기 문이 열리자마자 작고 귀여운 토끼가 그려진 머리핀이 보였다. 나는 아빠에게 누가 머리핀을 잃어버린 것 같다고 이야기했다. 아빠는 머리핀을 잃어버린 사람이 우리 아파트에 사는 사람 가운데 한 명일 거라고 하셨다. 아빠의 말씀을 들으니, 머리핀을 잃어버리고 속상해하고 있을 누군가의 모습이 떠올랐다. 나도 얼마 전 승강기에서 아끼는 우산을 잃어버렸을 때 무척 속상했기 때문이다.
>
> 나는 아빠에게 머리핀의 주인을 찾아 주고 싶다고 이야기했다. 그런데 도무지 머리핀 주인을 찾을 방법이 떠오르지 않았다. 그때 승강기에 붙은 전단지가 눈에 띄었다. 나는 머리핀 주인을 찾는 안내문을 붙이면 주인을 찾을 수 있을 것 같다는 생각이 들었다.
>
> 나는 문구점에서 예쁜 색 도화지를 사서 집으로 돌아왔다. 집에서 사인펜으로 '머리핀 주인을 찾습니다.'라고 크게 쓴 안내문을 만들고 승강기에 붙였다. 빨리 머리핀 주인이 이 안내문을 봤으면 좋겠다고 생각했다.

241003-0386

01 지우가 승강기 안에서 발견한 것은 무엇인지 글에서 찾아 쓰세요.

( )

중요 241003-0387

02 지우는 물건을 잃어버린 주인의 마음이 어떨 것이라고 생각했는지 알맞은 것에 ○표를 하세요.

(1) 아무렇지 않을 것입니다. ( )
(2) 속상한 마음이 들 것입니다. ( )
(3) 새 물건을 살 수 있어서 좋아할 것입니다.
( )

241003-0388

03 지우가 물건을 잃어버린 주인의 마음이 **02**의 답과 같을 것이라고 생각한 까닭에 ○표를 하세요.

(1) 머리핀의 주인과 친한 친구라서 ( )
(2) 아끼던 우산을 잃어버렸을 때의 기억이 떠올라서 ( )
(3) 물건을 잃어버린 이야기에 대해 읽었던 책의 내용이 떠올라서 ( )

241003-0389

04 지우가 안내문을 승강기에 붙인 까닭은 무엇인가요? ( )

① 물건을 잘 챙기자고 말하려고
② 머리핀이 얼마나 예쁜지 알리려고
③ 물건을 소중하게 다루자고 말하려고
④ 잃어버린 주인의 마음을 위로해 주려고
⑤ 주인이 안내문을 보고 머리핀을 찾아 가라고

서술형 241003-0390

05 지우의 경험과 비슷한 자신의 경험을 떠올려 써 보세요.

_____

_____

도움말 지우는 잃어버린 물건의 주인을 찾아 주었습니다.

중요 241003-0391

06 친구들 앞에서 자신의 경험을 발표하기 위해 떠올려 볼 내용이 <u>아닌</u> 것은 무엇인가요? (　　)

① 언제 있었던 일인지 떠올립니다.
② 내가 겪은 일은 무엇인지 생각합니다.
③ 어디에서 있었던 일인지 떠올립니다.
④ 나와 비슷한 경험을 한 친구가 누구인지 생각합니다.
⑤ 그 일이 있었을 때 어떤 생각이나 느낌이 들었는지 떠올립니다.

241003-0392

07 친구들 앞에서 발표할 때의 바른 자세에 대해 <u>잘못</u> 이야기한 친구의 이름을 쓰세요.

> 경은: 발표할 때는 듣는 사람의 눈을 보며 말해야 해.
> 서준: 알맞은 크기의 목소리로 말해야 듣는 사람이 발표 내용을 잘 들을 수 있어.
> 지아: 발표할 내용을 쓴 종이만 보면서 읽어야 말할 내용을 빠뜨리지 않고 발표할 수 있어.

(　　　　　　　)

[08~09] 다음 그림을 보고, 물음에 답하세요.

> 너 때문에 그림을 망쳤잖아. 앞을 잘 보고 다녀야지.

> 그림을 망쳐서 많이 화가 났구나. 미안해. 가방이 걸려 있는 줄 몰랐어.

241003-0393

08 그림의 상황으로 알맞은 것을 골라 ○표를 하세요.

⑴ 도서관에서 뛰어노는 상황 (　　)
⑵ 실수로 친구의 그림을 망친 상황

(　　)

241003-0394

09 그림 ②에서 여자아이는 듣는 사람의 마음을 생각하여 고운 말로 어떻게 말하면 좋을지 알맞은 것을 골라 기호를 쓰세요.

> ㉮ 어머나, 내가 안 그랬어.
> ㉯ 앞 좀 똑바로 보고 다녀!
> ㉰ 정성껏 그린 그림을 망치게 해서 미안해.

(　　　　　　　)

서술형 241003-0395

10 다음 상황에서 친구의 마음을 생각하며 고운 말로 어떻게 말하면 좋을지 써 보세요.

> 친구가 운동장에서 넘어져서 무릎을 다쳐 울고 있는 상황

_____

_____

도움말 넘어져서 다쳤을 때의 마음을 떠올려 봅니다.

[11~15] 다음 글을 읽고, 물음에 답하세요.

조용하던 연못에 ⟨ ㉠ ⟩가 요란하게 울려 퍼졌습니다. 그러더니 굵은 빗방울이 쏟아졌습니다. 비는 며칠 동안이나 그치지 않고 계속 내렸습니다.

그렇게 며칠이 지났습니다. 드디어 비가 그치고 나뭇가지 사이로 밝은 햇살이 비쳐 들었습니다. 나뭇가지에 매달린 물방울도 햇살을 받아 반짝반짝 빛나고 있었습니다.

"어유, 혼났네! 무슨 비가 그렇게 많이 온담?"
잉어가 환하게 웃으며 말했습니다.

"잉어야, 안녕? 너도 무사했구나." / 붕어가 입을 벙긋거리며 인사했습니다. / "응, 정말 다행이야. 그런데 ㉡저 친구는 누구지?"
잉어가 가리키는 곳을 보니 낯선 물고기가 헤엄쳐 오고 있었습니다. 그 물고기는 험상궂게 생긴 데다가 입은 옆으로 길게 찢어져 있었습니다. 그리고 입 양쪽에는 긴 수염도 나 있었습니다. / 험상궂은 모습을 본 물고기들은 슬금슬금 피하기 시작했습니다.

"안녕? 나는 메기란다. 이번 비로 내가 살던 강이 넘쳐 이 연못에 들어오게 되었지. 앞으로 잘 지내자."
메기는 쉰 목소리로 자기를 소개했습니다. 모습만 보고 겁을 먹었던 잉어와 붕어는 메기의 말을 듣고 안심하게 되었습니다.

241003-0396
11 ㉠에 들어갈 알맞은 말은 무엇인가요? (   )

① 소나기   ② 메아리
③ 종소리   ④ 노랫소리
⑤ 천둥소리

241003-0397
12 ㉡은 누구를 말하나요? (   )

① 붕어   ② 잉어
③ 메기   ④ 개구리
⑤ 물장군

241003-0398
13 메기를 처음 본 물고기들은 어떻게 하였는지 알맞은 것에 ○표를 하세요.

(1) 반갑게 인사를 했습니다.   (   )
(2) 슬금슬금 피하기 시작했습니다. (   )

241003-0399
14 메기가 이 연못에 오게 된 까닭은 무엇인가요?
(   )

① 새 친구를 사귀고 싶어서
② 전에 살던 연못이 사라져서
③ 부모님이 이 연못으로 가자고 해서
④ 연못에 재미있는 것이 많을 것 같아서
⑤ 비가 와서 메기가 살던 강의 물이 넘쳐서

중요
241003-0400
15 앞으로 잘 지내자는 메기의 말을 들은 잉어와 붕어의 마음은 어땠나요? (   )

① 겁을 먹었습니다.
② 안심하게 되었습니다.
③ 억울하고 화가 났습니다.
④ 매우 불쾌하고 싫었습니다.
⑤ 미안한 마음이 들었습니다.

[16~19] 다음 글을 읽고, 물음에 답하세요.

연못에 갑자기 ㉠큰일이 일어났습니다. 물장군들이 나타나 붕어와 잉어의 몸에 달라붙어서 떨어지지 않았습니다.

"아야, 아야!"

"아이, 따가워!"

붕어와 잉어는 소리쳤습니다.

"누가 좀 도와주세요!"

그러나 아무리 소리쳐도 소용이 없었습니다. 물장군들을 보자, 다른 물고기들도 도망치기에 바빴기 때문이었습니다.

그때, 메기가 나타났습니다.

메기는 물고기들 곁으로 다가갔습니다. 그리고 물살을 일으켜 물장군들을 모두 쫓아 버렸습니다.

"메기야, 고마워."

물고기들은 진심으로 고맙다는 인사를 했습니다.

"고맙긴 뭘……."

메기는 빙그레 웃으며 말했습니다. 메기가 웃는 모습이 더 정답게 느껴졌습니다.

16 241003-0401

㉠은 어떤 일을 말하는 것인가요? (   )

① 비가 너무 많이 왔습니다.

② 연못의 물이 모두 말라 버렸습니다.

③ 물고기들이 붕어와 잉어와 함께 놀지 않았습니다.

④ 물장군이 나타나 붕어와 잉어의 몸에 달라붙었습니다.

⑤ 커다란 물고기가 나타나 붕어를 잡아먹으려고 하였습니다.

17 241003-0402

물고기들을 도와주기 위해 나타난 것은 누구인지 쓰세요.

(   )

18 241003-0403

물고기들은 메기에게 진심을 담아 어떻게 인사를 하였나요? (   )

① "넌 정말 멋져."

② "친하게 지내자."

③ "메기야, 고마워."

④ "괜찮아? 안 다쳤어?"

⑤ "너무 속상해하지 마."

19 241003-0404

물고기들은 빙그레 웃는 메기의 모습이 어떻게 느껴졌다고 하였나요? (   )

① 정답게 느껴졌습니다.

② 외롭게 느껴졌습니다.

③ 험상궂게 느껴졌습니다.

④ 재미있게 느껴졌습니다.

⑤ 장난스럽게 느껴졌습니다.

20 중요 241003-0405

다음 상황에서 고운 말로 자신의 마음을 전한 친구의 이름을 쓰세요.

친구가 그리기 대회에서 상을 받은 상황

영준: 상 받았다고 너무 잘난 체하는 거 아니야?

나은: 상 받은 거 축하해. 네가 상을 받아서 나도 기뻐.

(   )

8

다양한 작품을 감상해요

162쪽 단원 정리 학습에서 더 자세히 공부해 보세요.

단원 학습 목표

1. 시와 이야기를 감상하고 생각이나 느낌을 표현할 수 있습니다.
   • 시를 낭송하고 생각이나 느낌을 나눌 수 있습니다.
   • 이야기를 읽고 생각이나 느낌을 표현할 수 있습니다.

2. 인형극을 감상하고 생각이나 느낌을 표현할 수 있습니다.
   • 인형극을 감상하고 인물의 마음을 짐작할 수 있습니다.
   • 인형극을 감상하고 자신의 생각이나 느낌을 표현할 수 있습니다.

단원 진도 체크

회차		학습 내용	진도 체크
1차	단원 열기	단원 학습 내용 미리 보고 목표 확인하기	✓
2차	교과서 내용 학습	「우산 사용법」 / 배울 내용 살펴보기	✓
	교과서 내용 학습	「신호」	✓
3차	교과서 내용 학습	「해와 달이 된 오누이」	✓
	교과서 내용 학습	「사자와 생쥐」	✓
4차	교과서 내용 학습	국어 활동 학습하기	✓
	교과서 문제 확인	교과서 문제 해결하기	✓
5차	단원 정리 학습	단원 학습 내용 정리하기	✓
	단원 확인 평가	확인 평가를 통한 단원 학습 상황 파악하기	✓

해당 부분을 공부하고 나서 ✓표를 하세요.

사람들이 인형극을 관람하고 있네요. 여러분도 인형극을 본 경험이 있나요? 인형극에서 어떤 장면이

기억에 남았나요?

8단원에서는 시, 이야기, 그리고 인형극을 감상해 볼 거예요. 작품을 감상하면서 어떤 생각이나

느낌이 들었는지 이야기해 보고, 작품에 대한 생각이나 느낌을 표현하는 활동을 해 볼 거예요.

국어 248쪽 학습 목표 ▶배울 내용 살펴보기

「우산 사용법」

· 글의 종류: 동시
· 글쓴이: 정연철
· 글의 특징: 우산 하나를 친구와 나누어 쓰면 더욱 따뜻하고, 더 정답다는 내용을 담은 시입니다.

■ 배울 내용 살펴보기

· 시, 이야기, 인형극 등 다양한 작품을 감상합니다.
· 작품을 감상하고 느끼거나 생각한 점을 표현합니다.
· 인형극을 직접 만들어 친구들 앞에서 발표해 봅니다.

1연 우산 작은 것 하나로 나누어 쓰고 싶습니다.

두 개보다는

한 개

큰 것보다는

작은 것

2연 우산을 나누어 쓰면 따뜻하고 정답습니다.

우산 속에서 팔짱 낀 두 사람

어깨동무한 두 사람

더 따뜻해

더 정다워

★ 바르게 받아쓰기

팔짱	팔장
(○)	(×)

241003-0406

01 글쓴이가 말한 우산 사용법으로 알맞은 것의 기호를 쓰세요.

㉮ 우산은 클수록 좋다고 하였습니다.
㉯ 친구와 우산을 함께 쓰는 것이 좋다고 하였습니다.
㉰ 우산을 각자 하나씩 쓰는 것이 좋다고 하였습니다.

(   )

241003-0407

02 이 시의 내용과 어울리는 그림에 ○표를 하세요.

(1)

(   )

(2)

(   )

241003-0408

03 우산을 함께 쓰면 어떻다고 하였나요? (   )

① 정답다고 하였습니다.
② 슬프다고 하였습니다.
③ 불편하다고 하였습니다.
④ 옷이 젖는다고 하였습니다.
⑤ 마음이 아프다고 하였습니다.

중요
04 241003-0409

이 시를 읽고 비슷한 경험을 떠올린 친구의 이름을 쓰세요.

현주: 친구랑 싸우고 나서 내가 먼저 사과했더니 기분이 좋았어.
재이: 비 오는 날, 내 우산을 친구와 함께 썼는데 가는 길이 더욱 즐겁게 느껴졌어.

(   )

국어 249쪽   학습 목표 ▶배울 내용 살펴보기

가  ⊙

나 「콩쥐팥쥐」

다 「팥죽 할멈과 호랑이」

라 「별주부전」

・그림의 특징

가	「흥부와 놀부」에서 흥부가 박을 탔을 때 박 속에서 보물이 나온 장면입니다.
나	「콩쥐팥쥐」에서 콩쥐의 깨진 독을 두꺼비가 막아 주기 위해 찾아온 장면입니다.
다	「팥죽 할멈과 호랑이」에서 밭일을 하던 할머니 앞에 호랑이가 불쑥 나타난 장면입니다.
라	「별주부전」에서 토끼가 자라를 따라 용궁으로 가는 장면입니다.

■ 인물의 마음 상상하기

• 가: 흥부는 박 속에서 보물이 나왔을 때 기쁜 마음이 들었을 것입니다.
• 나: 콩쥐는 깨진 독을 막아 준 두꺼비에게 고마웠을 것입니다.
• 다: 할머니는 갑자기 호랑이가 나타나서 깜짝 놀랐을 것입니다.
• 라: 자라를 따라 용궁으로 간 토끼는 신기한 마음이 들었을 것입니다.

241003-0410
05 ⊙에 들어갈 이야기의 제목으로 알맞은 것은 무엇인가요? ( )

① 「별주부전」
② 「인어공주」
③ 「견우와 직녀」
④ 「흥부와 놀부」
⑤ 「팥죽 할멈과 호랑이」

241003-0411
06 그림 나에서 울고 있는 콩쥐 앞에 나타난 인물은 누구인지 쓰세요.

( )

241003-0412
07 그림 다에서 할머니의 마음은 어땠을까요?

( )

① 반가운 마음   ② 그리운 마음
③ 즐거운 마음   ④ 무서운 마음
⑤ 귀찮은 마음

중요 241003-0413
08 그림 라에서 토끼의 마음을 알맞게 상상한 친구의 이름을 쓰세요.

유이: 토끼는 용궁이 어떨지 궁금하고 신기한 마음이었을 것 같아.
민슬: 토끼는 집에 돌아가서 가족을 만날 생각에 기뻤을 것 같아.

( )

학습 목표 ▶시를 낭송하고 생각이나 느낌 나누기

「신호」

· 글의 종류: 동시
· 글쓴이: 장세정
· 글의 특징: 빨간불이 켜진 건널목에서 친구와 서로 신호를 주고받았던 경험을 쓴 시입니다.

■ 여러 가지 방법으로 시 낭송하기

· 주고받으며 낭송하기: 짝이나 모둠끼리 주고받으며 시를 낭송해 봅니다.
· 장면을 몸짓으로 표현하며 낭송하기: 한 사람은 시를 낭송하고 두 사람은 각각 건널목에서 만나는 친구가 되어 몸짓으로 상황을 표현해 봅니다.

시의 내용 친구와 건널목을 사이에 두고 마주쳐 둘만의 신호를 주고받고 있습니다.

너랑 만나기로 했다

신발 끈도 못 묶고★ 달려 나갔다

건널목에서 우리 마주쳤다
'나'와 '너'가 만난 곳
빨간 신호등이 켜졌다

내가 ㉠**빙긋** 웃자 / 너도 빙긋
'내'가 빙긋 웃으니 '너'가 한 행동
고개를 ㉡**까딱**하자 / 너도 까딱

팔을 ㉢**휘휘** 흔들자 너도 휘휘

㉣**폴짝폴짝** 뛰자 너도 뛴다

빨간불이 막아도

너랑 나랑 마주 보며

너랑 나랑 신호 중.

★ 바르게 읽기

[묵꼬]	[묵고]
(○)	(×)

🎓 **낱말 풀이**

빙긋 입을 슬쩍 벌릴 듯하면서 소리 없이 가볍게 한 번 웃는 모양.
까딱 고개 따위를 아래위로 가볍게 한 번 움직이는 모양.
휘휘 이리저리 휘두르거나 휘젓는 모양.
폴짝폴짝 작은 것이 자꾸 세차고 가볍게 뛰어오르는 모양.

241003-0414

09 '나'와 '너'는 어디에서 만났는지 시에서 찾아 쓰세요.

( )

241003-0415

10 '내'가 웃자 '너'는 어떻게 하였나요? ( )

① 웃었습니다.
② 찡그렸습니다.
③ 폴짝 뛰었습니다.
④ 못 본 체했습니다.
⑤ 고개를 까딱했습니다.

241003-0416

11 ㉠~㉣ 중 다음 뜻을 가진 낱말을 찾아 기호를 쓰세요.

> 고개 따위를 아래위로 가볍게 한 번 움직이는 모양.

( )

중요
241003-0417

12 이 시를 읽고 난 후의 생각을 알맞게 말한 친구의 이름을 쓰세요.

> 예빈: 나도 친한 친구와 신호를 주고받고 싶다는 생각을 했어.
> 시윤: 건널목에서는 차가 오는지 잘 보고 건너야 해.

( )

국어 264~267쪽   학습 목표 ▶인형극을 감상하고 인물의 마음 짐작하기

1	

장소	있었던 일
집	㉠

2	

장소	있었던 일
고개	호랑이가 나타나 엄마를 잡아먹었습니다.

3	

장소	있었던 일
집	호랑이가 엄마인 척 오누이를 찾아왔습니다.

4	

장소	있었던 일
나무 위	오누이는 하늘로 올라가 해와 달이 되고 호랑이는 땅으로 떨어져 죽었습니다.

「해와 달이 된 오누이」

· **인형극의 특징**: 전래 동화 「해와 달이 된 오누이」를 그림자 인형극으로 표현한 것입니다.

■ 그림자 인형극이란?
· 인형을 조명에 비추어 생긴 그림자로 만든 극을 말합니다.

■ 인형극 속 인물의 마음을 짐작하는 방법
· 인물의 행동을 자세히 살펴봅니다.
· 인물의 마음이 드러나는 말을 찾아봅니다.
· 인물의 목소리 크기와 말의 빠르기가 어떠한지 주의 깊게 듣습니다.

241003-0418

13 ㉠에 들어갈 내용으로 알맞은 것에 ○표를 하세요.

(1) 호랑이가 오누이를 찾아왔습니다.
( )

(2) 오누이는 동아줄을 내려 달라고 하늘에 빌었습니다. ( )

(3) 엄마가 잔칫집에 가고 오누이만 집을 보게 되었습니다. ( )

241003-0419

14 호랑이가 엄마인 척하며 오누이를 찾아온 장면의 번호를 쓰세요.

( )

중요 241003-0420

15 장면 2에서 엄마의 마음을 알맞게 짐작한 것은 무엇인가요? ( )

① 반가울 것입니다.
② 기뻤을 것입니다.
③ 지루할 것입니다.
④ 기대되었을 것입니다.
⑤ 깜짝 놀랐을 것입니다.

서술형 241003-0421

16 이 인형극을 보고 생각하거나 느낀 점은 무엇인지 써 보세요.

_____

_____

도움말 엄마를 잡아먹은 호랑이는 결국 땅으로 떨어져 죽고, 오누이는 하늘로 올라가 해와 달이 되었다는 내용입니다.

국어 268~273쪽 **학습 목표** ▶ 인형극을 감상하고 자신의 생각이나 느낌 표현하기

「사자와 생쥐」

· 글의 특징: 이솝 우화 「사자와 생쥐」 인형극의 내용입니다.

■ 인형극을 보고 생각이나 느낌 표현하기
· 인물의 말이나 행동에서 어떤 느낌이 들었는지 떠올립니다.
· 기억에 남는 장면과 그 까닭은 무엇인지 생각해 봅니다.

■ 인형극의 등장인물에게 편지 쓰기
· 인형극에서 기억에 남는 인물을 떠올립니다.
· 그 인물에게 어떤 말을 하고 싶은지 생각합니다.
· 왜 그런 말을 해 주고 싶은지 까닭을 떠올려 함께 씁니다.

---

1 라온을 풀어 주려는 너구리

너구리: 오오? 사자님께서 밧줄을 목에 감고 계시네.

라온: 너구리구나. 너구리야, 빨리 이 밧줄을 좀 풀어 줘.

너구리: 오오? 그럼 밧줄을 잡아당기면 되나요? 하나, 둘, 하나, 둘……

라온: 야, 풀어 달라고 하니까 잡아당기면 어떡해?

너구리: 오오? 이게 아닌가요? 그럼 다시 거꾸로. 둘, 하나, 둘, 하나…….

라온: 그만! 날 도와주는 게 아니라 내 목을 조르고 있잖아!

2 제리를 구해 주는 라온

제리: 어, 어, 어!

여우: 아니, 어디로 도망 가? 거기 서! 에잇!

제리: 으악! 저한테 왜 이러세요! 라온 님, 라온 님! 도와주세요!

여우: 흥! 사자가 너를 도와줄 것 같아? 소리 질러 봐야 소용없어!

제리: 으악! 라온 님! 라온 님!

라온: 누가 내 친구를 괴롭혀? 여우! 너 나한테 혼나 볼래?

여우: ㉠으잉? 뭐야? 진짜 도와주러 온 거야? 그냥 도망가자! (머리를 부딪혀 쓰러지며) 아이고, 머리야…….

---

17 241003-0422

글 **1**에서 너구리는 어떻게 하였나요? (　　)

① 무서워서 도망을 갔습니다.
② 사자와 재미있게 놀았습니다.
③ 밧줄을 풀어 주려고 애썼습니다.
④ 사자에게 사과하라고 말했습니다.
⑤ 사자에게 먹이를 가져다주었습니다.

18 241003-0423

글 **2**에서 제리는 누구에게 도와달라고 했는지 찾아 쓰세요.

(　　　　　　)

19 중요 241003-0424

㉠에서 짐작할 수 있는 여우의 마음으로 알맞은 것은 무엇인가요? (　　)

① 놀라움　　② 즐거움　　③ 고마움
④ 미안함　　⑤ 창피함

20 서술형 241003-0425

글 **1**, **2**에 등장하는 인물의 말과 행동을 살펴보고 재미있는 부분을 써 보세요.

_____

_____

도움말 등장하는 인물의 말과 행동 가운데 재미있게 느껴지는 말이나 행동을 찾아봅니다.

시와 이야기를 감상하고 생각이나 느낌 표현하기

• 시를 낭송하고 생각이나 느낌을 나누는 방법으로 알맞은 것에 ○표, 알맞지 않은 것에 ×표를 해 봅시다.

> (1) 시 속 인물의 경험과 비슷한 자신의 경험을 떠올린다.　　　(○)
> (2) 시의 장면을 상상하거나 시 속 인물의 마음을 짐작한다.　　(○)
> (3) 재미있는 부분만 골라 느낌을 말한다.　　　　　　　　　　(×)

• 「은혜 갚은 개구리」를 읽고 자신의 생각이나 느낌을 표현해 봅시다.

> ### 은혜 갚은 개구리
>
> 　옛날, 어느 마을에 가난한 할아버지와 할머니가 살았어. 하루는 할아버지가 길을 가다가 웅덩이에서 헤엄치고 있는 올챙이 몇 마리를 보았어. 가만 보니 오랫동안 비가 오지 않아 올챙이가 다 죽게 생겼네. / "저런, 딱하기도 하지!" / 할아버지는 올챙이들을 곱게 떠서 근처 연못에 옮겨 주었어. 그러고는 오가다가 올챙이가 자라는 것을 지켜 보며 흐뭇해했지. / 그렇게 몇 달이 지났어. 어느 날 집 밖에서 개굴개굴 소리가 요란하게 들리는 거야. 할아버지가 나가 보니 예전에 연못으로 옮겨 준 올챙이들이 커서 개구리가 된 거야. 그 개구리들은 할아버지 앞에 냄비 하나를 놓고 가 버리네. 할아버지와 할머니는 냄비에 쌀 한 주먹을 넣고 물을 부어 밥을 했어. 그런데 냄비 뚜껑을 열어 보니 냄비 안에 흰밥이 가득한 거야. 할아버지와 할머니는 깜짝 놀랐지. / "요술 냄비구나!"
> 　할아버지와 할머니는 그때부터 밥걱정하지 않고 편안하게 잘 살았대. 그뿐인가? 배고픈 사람은 누구든지 집으로 찾아와 배불리 먹게 했다니 얼마나 좋은 일이야!

(1) 「은혜 갚은 개구리」를 읽고 자신의 생각이나 느낌을 알맞게 말한 친구를 찾아 ○표를 해 보세요.

> [　] 할아버지와 할머니는 개구리 울음소리를 좋아하나 봐.
> 은지
>
> 민우
> [○] 은혜를 갚으려고 할아버지를 다시 찾아 온 개구리들의 행동이 멋지다고 생각해.

확인 문제

다음 설명 중 알맞은 것에 ○표, 알맞지 않은 것에 ×표를 하세요.

1 시를 읽을 때 시의 장면을 떠올리며 읽습니다.　　　　　　　　(　)

2 시를 읽을 때 내가 읽고 싶은 부분만 읽습니다.　　　　　　　　(　)

(2)「은혜 갚은 개구리」에서 가장 기억에 남는 장면과 그에 대한 생각이나 느낌을 써 보세요.

기억에 남는 장면	예 할아버지가 올챙이를 구해 주는 장면
생각이나 느낌	예 작은 생명도 소중히 아끼는 할아버지가 훌륭하다는 생각이 들었습니다.

국어 활동 108~109쪽

인형극을 감상하고 생각이나 느낌 표현하기

• 인형극의 한 장면을 떠올려 보고 밑줄 그은 인물의 말과 행동에서 짐작할 수 있는 마음을
보기에서 찾아 써 봅시다.

보기

궁금함	두려움	답답함	기쁨	슬픔

똘이와 순이가 호랑이를 피해 하늘로 올라가는 장면
똘이: 하느님 살려 주세요.
순이: 살려 주세요. 흑흑.
　　　하늘에서 동아줄이 내려온다.
순이: 오빠, 저기 저기. 동아줄이 내려오고 있어.
똘이: 우아, 정말! 순이야, 꽉 잡아.

　　똘이의 마음:　　　기쁨

확인 문제 다음 설명 중 알맞은 것에 모두 ○표를 하세요.

1 인형극을 볼 때는 인물의 말과 행동을 자세히 살피며 봅니다. 　　　　　(　)
2 인형극 속의 인물의 경험과 비슷한 나의 경험을 떠올리면 인물의 마음을 짐작할 수 있습니다.
　　　　　　　　　　　　　　　　　　　　　　　　　　　　　　　　　　　(　)

정답 1. ○ 2. ○

너구리가 라온의 밧줄을 풀어 주려고 하는 장면

라온: (반가워하며) 너구리야, 빨리 이 밧줄을 좀 풀어 줘.

너구리: (느릿느릿하게) 오오? 그럼 밧줄을 잡아당기면 되나요?
　　　하나, 둘, 하나, 둘……

라온: (발을 동동 구르며) 야, 풀어 달라고 하니까 잡아당기면 어떡해?

　　라온의 마음:　　　답답함

• 글 **가**와 글 **나**를 읽고 자신의 생각이나 느낌이 잘 드러나게 쓴 글에 ○표를 해 봅시다.

> **가** 「해와 달이 된 오누이」에서 똘이가 호랑이를 따돌리는 장면이 기억에 남는다. 호랑이가 나무에
> _{인상 깊었던 장면}
> 어떻게 올라갔냐고 물었을 때 똘이는 기름을 바르면 된다고 둘러대었다. 기름을 바른 호랑이가
> 미끄러져 엉덩방아를 찧는 장면이 우스웠다. 나도 위험한 순간에 똘이처럼 꾀를 써야겠다고 생각
> _{그 장면이 인상 깊었던 까닭}
> 했다.
> 　　　　　　　　　　　　　　　　　　　　　　　　　　　　　　　　　　○

> **나** 「사자와 생쥐」에서 라온이 골탕을 먹는 장면이 기억에 남는다. 라온은 자기 힘만 믿고 못되게
> 굴다가 여우의 함정에 빠진다. 그러다가 제리가 밧줄을 끊어 주어서 다시 자유롭게 된다. 라온은
> 자신이 잘못했다는 것을 깨닫고 제리에게 사과한다.
> 　　　　　　　　　　　　　　　　　　　　　　　　　　　　　　　　　　☐

• 「해와 달이 된 오누이」와 「사자와 생쥐」 가운데 하나를 골라 자신의 생각이나 느낌을 써 봅시다.

고른 인형극	예 「사자와 생쥐」
생각이나 느낌	예 라온은 작고 힘이 없다고 무시한 제리에게 도움을 받고 사과했다. 다른 사람을 무시하지 말고 항상 겸손해야겠다고 생각했다.

확인 문제 다음 설명 중 알맞은 것에 ○표, 알맞지 <u>않은</u> 것에 ×표를 하세요.

1 인형극을 보고 자신의 생각을 쓸 때는 생각이나 느낌이 잘 드러나게 씁니다.　　　　(　)

2 인형극을 보고 자신의 생각을 쓸 때는 인형극의 줄거리만 정확하게 써야 합니다.　　(　)

정답 1. ○ 2. ×

「신호」 교과서 252~254쪽 문제와 답

▶ **「신호」를 읽고 물음에 답해 봅시다.**

• '나'와 '너'가 만난 장소는 어디인가요?

  ㉠ 건널목입니다.

• '나'가 웃거나 고개를 까딱하자 '너'는 어떻게 했나요?

  ㉠ 똑같이 웃고 고개를 까딱했습니다.

▶ **낱말의 뜻을 생각하며 알맞은 낱말을 보기 에서 찾아 써 봅시다.**

> **보기**
>
> | 빙긋 | 까딱 | 휘휘 | 폴짝폴짝 |

㉠	까딱	고개 따위를 아래위로 가볍게 한 번 움직이는 모양.
	휘휘	이리저리 휘두르거나 휘젓는 모양.
	폴짝폴짝	작은 것이 자꾸 세차고 가볍게 뛰어오르는 모양.
	빙긋	입을 슬쩍 벌릴 듯하면서 소리 없이 가볍게 한 번 웃는 모양.

▶ **신호를 주고받고 싶은 사람을 떠올려 써 보고 친구들과 이야기해 봅시다.**

㉠	신호를 주고받고 싶은 사람	동생
	주고받고 싶은 신호	제자리에서 한 바퀴 돌기
	신호에 담긴 뜻	학교 갈 때 같이 가자.

글의 특징

빨간불이 켜진 건널목에서 친구와 서로 신호를 주고받았던 경험을 쓴 시

🦊 **인형극 「해와 달이 된 오누이」** 교과서 266쪽 문제와 답

▶ **「해와 달이 된 오누이」를 보고 물음에 답해 봅시다.**

• 엄마는 외출하기 전에 똘이와 순이에게 어떤 말씀을 하셨나요?

  ㉠ 모르는 사람이 오면 절대 문을 열어 주지 말라고 하셨습니다.

• 호랑이가 똘이에게 나무 위에 올라가는 방법을 물었을 때 똘이는 무엇이라고 답했나요?

  ㉠ 손에 기름을 바르고 올라오라고 했습니다.

• 호랑이는 똘이와 순이가 하늘로 올라가자 어떻게 했나요?

  ㉠ 자신에게도 동아줄을 내려 달라고 하늘에 빌었습니다.

활동 내용

인형극 「해와 달이 된 오누이」에서 인물의 마음을 알아보고, 인형극에 대한 생각이나 느낌 말해 보기

▶ **낱말의 뜻을 생각하며 알맞은 낱말을 보기에서 찾아 써 봅시다.**

보기

	오누이	나그네	동아줄

예

오누이	오빠와 여동생(또는 누나와 남동생)을 나타내는 말.
동아줄	굵고 튼튼하게 꼰 줄.
나그네	자기 고장을 떠나 다른 곳에 잠시 머물거나 떠도는 사람.

뜻에 알맞은 낱말을 잘 알고 있어야 해.

🦎 **인형극 「사자와 생쥐」** 교과서 269~273쪽 문제와 답

교과서 269~273쪽 문제와 답

▶ **「사자와 생쥐」를 보고 물음에 답해 봅시다.**
- 제리가 바위인 줄 알았던 것은 무엇인가요? 예 잠자는 사자 머리입니다.
- 라온은 여우가 준 떡을 먹고 어떻게 되었나요? 예 잠이 들었습니다.
- 라온이 밧줄에서 풀려난 뒤에 제리에게 사과한 까닭은 무엇인가요?
  예 작고 힘이 없다고 무시했기 때문입니다.

▶ **「사자와 생쥐」의 내용을 정리해 보고 재미있는 장면을 떠올려 봅시다.**
- 일어난 일의 순서에 따라 빈칸에 번호를 써 보세요.

활동 내용

인형극 「사자와 생쥐」의 일이 일어난 차례를 알아보고, 인형극을 본 후 자신의 생각이나 느낌 표현하기

 예

3 2

1 4

라온이 제리를 살려 보내 주어서 나중에 제리도 라온을 구해 줄 수 있었어.

▶ **「사자와 생쥐」를 보고 자신의 생각이나 느낌을 표현해 봅시다.**
- 「사자와 생쥐」에 등장하는 제리와 라온에게 자신의 생각이나 느낌을 전하는 편지를 써 보세요.

예 의리 있는 사자 라온에게

나는 네가 약속을 잊고 제리를 안 도와줄 줄 알았어. 그런데 의리 있게 친구 제리를 도와주는 장면을 보고 감동받았어. 앞으로도 제리랑 사이좋게 지내길 바라.

○○(이)가

핵심 1 작품을 감상하고 생각이나 느낌 표현하기

- 작품 속 인물에게 어떤 일이 있었는지 살펴봅니다.
- 인물의 마음이 드러난 부분을 찾고, 인물의 마음이 어떨지 짐작해 봅니다.
- 인물과 비슷한 나의 경험을 떠올리고, 그때 느꼈던 마음을 생각합니다.
- 작품을 읽고 든 생각이나 느낌을 글로 써 봅니다.

> 작품을 읽고 든 생각이나 느낌을 글로 쓸 때는 작품에서 가장 기억에 남는 장면을 떠올려 보면 쉽게 쓸 수 있어.

핵심 2 인형극을 감상하고 생각이나 느낌 표현하기

1 인형극 속 인물의 마음을 짐작하는 방법

- 인물의 행동을 자세히 살펴봅니다.
- 인물의 마음이 드러나는 말을 찾아봅니다.
- 인물의 목소리 크기와 말의 빠르기가 어떠한지 주의 깊게 듣습니다.

> 인형극을 감상할 때에는 인물이 어떤 행동을 하는지 자세히 살펴보고, 인물이 하는 말을 주의 깊게 들어야 해.

2 인형극을 감상하고 생각이나 느낌 표현하기

- 인형극에서 기억에 남는 장면이나 인물을 떠올립니다.
- 그 장면이 기억에 남는 까닭이 무엇인지 생각합니다.

> 예
> 나는 「사자와 생쥐」에서 마지막에 라온이 나타나 여우를 혼내 주는 장면이 가장 기억
> 에 남아. 못된 여우가 라온에게 혼나는 것이 통쾌했고, 제리를 도와주러 온 라온이 고맙
> 기억에 남는 장면
> 게 느껴졌기 때문이야.
> 기억에 남는 까닭

- 기억에 남는 인물에게 해 주고 싶은 말이 무엇인지 생각합니다.
- 생각한 내용을 정리해 글로 씁니다.

[01~02] 다음 시를 읽고, 물음에 답하세요.

> 두 개 보다는
> 한 개
> 큰 것 보다는
> 작은 것
>
> 우산 속에서 팔짱 낀 두 사람
> 어깨동무한 두 사람
> 더 따뜻해
> 더 정다워

241003-0426

01 이 시의 제목으로 가장 잘 어울리는 것은 무엇 인가요? ( )

① 거짓말
② 땅따먹기
③ 가위바위보
④ 우산 사용법
⑤ 친구 사용법

중요 241003-0427

02 이 시를 읽고 떠올릴 수 있는 장면으로 알맞은 것을 골라 기호를 쓰세요.

> ㉮ 친구와 도시락을 나누어 먹는 장면
> ㉯ 친구와 우산을 함께 쓰고 걷는 장면
> ㉰ 친구가 우산을 가져오지 않아 울고 있 는 장면

( )

[03~05] 다음 장면을 보고, 물음에 답하세요.

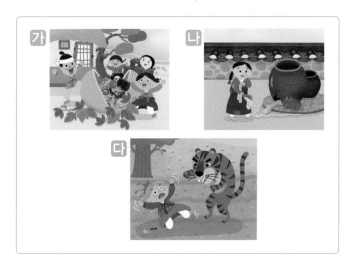

241003-0428

03 장면 ⑦에서 흥부의 마음은 어떠할지 보기 에서 찾아 쓰세요.

보기

| 기쁨 | 슬픔 | 무서움 |

( )

241003-0429

04 장면 ⑭에서 콩쥐가 처한 상황으로 알맞은 것은 무엇인가요? ( )

① 물을 쏟아 울고 있습니다.
② 두꺼비가 무서워 도망치고 있습니다.
③ 독을 깨뜨려 부모님께 혼이 났습니다.
④ 두꺼비와 친구가 되어 놀고 있습니다.
⑤ 깨진 독을 보며 걱정하고 있는데 두꺼 비가 도와주겠다고 했습니다.

서술형 241003-0430

05 장면 ⑭에서 할머니의 마음을 짐작하여 쓰세요.

_____

_____

도움말 밭일을 하던 할머니 앞에 갑자기 호랑이가 나타난 장면입니다.

중요

06 작품을 읽고 생각이나 느낌을 글로 쓸 때 들어갈 내용으로 알맞지 <u>않은</u> 것에 ×표를 하세요.

(1) 기억에 남는 장면 ( )

(2) 그 장면이 기억에 남는 까닭 ( )

(3) 작품을 읽어 본 친구들의 생각 ( )

[07~10] 다음 시를 읽고, 물음에 답하세요.

너랑 만나기로 했다
㉠신발 끈도 못 묶고 달려 나갔다
건널목에서 우리 마주쳤다
빨간 신호등이 켜졌다
내가 빙긋 웃자
너도 빙긋
고개를 까딱하자
너도 까딱
팔을 휘휘 흔들자 너도 휘휘
폴짝폴짝 뛰자 너도 뛴다
빨간불이 막아도
너랑 나랑 마주 보며
너랑 나랑 신호 중.

241003-0432

07 '나'와 '너'가 마주친 장소는 어디인가요?

( )

① 학교 ② 운동장
③ 문구점 ④ 건널목
⑤ 기차역

241003-0433

08 ㉠에서 짐작할 수 있는 '나'의 마음으로 알맞은 것은 무엇인가요? ( )

① 여유로운 마음
② 긴장되어 떨리는 마음
③ 억울하고 속상한 마음
④ 빨리 만나고 싶은 마음
⑤ 답답해서 화가 나는 마음

241003-0434

09 다음 뜻을 가진 낱말을 찾아 쓰세요.

작은 것이 자꾸 세차고 가볍게 뛰어오르는 모양.

( )

서술형
241003-0435

10 이 시를 읽고 어떤 생각이나 느낌이 들었는지 쓰세요.

_____

_____

도움말 친한 친구와 신호를 주고받으면 어떤 느낌일지 떠올려 봅니다.

241003-0436

중요

11 인형극 속 인물의 마음을 짐작하는 방법을 바르게 말한 친구의 이름을 쓰세요.

> 연재: 인물의 말과 행동을 자세히 살펴봐야 해.
>
> 은수: 인물의 이름을 잘 살펴봐야 인물의 마음을 짐작할 수 있어.

(   )

[12~15] 다음 장면을 보고, 물음에 답하세요.

241003-0437

12 호랑이가 엄마인 척 오누이를 찾아온 장면의 번호를 쓰세요.

(   )

241003-0438

13 장면 **3**에서 오누이의 마음을 알맞게 짐작한 것에 ○표를 하세요.

(1) 반가웠을 것입니다.   (   )

(2) 기대되고 설렜을 것입니다.   (   )

(3) 놀랍고 무서웠을 것입니다.   (   )

241003-0439

중요

14 장면 **1**에서 오누이의 말과 행동을 보고 짐작할 수 있는 마음으로 알맞은 것은 무엇인가요?

(   )

> 하늘을 향해 두 손 모아 빌며 "저희를 살려 주세요!"라고 말했습니다.

① 느긋한 마음

② 고맙고 뿌듯한 마음

③ 다급하고 간절한 마음

④ 호랑이를 속이려는 마음

⑤ 오누이를 속이려는 마음

241003-0440

15 일이 일어난 차례대로 알맞게 번호를 쓰세요.

(   ) → (   ) → (   ) → (   )

[16~20] 다음 글을 읽고, 물음에 답하세요.

> **1** 너구리: 오오? 사자님께서 밧줄을 목에 감고 계시네.
>
> 라온: 너구리구나. 너구리야, 빨리 이 밧줄을 좀 풀어 줘.
>
> 너구리: 오오? 그럼 밧줄을 잡아당기면 되나요? 하나, 둘, 하나, 둘……
>
> 라온: 야, 풀어 달라고 하니까 잡아당기면 어떡해?
>
> 너구리: 오오? 이게 아닌가요? 그럼 다시 거꾸로. 둘, 하나, 둘, 하나……
>
> 라온: ㉠그만! 날 도와주는 게 아니라 내 목을 조르고 있잖아!
>
> **2** 제리: 어, 어, 어!
>
> 여우: 아니, 어디로 도망 가? 거기 서! 에잇!
>
> 제리: 으악! 왜 저한테 이러세요? 라온 님! 라온 님! 도와주세요!
>
> 여우: 흥! 사자가 너를 도와줄 것 같아? 소리 질러 봐야 소용없어!
>
> 제리: 으악! 라온 님! 라온 님!
>
> 라온: 누가 내 친구를 괴롭혀? 여우! 너 나한테 혼나 볼래?
>
> 여우: 으잉? 뭐야? 진짜 도와주러 온 거야? 그냥 도망가자! (머리를 부딪혀 쓰러지며) 아이고 머리야……

241003-0441

16 글 **1**에서 라온을 도와주는 인물은 누구인지 쓰세요.

(   )

중요   241003-0442

17 ㉠에 나타난 라온의 마음을 알맞게 짐작한 것은 무엇인가요? (   )

① 미안한 마음일 것입니다.
② 답답한 마음일 것입니다.
③ 신나는 마음일 것입니다.
④ 편안한 마음일 것입니다.
⑤ 은혜를 갚고 싶은 마음일 것입니다.

241003-0443

18 글 **2**의 상황으로 알맞은 것에 ○표를 하세요.

(1) 여우는 제리와 친구가 되었습니다.

(   )

(2) 제리가 여우를 골탕 먹이고 있습니다.

(   )

(3) 위험에 빠진 제리를 라온이 도와주러 왔습니다.

(   )

241003-0444

19 글 **2**에서 라온을 본 여우는 어떻게 하였나요? (   )

① 도와달라고 했습니다.
② 도망치려고 하였습니다.
③ 생쥐를 혼내 주었습니다.
④ 라온을 꽁꽁 묶어 버렸습니다.
⑤ 제리를 잡아 라온에게 주었습니다.

서술형   241003-0445

20 글 **2**에 나오는 인물을 골라 자신의 생각이나 느낌을 전하는 말을 써 보세요.

(1) 인물	
(2) 생각이나 느낌	

도움말 글 **2**에 나오는 인물 제리, 라온, 여우 중 누구에게 생각이나 느낌을 전하고 싶은지 떠올려 봅니다.

MEMO

MEMO

EBS
초등
인터넷·모바일·TV
무료 강의 제공

초 | 등 | 부 | 터 EBS

예습, 복습, 숙제까지 해결되는

교과서 완전 학습서

만점왕

BOOK 2
실전책

국어 2-1

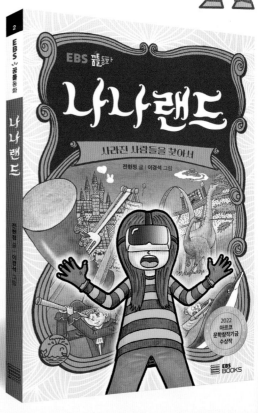

만점왕

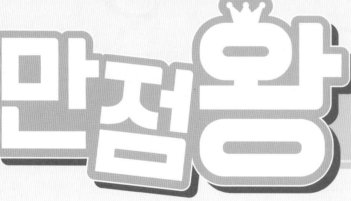

BOOK 2 실전책

국어 2-1

BOOK 2

실전책

시험 2주 전 공부

핵심을 복습하기

시험이 2주 남았네요. 이럴 땐 먼저 핵심을 복습해 보면 좋아요.

만점왕 북2 실전책을 펴 보면

각 단원별로 핵심 정리와 확인 문제가 있습니다.

정리된 '핵심+복습'을 읽고 '학교 시험 만점왕'을 풀어 보세요.

문제가 어렵게 느껴지거나 자신 없는 부분이 있다면

북1 개념책을 찾아서 다시 읽어 보는 것도 도움이 돼요.

시험 1주 전 공부

시간을 정해 두고 연습하기

앗, 이제 시험이 일주일밖에 남지 않았네요.

시험 직전에는 실제 시험처럼 시간을 정해 두고 문제를 푸는 연습을 하는 게 좋아요.

그러면 시험을 볼 때에 떨리는 마음이 줄어드니까요.

이때에는 **만점왕 북2의 학교 시험 만점왕**을 풀어 보면 돼요.

시험 시간에 맞게 풀어 본 후 맞힌 개수를 세어 보면

자신의 실력을 알아볼 수 있답니다.

이 책의 차례

BOOK
2
실전책

① **말차례를 지키며 대화하기**

- 말차례를 지켜 말합니다.
- 친구가 말하고 있을 때 끼어들지 않습니다.
- 대화 내용과 관계없는 말을 하지 않습니다.
- 상대의 말을 귀 기울여 듣습니다.
- 상대에게 말이 끝났는지 확인하고 자신이 말해도 되는지 물어본 뒤 말합니다.

⑩

~ 그래서 어제는 무척 속이 상했어.

그렇구나. 그럼, 이제 내가 겪은 일을 말해도 될까?

② **친구들에게 자신을 소개하기**

- 자신의 이름, 모습, 좋아하는 것, 잘하는 것 등을 떠올려 정리합니다.

⑩

이름

모습

좋아하는 것

잘하는 것

- 소개하는 내용이 잘 드러나게 자세히 씁니다.
- 읽을 사람이 궁금해할 내용을 씁니다.
- 바르고 정확한 문장으로 씁니다.

확인
문제 **친구들에게 자신을 소개하는 내용으로 알맞은 것에 모두 ○표를 하세요.**

1 나의 모습   (   )

2 내가 좋아하는 것   (   )

3 우리 아버지가 다니시는 회사   (   )

정답 1. ○ 2. ○

1. 만나서 반가워요!

[01~03] 다음 그림을 보고, 물음에 답하세요.

발표를 들을 때에는 발표하는 친구 얼굴을 보면서 ㉠

자신의 말차례가 되었을 때 하고 싶은 말을 끝까지 분명하게 한다.

궁금한 내용이 있으면 ㉡

들은 내용을 잘 이해했다면 미소를 짓거나 끄덕인다.

중요한 내용은 쓰면서 듣는다.

241003-0446

01 ㉠에 들어갈 알맞은 내용에 ○표를 하세요.

(1) 노래를 흥얼거린다. ( )

(2) 바른 자세로 듣는다. ( )

241003-0447

02 ㉡에 들어갈 알맞은 내용은 무엇인가요? ( )

① 미소를 짓는다.
② 고개를 흔든다.
③ 바로 일어서서 말한다.
④ 아무 때고 끼어들어 말한다.
⑤ 손을 들고 기회를 얻어 질문한다.

241003-0448

03 발표를 듣는 태도에 대해 **잘못** 말한 친구를 골라 ×표를 하세요.

(1) 기윤: 중요한 내용은 쓰면서 들어야 해.
( )

(2) 지민: 발표하는 친구의 얼굴을 보면서 들어야 해. ( )

(3) 서우: 들은 내용을 잘 이해했다면 바로 이해한 내용을 말해야 해. ( )

[04~05] 민수가 쓴 글을 읽고, 물음에 답하세요.

저는 강아지를 기르고 있습니다. 곱슬곱슬한 털이 많아 ㉠이름도 곱슬이입니다. 몸집은 작지만 귀는 아주 커서 얼굴을 다 덮을 정도입니다. 눈은 동그라면서 크고, 코는 까만색이며 코끝은 반질거립니다. 제가 학교에 갔다 오면 경중경중 높이 뛰어오르며 반겨 줍니다. 곱슬이는 우리 집 재롱둥이입니다.

241003-0449

04 ㉠의 까닭은 무엇인가요? ( )

① 곱슬곱슬한 털이 많아서
② 꼬리가 동그랗게 말려서
③ 강아지가 곱창을 좋아해서
④ 곱슬머리인 민수를 좋아해서
⑤ 엄마 강아지와 아빠 강아지의 이름을 한 자씩 따서

241003-0450

05 이 글에 대해 바르게 설명한 친구의 이름을 쓰세요.

> 대영: 민수가 강아지 곱슬이를 소개하는 글이야.
> 자함: 민수가 강아지와 함께 겪은 일을 쓴 일기야.

( )

서술형 241003-0451

06 소개하는 글에는 어떤 내용을 넣으면 좋을지 **두 가지만** 쓰세요.

_____

_____

[07~09] 다음 그림을 보고, 물음에 답하세요.

241003-0452

07 동현이의 꿈은 무엇인가요? (   )

① 의사   ② 과학자   ③ 여행가
④ 선생님   ⑤ 경찰관

241003-0453

08 ③에서 친구의 잘못된 행동은 무엇인가요?

(   )

① 손을 들지 않고 말했습니다.
② 대화에 참여하지 않았습니다.
③ 말차례를 지키지 않았습니다.
④ 대화 내용과 관계없는 말을 했습니다.
⑤ 동현이의 기분을 헤아리며 말했습니다.

241003-0454

09 동현이의 기분을 바르게 짐작하지 <u>못한</u> 친구의 이름을 쓰세요.

> 연수: 자기 말차례를 빼앗겨서 기분이 나 빴을 거야.
> 인준: 친구와 꿈이 같은 걸 알게 되어 즐 거운 기분이었을 거야.

(   )

중요
10 대화할 때 주의할 점을 보기에서 골라 쓰세요.

241003-0455

보기

> 말차례   관계없는   끼어들면

(1) (   )을/를 지켜 말합니다.
(2) 친구가 말할 때는 (   ) 안 됩니다.
(3) 대화 내용과 (   ) 말을 하지 않 습니다.

241003-0456

11 자신의 소중한 물건에 대해 친구들과 대화하는 태도로 알맞지 <u>않은</u> 것은 무엇인가요? (   )

① 친구가 말할 때 집중해서 듣습니다.
② 소중한 물건에 대해 자세히 소개합니다.
③ 상대가 말할 때는 끼어들지 않고 기다 립니다.
④ 친구에게 자신이 말해도 되는지 물어보 고 말합니다.
⑤ 친구에게 말차례를 넘겨주지 않고 계속 해서 말합니다.

[12~13] 다음 글을 읽고, 물음에 답하세요.

> 저는 김서준입니다. 저는 태권도를 좋아합니다.

241003-0457

12 '내'가 좋아하는 것은 무엇인가요? (   )

① 수영   ② 줄넘기   ③ 공놀이
④ 태권도   ⑤ 책 읽기

241003-0458

13 이 글에 대해 바르게 평가한 것에 ○표를 하세요.

(1) 소개하는 내용이 잘 드러납니다. (   )
(2) 소개하는 내용이 자세하지 않습니다.

(   )

[14~16] 다음 글을 읽고, 물음에 답하세요.

> ㉠저는 정하윤입니다. ㉡저는 머리를 묶고 다닙니다. 지금은 노란색 긴팔 옷을 입고 있습니다. ㉢저는 종이접기를 좋아해서 항상 색종이를 가지고 다닙니다. ㉣저는 그림을 잘 그립니다. 만화 주인공 그림을 그려서 친구에게 주기도 합니다.

14 241003-0459
소개하는 사람의 이름을 쓰세요.

( )

15 241003-0460
㉠~㉣ 중 모습을 소개한 내용의 기호를 쓰세요.

( )

16 241003-0461
이와 같은 글에 들어갈 내용으로 알맞지 **않은** 것은 무엇인가요? ( )

① 이름　　　　　② 특징
③ 잘하는 것　　　④ 좋아하는 것
⑤ 단점이나 안 좋은 소문

중요
17 241003-0462
자신을 소개하는 글을 쓰는 방법으로 알맞은 것을 <u>모두</u> 고르세요. (, ,)

① 자신의 특징을 자세히 소개합니다.
② 자신이 잘하는 것을 부풀려서 소개합니다.
③ 읽을 사람이 궁금해할 내용을 소개합니다.
④ 자신이 잘하는 것과 노력하고 싶은 점을 소개합니다.
⑤ 친구들이 알고 싶어 하지 않는 내용을 더 자세히 소개합니다.

[18~20] 다음 그림을 보고, 물음에 답하세요.

18 241003-0463
그림 속 친구가 소개한 내용 <u>두 가지</u>를 고르세요. (,)

① 이름　　　　　② 생김새
③ 잘하는 것　　　④ 좋아하는 것
⑤ 노력하고 싶은 점

19 241003-0464
그림 속 친구의 소개를 듣고 궁금한 내용을 바르게 질문한 것은 무엇인가요? ( )

① 이름은 무엇인가요?
② 무슨 동물을 좋아하나요?
③ 남자인가요? 여자인가요?
④ 누구를 소개하고 싶은가요?
⑤ 왜 치타를 좋아하게 되었나요?

서술형
20 241003-0465
그림 속 친구와 같이 자신을 소개하는 말을 간단히 쓰세요.

_____

_____

❶ 말의 재미 느끼기

- '꼬리따기 말놀이'는 비슷한 것을 떠올려서 말을 이어 가는 놀이입니다.

  (예) 사과는 빨개

  　빨가면 딸기

  　딸기는 작아

  　작으면 아기

- '주고받는 말놀이'는 묻고 답하면서 말을 주고받는 놀이입니다.

  (예)

하나는 뭐니?	둘은 뭐니?
숟가락 하나	젓가락 둘

- '말 덧붙이기 놀이'는 친구가 한 말을 반복한 뒤에 다른 말을 덧붙이는 놀이입니다.

  (예)

과일 가게에 가면 사과도 있고.

과일 가게에 가면 사과도 있고, 바나나도 있고.

과일 가게에 가면 사과도 있고, 바나나도 있고, 딸기도 있고.

- 말놀이를 잘하려면 앞사람이 하는 말을 집중해서 들어야 합니다.
- 말놀이를 할 때는 규칙이나 방법을 생각하며 말해야 합니다.

❷ 책에 대한 생각이나 느낌 나누기

- 글에서 가장 재미있었던 부분을 찾고 친구들과 이야기를 나눕니다.
- 자신이 읽은 책에서 좋아하는 문장을 찾아 소개합니다.

확인 문제

말놀이를 잘하는 방법으로 알맞은 것에 모두 ○표를 하세요.

1 규칙이나 방법을 생각하며 말합니다. ( )

2 앞사람이 하는 말을 집중해서 듣습니다. ( )

3 앞사람이 하는 말을 무조건 따라 합니다. ( )

정답 1. ○ 2. ○

[01~02] 다음 시를 읽고, 물음에 답하세요.

> 가는 비가 내리는 날이야.
> 우산을 쓸까 말까?
>
> 가늘게 내리는 비는 가랑비.
> 국숫발같이 가늘다고 가랑비.
> 가랑비보다 더 가는 비는 이슬비.
> 풀잎에 겨우 이슬이 맺힐 만큼 내려서 이슬비.

241003-0466

01 가랑비와 이슬비 중 더 가는 비는 무엇인지 쓰세요.

( )

241003-0467

02 이 시를 통해 알게 된 내용에 ○표를 하세요.

(1) 하늘에서 비가 내리는 까닭 ( )

(2) '비'로 시작하는 다양한 낱말들 ( )

(3) 재미있는 비의 이름과 그런 이름이 붙은 까닭 ( )

241003-0468

03 친구들과 말놀이를 하면 좋은 점을 모두 고르세요. (, ,)

① 함께 말놀이를 하면 재미있습니다.

② 소중한 추억을 기록할 수 있습니다.

③ 자연스럽게 여러 가지 낱말을 익힐 수 있습니다.

④ 나의 생활을 되돌아보고 반성할 수 있습니다.

⑤ 재미있고 다양한 말로 내 생각을 표현할 수 있습니다.

[04~05] 다음을 읽고, 물음에 답하세요.

> 사과는 빨개
> 빨가면 딸기
> 딸기는 작아
> 작으면 아기
> 아기는 귀여워
> 귀여우면 곰 인형
> 곰 인형은 포근해
> 포근하면 봄

241003-0469

04 이와 같은 말놀이의 방법을 바르게 설명한 친구의 이름을 쓰세요.

> 준영: 비슷한 특징을 가진 것을 떠올려서 말을 이어 가야 해.
> 근우: 앞사람이 한 말을 반복하고 새로운 것을 덧붙여 가야 해.
> 시호: 반대되는 특징을 가진 것을 떠올려서 말을 이어 가야 해.

( )

서술형 241003-0470

05 이 말놀이의 방법을 떠올려 다음에 이어질 내용을 쓰세요.

코끼리 코는 길어

_____

_____

_____

_____

2. 말의 재미가 솔솔 **9**

[06~07] 다음을 읽고, 물음에 답하세요.

하나는 뭐니?
숟가락 하나

둘은 뭐니?
젓가락 둘

셋은 뭐니?
세발자전거 바퀴 셋

(　　　ㄱ　　　)
책상 다리 넷

다섯은 뭐니?
공기알 다섯

여섯은 뭐니?
(　　　　ㄴ　　　　)

241003-0471

06 ㄱ에 들어갈 알맞은 말은 무엇인가요? (　　)

① 넷은 뭐니?
② 내 다리는 둘
③ 여섯은 뭐니?
④ 어디까지 왔니?
⑤ 책상 다리는 몇 개니?

241003-0472

07 ㄴ에 들어갈 알맞은 말에 ○표를 하세요.

(1) 발가락 다섯　　　　　　　　(　　)
(2) 내 콧구멍 둘　　　　　　　　(　　)
(3) 개미 다리 여섯　　　　　　　(　　)
(4) 자전거 바퀴 여섯　　　　　　(　　)

[08~10] 다음을 보고, 물음에 답하세요.

중요 241003-0473

08 '말 덧붙이기 놀이'의 방법입니다. 빈칸에 알맞은 말을 쓰세요.

> 앞 친구가 한 말을 (1) (　　　　　)한 뒤에 다른 말을 (2) (　　　　) 말합니다.

241003-0474

09 이 놀이를 잘하려면 어떤 점에 주의해야 하는지 ○표를 하세요.

(1) 뒷사람이 말할 내용을 예상해야 합니다.
(　　)

(2) 앞사람이 하는 말을 잘 듣고 기억해야 합니다.
(　　)

241003-0475

10 마지막 친구가 말할 내용으로 ㉠에 들어갈 알맞은 말의 기호를 쓰세요.

> ㉮ 과일 가게에 가면 바나나도 있고, 사과도 있고, 포도도 있고, 키위도 있고.
> ㉯ 과일 가게에 가면 사과도 있고, 바나나도 있고, 딸기도 있고, 포도도 있고.

(　　　　　　　　)

[11~12] 다음을 읽고, 물음에 답하세요.

> 어디까지 왔니
> 아직 아직 멀었다
> 어디까지 왔니
> 동네 앞에 왔다
>
> 어디까지 왔니
> 개울가에 왔다
> 어디까지 왔니
> 대문 앞에 다 왔다

241003-0476

11 이 노래를 부르는 사람들이 마지막에 도착하는 곳은 어디인가요? (　　　)

① 집
② 공원
③ 개울가
④ 놀이터
⑤ 동네 앞

241003-0477

12 이 노래를 바꾸어 부르는 방법으로 가장 알맞은 것은 무엇인가요? (　　　)

① 장소를 바꾸어 부릅니다.
② 시간을 바꾸어 부릅니다.
③ 질문을 바꾸어 부릅니다.
④ 사람의 이름을 바꾸어 부릅니다.
⑤ 그 장소에서 볼 수 있는 물건을 덧붙여 부릅니다.

241003-0478

13 다음 장소에서 볼 수 있는 물건을 떠올려 빈칸에 알맞은 낱말을 쓰세요.

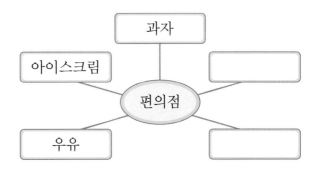

241003-0479

14 다음 물건들을 볼 수 있는 장소를 떠올려 쓰세요.

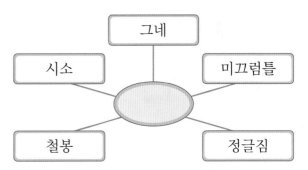

서술형 241003-0480

15 13과 14에서 낱말을 하나씩 골라 보기 처럼 문장을 만들어 쓰세요.

보기

| 편의점 | 그네 |

그네를 타다 배가 고파서 편의점에 갔다.

(1) [　　　　] [　　　　]

(2) _____

_____

[16~20] 다음 그림책을 읽고, 물음에 답하세요.

카햐, 시원하다!

이야, ㉠<u>시원-하다</u>!

목소리가 아주
시원시원하네!

찌링
찌링

아, ㉡<u>시원해</u>!

이
오
에
아

241003-0481

16 ①~④ 중 시원하다고 느끼는 상황이 더위를 식힐 정도로 서늘할 때인 것은 무엇인지 번호를 쓰세요.

(   )

241003-0482

17 ①~④ 중 시원하다고 느끼는 상황이 막힌 데가 없이 활짝 트여 마음이 후련할 때인 것은 무엇인지 번호를 쓰세요.

(   )

241003-0483

18 ㉠과 바꾸어 써도 말이 통하는 것은 무엇인가요? (   )

① 차갑다   ② 후련하다
③ 깨끗하다   ④ 부드럽다
⑤ 서글서글하다

241003-0484

19 ㉡과 바꾸어 쓸 수 <u>없는</u> 말은 무엇인가요?

(   )

① 말끔해   ② 개운해
③ 깨끗해   ④ 상쾌해
⑤ 불편해

중요

241003-0485

20 이 글을 읽고 자신의 생각이나 느낌을 알맞게 표현하지 <u>못한</u> 친구의 이름을 쓰세요.

> 윤서: 이 책에는 '시원하다'란 말이 반복되고 있어.
> 현우: 그림 속 사람들의 표정만 봐도 시원함이 잘 느껴져서 재미있어.
> 예주: 시원하다고 느끼는 다양한 상황들이 참 많구나. 시원하다는 의미가 이렇게 다양하다니 참 신기해.

(   )

❶ 꾸며 주는 말을 넣어 문장 읽고 쓰기

- 뒤에 오는 말을 꾸며 그 뜻을 자세하게 해 주는 말을 '꾸며 주는 말'이라고 합니다.

  예 • 꽃이 피었다. ➡ 예쁜 꽃이 활짝 피었다.

  • 말이 달려온다. ➡ 멋진 말이 힘차게 달려온다.

- 꾸며 주는 말을 사용해 문장을 쓰면 글의 내용을 더 실감 나게 표현할 수 있습니다.
- 꾸며 주는 말을 사용하면 글의 내용을 더 자세하게 나타낼 수 있습니다.
- 꾸며 주는 말을 사용해 문장을 쓰면 읽는 사람이 더 재미를 느낍니다.

  예
  > 어머, 어머!
  > 몰래 땅속에서 조롱조롱 열매를 맺었구나.
  > 올록볼록 껍데기 속에는 고소한 땅콩이 들어 있어.

꾸며 주는 말 때문에 더 실감 나고 재미있게 느껴져.

❷ 자신의 생각을 담은 일기 쓰기

- 자신이 겪은 일을 떠올려 글감을 찾습니다.
  - 하루에 겪은 일 가운데에서 한 것, 본 것, 들은 것을 떠올립니다.
  - 떠올린 것 가운데에서 기뻤던 일, 슬펐던 일, 화났던 일 따위는 무엇인지 생각합니다.
  - 그 가운데에서 가장 인상 깊은 일을 고릅니다.
- 인상 깊은 일을 정리합니다.
  - 언제, 어디에서, 누구와 무슨 일이 있었나?
  - 어떤 생각이나 느낌이 들었나?
- 날짜와 날씨, 제목, 겪은 일, 생각이나 느낌의 순서대로 일기를 씁니다.
- 다 쓴 다음 고쳐 쓸 부분이 없는지 확인합니다.

확인 문제 빈칸에 꾸며 주는 말을 쓰세요.

1 (   ) 물을 마신다.

2 물을 (   ) 마신다.

3 (   ) 강아지가 (   ) 짖는다.

정답 1. 예 시원한 2. 예 벌컥벌컥 3. 예 조그만, 멍멍

3. 겪은 일을 나타내요

[01~02] 다음 글을 읽고, 물음에 답하세요.

> 가 오늘 할머니, 할아버지와 옥수수밭에 갔다.
> 할아버지께서 나를 보고 웃으셨다.

> 나 오늘 할머니, 할아버지와 넓은 옥수수밭에 갔다.
> 할아버지께서 나를 보고 활짝 웃으셨다.

241003-0486

01 글 나가 가보다 더 실감 나고 생생하게 느껴지는 까닭에 ○표를 하세요.

(1) 꾸며 주는 말을 사용해서　　　(　　)
(2) 겪은 일의 차례가 잘 드러나서　(　　)
(3) 자신의 생각이나 느낌을 많이 써서
　　　　　　　　　　　　　　　(　　)

241003-0487

02 글 나에서 사용된 꾸며 주는 말 두 가지를 찾아 쓰세요.

　　　　　　　(　　　　，　　　　)

241003-0488

03 일기에는 어떤 일을 쓰면 좋을지 알맞게 말하지 못한 친구의 이름을 쓰세요.

> 예준: 겪은 일에 대한 생각이나 느낌을 일기에 써.
> 지현: 재미있고 특별한 이야기를 꾸며서 일기에 써.
> 영완: 그날 겪은 일 가운데에서 기억하고 싶은 일을 써.

　　　　　　　　　　(　　　　　　)

[04~05] 다음 사진이나 그림을 보고, 보기 처럼 꾸며 주는 말을 넣어 문장을 완성하세요.

보기

• 꽃이 피었다.
➡ 예쁜 꽃이 활짝 피었다.

241003-0489

04
• 딸기를 먹었다.
➡ ▯▯▯▯▯ 딸기를 먹었다.

241003-0490

05
• 강아지가 달린다.
➡ ▯▯▯▯▯ 강아지가 달린다.

241003-0491

06 다음 사진을 보고 꾸며 주는 말을 넣어 설명하는 문장을 바르게 만든 것에 모두 ○표를 하세요.

(1) 누리호가 하늘로 발사되었다.　(　　)
(2) 누리호가 시커먼 연기를 내뿜는다.
　　　　　　　　　　　　　　　(　　)
(3) 누리호가 넓은 하늘로 힘차게 날아오른다.　　　　　　　　　　(　　)

서술형 241003-0492

07 꾸며 주는 말을 넣어 사진에 어울리는 문장을 쓰세요.

_____

_____

241003-0493

08 ㉠에서 꾸며 주는 말을 모두 고르세요.

(, ,)

① 조그만
② 새싹이
③ 쑥쑥
④ 활짝
⑤ 피웠어

241003-0494

09 ㉡에 대한 설명으로 알맞지 않은 것은 무엇인가요? ( )

① 맛이 고소합니다.
② 노랑꽃을 피웁니다.
③ 땅속에서 열매를 맺습니다.
④ 올록볼록한 껍데기 속에 들어 있습니다.
⑤ 꽃이 지면 꽃 아래가 불룩해지면서 열매가 열립니다.

[08~10] 다음 글을 읽고, 물음에 답하세요.

> ㉠조그만 새싹이 쑥쑥 자라더니 노랑꽃을 활짝 피웠어.
> 꽃이 지면 열매가 열리겠지?
> 그런데 기다리고 기다려도 안 열려.
> 열매는 어디에 있을까?
>
> 어머, 어머!
> 몰래 땅속에서 조롱조롱 열매를 맺었구나.
> 올록볼록 껍데기 속에는 고소한 ㉡땅콩이 들어 있어.

241003-0495

10 다음 뜻을 가진 낱말을 글에서 찾아 쓰세요.

(1) 작은 열매 따위가 많이 매달려 있는 모양.

( )

(2) 물체의 거죽이나 면이 고르지 않게 높고 낮은 모양.

( )

[11~15] 다음 글을 읽고, 물음에 답하세요.

> 덩굴손이 꼬불꼬불 쭈욱,
>
> 버팀대를 돌돌 감고 뻗어 가.
> 빙글빙글 따라가면 무엇이 있을까?
>
> 우아, 탐스러운 포도가 열렸어!
> 알맹이가 송알송알, 보랏빛 포도야.
> 새콤달콤 아주 맛나.
>
> 동글동글 잎이 연못 위에 동동.
> 나뭇잎이 ㉠우수수 떨어진 걸까?
>
> 아니, 물 위에 떠서 자라는 개구리밥이야.
> 개구리가 먹는 밥이냐고?
> 아니, 아니.
> 개구리가 물속에서 나올 때 입가에 밥풀처럼
> 붙는다고 개구리밥이라 부른대.

241003-0496

11 이 글에서 설명하는 식물은 무엇인지 <u>두 가지</u>를 <u>고르세요.</u> (,)

① 땅콩　　　　② 포도
③ 오이　　　　④ 토마토
⑤ 개구리밥

241003-0497

12 포도의 특징으로 알맞은 것을 <u>모두</u> 고르세요.
(, ,)

① 새콤달콤한 맛이 납니다.
② 연못 위에 떠서 자랍니다.
③ 개구리가 좋아하는 열매입니다.
④ 여러 개의 알맹이가 송알송알 달립니다.
⑤ 덩굴손이 버팀대를 돌돌 감으면서 자랍니다.

241003-0498

13 ㉠이 꾸며 주는 말은 무엇인가요? ( )

① 위에
② 걸까?
③ 떨어진
④ 나뭇잎이
⑤ 동글동글

241003-0499

14 개구리밥의 특징으로 알맞으면 ○표, 알맞지 <u>않으면</u> ×표를 하세요.

(1) 물 위에 떠서 자랍니다. ( )
(2) 개구리가 먹는 밥입니다. ( )
(3) 우수수 떨어져 연못 위에 떠다니는 것입니다. ( )
(4) 개구리가 물속에서 나올 때 입가에 밥풀처럼 붙는다고 개구리밥이라고 부릅니다. ( )

서술형　241003-0500

15 이 글에 나오는 꾸며 주는 말 중에서 하나를 골라 문장을 만들어 쓰세요.

(1) 꾸며 주는 말: ( )
(2) 만든 문장:

_____

_____

[16~19] 다음은 소율이가 겪은 일과 일기입니다. 물음에 답하세요.

| 20○○년 4월 23일 수요일 | 날씨: 화창하게 맑은 날 |

제목: ㉠두근두근 떨리는 달리기

  오늘 수업 시간에 달리기를 했다. 선생님께서 출발하는 방법과 빠르게 달리는 방법을 가르쳐 주셨다. 나는 달리기를 좋아해서 열심히 연습했다. 연습이 끝나고 세 명씩 달리기를 했다. 출발선에 서 있는데 너무 긴장되고 떨렸다. 그래도 용기를 내서 끝까지 달렸다. 반 친구들이 박수를 치며 달리기를 잘한다고 칭찬해 주었다. 기분이 참 좋았다.

241003-0501

16 소율이가 겪은 일이 <u>아닌</u> 것을 고르세요. (　　　)

① 달리기를 열심히 연습함.
② 수업 시간에 달리기를 함.
③ 긴장되고 떨려서 달리기를 포기함.
④ 반 친구들에게 달리기를 잘한다고 칭찬을 받음.
⑤ 선생님께 출발하는 방법과 빠르게 달리는 방법을 배움.

241003-0502

17 소율이는 **1**~**3** 중 어떤 일을 글감으로 하여 일기를 썼는지 번호를 쓰세요.

(　　　　　)

중요
18 241003-0503
소율이는 어떤 순서대로 일기를 썼는지 기호를 쓰세요.

| ㉮ 제목 | ㉯ 겪은 일 |
| ㉰ 날짜와 날씨 | ㉱ 생각이나 느낌 |

(　　　) – (　　　) – (　　　) – (　　　)

241003-0504

19 소율이가 ㉠과 같은 제목을 붙인 까닭을 바르게 짐작한 친구의 이름을 쓰세요.

주아: 하루 중 가장 먼저 한 일이고, 가장 기뻤던 일이라서 이런 제목을 붙였어.
도윤: 달리기를 한 일이 가장 인상 깊은 일이고, 그때의 마음이 무척 떨렸기 때문에 이런 제목을 붙였어.

(　　　　　　　)

241003-0505

20 일기의 제목을 붙이는 방법으로 알맞지 <u>않은</u> 것은 무엇인가요? (　　　)

① 중요한 일이나 인물을 제목으로 합니다.
② 생각이나 느낌을 넣어 제목을 붙입니다.
③ 일기의 내용을 대표할 만한 제목을 붙입니다.
④ 읽는 사람의 주의를 끌 만한 제목을 붙입니다.
⑤ 글을 쓴 사람이 누구인지 알아볼 수 있게 제목을 붙입니다.

❶ 겹받침을 바르게 읽고 쓰는 방법

● 대부분 앞 받침인 'ㄱ', 'ㄴ', 'ㅂ'으로 발음합니다.

• '몫', '넋'에서 받침 'ㄳ'은 'ㄱ'으로 발음합니다.

• '앉다', '얹다'에서 받침 'ㄵ'은 'ㄴ'으로 발음합니다.

• '끊다', '않다'에서 받침 'ㄶ'은 'ㄴ'으로 발음합니다.

• '가엾다', '없다'에서 받침 'ㅄ'은 'ㅂ'으로 발음합니다.

● 겹받침은 한 받침만 소리가 납니다.

● '앉다', '끊다'와 같이 '다'로 끝나는 낱말은 '타' 또는 '따'로 발음합니다.

● 예외적으로 다르게 발음되는 때도 있습니다.

❷ 시의 분위기 파악하는 방법

● 시를 읽고 떠오르는 장면을 몸짓으로 표현합니다.

● 시 속 인물에 대한 생각이나 느낌을 써 봅니다.

바람	예 신문지로 어린 민들레꽃에게 목도리를 해 주는 모습에서 엄마처럼 따뜻한 마음이 느껴졌습니다.
신문지	예 바람에 이끌려 던져지거나 굴려질 때, 그리고 구겨질 때는 속상한 마음이 느껴졌는데, 목도리가 될 때는 뿌듯한 마음이 느껴졌습니다.
민들레꽃	예 구석진 응달에 홀로 피어 있는 모습에서 안쓰러운 마음이 느껴졌습니다.

● 시의 분위기를 친구들과 이야기해 봅니다.

바람이 신문지로 어린 민들레꽃을 덮어 주는 장면에서 따뜻한 분위기가 느껴졌어.

바람이 골목을 뚜벅뚜벅 걸어 나가는 장면에서 당당한 분위기가 느껴졌어.

확인 문제 시의 분위기를 파악하는 방법으로 알맞은 것에 <u>모두</u> ○표를 하세요.

1 내가 느낀 시의 분위기만 맞다고 생각합니다.   (   )

2 시를 읽고 떠오르는 장면을 몸짓으로 표현합니다.   (   )

3 시 속 인물에 대한 생각이나 느낌을 나누어 봅니다.   (   )

정답 2. ○ 3. ○

학교 시험 만점왕

[01~03] 다음 시를 읽고, 물음에 답하세요.

ㄱ넓고 넓은 밤하늘엔
ㄴ누가 누가 잠자나.
하늘 나라 아기별이
깜박깜박 잠자지.

깊고 깊은 숲속에선
누가 누가 잠자나.
ㄷ산새 들새 모여 앉아
ㄹ꼬박꼬박 잠자지.

포근포근 엄마 품엔
누가 누가 잠자나.
우리 아기 예쁜 아기
새근새근 잠자지.

241003-0506
01 이 시를 주고받으며 읽은 것에 ○표를 하세요.

(1) 넓고 넓은 밤하늘엔 / 누가 누가 잠자나. — 하늘 나라 아기별이 / 깜박깜박 잠자지. ( )
(2) 깊고 깊은 숲속에선 / 누가 누가 잠자나. / 산새 들새 모여 앉아 / 꼬박꼬박 잠자지. ( )

241003-0507
02 ㄱ~ㄹ을 소리 내어 읽을 때 소리와 글자가 다른 낱말이 있는 것을 <u>두 가지</u> 찾아 기호를 쓰세요.

(,)

중요
241003-0508
03 이 시를 분위기에 알맞게 읽는 방법이 <u>아닌</u> 것에 ×표를 하세요.

(1) 엄마 품에 안긴 아기 그림을 보며 시의 분위기를 느껴 봅니다. ( )
(2) 한 글자 한 글자 딱딱하게 끊어 읽으며 분위기를 느껴 봅니다. ( )
(3) 자장가를 듣고 잠들었던 경험을 떠올려 노래하듯 읽으며 시의 분위기를 느껴 봅니다. ( )

정답과 해설 41쪽

4. 분위기를 살려 읽어요

241003-0509
04 ⑪, ⑭와 같이 낱말들을 나눈 기준으로 알맞은 것은 무엇인가요? ( )

⑪ 낚시, 있다   ⑭ 많다, 여덟, 몫

① 자음인지 모음인지
② 쌍받침인지 겹받침인지
③ 한 글자인지 두 글자인지
④ 받침이 한 개인지 두 개인지
⑤ 띄어쓰기를 하는지 하지 않는지

[05~06] 다음 보기의 낱말을 보고, 물음에 답하세요.

보기

맑다[막따]   밟다[밥따]   몫[목]
없다[업따]   끊다[끈타]   값[갑]

241003-0510
05 보기에 있는 낱말들의 뜻을 생각하며 알맞게 선으로 이으세요.

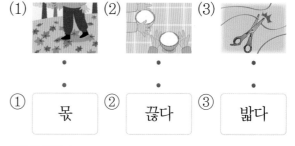

① 몫   ② 끊다   ③ 밟다

241003-0511
06 그림에 알맞은 낱말을 보기에서 찾아 쓰세요.

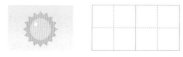

241003-0512
07 겹받침이 들어간 문장에 ○표를 하세요.

(1) 나는 사이 나쁜 친구가 없다. ( )
(2) 놀이터에서 친구들이 기다린다. ( )

4. 분위기를 살려 읽어요 **19**

[08~11] 다음 글을 읽고, 물음에 답하세요.

㉮ 바다에 있는 플라스틱 쓰레기 ⊙더미는 바다에서 물고기를 잡거나 기를 때 사용한 그물, ⓒ부표 따위가 모여서 만들어져요. 그리고 이 더미는 우리가 함부로 버리는 페트병, 물휴지, 과자 봉지 따위가 강을 거쳐 바다로 흘러들어 가서 점점 더 커진다고 해요.

㉯ 평소에 일회용 플라스틱을 덜 사용하거나 플라스틱을 재활용할 수 있도록 ⓒ분류해서 버려요. 일상생활에서 우리가 해야 할 ㉣몫을 찾아 함께 실천해요.

241003-0513

08 바다에 플라스틱 쓰레기 더미가 만들어져 점점 커지는 까닭을 두 가지 고르세요. (,)

① 물고기들이 많이 모여서
② 그물, 부표 따위가 모여서
③ 사람들이 재활용을 많이 해서
④ 이웃 섬에 사는 환경 단체들이 몰려와서
⑤ 함부로 버려진 페트병, 물휴지 등이 강을 거쳐 바다로 흘러들어 가서

241003-0514

09 ⊙~ⓒ 중 다음 뜻의 낱말을 찾아 기호를 쓰세요.

> 많은 물건이 한데 모여 쌓인 큰 덩어리.

( )

중요 241003-0515

10 ㉣을 소리 내어 바르게 읽은 것에 ○표를 하세요.

(1) [목쓸] ( ) (2) [목을] ( )

241003-0516

11 다음 문장을 자연스럽게 띄어 읽을 때 ∨를 잘못 표시한 부분은 어디인지 번호를 쓰세요.

> 일상생활에서①∨우리가 해야②∨할 ③∨몫을 찾아④∨함께 실천하도록 해요.

( )

[12~14] 다음 시를 읽고, 물음에 답하세요.

바람이 마루 위에 놓인
신문지 한 장을 끌고
슬그머니 골목으로 나간다.

훌훌훌, / 공중에 집어 던져서는
데굴데굴 길거리에 굴려서는
구깃구깃 구겨서는

골목, / 구석진 응달로 찾아가
달달달 떠는 / 어린 민들레꽃에게
쓱, 목도리를 해 준다.

그리고는 / 힘내렴!
딱 그 말만 하고
골목을 걸어 나간다, 뚜벅뚜벅.

241003-0517

12 골목에 있던 신문지는 무엇이 되었는지 쓰세요.

민들레꽃의 ( )

서술형 241003-0518

13 시에 나오는 '신문지'에 대한 자신의 생각이나 느낌을 쓰세요.

_____

중요 241003-0519

14 시의 장면에 어울리는 분위기로 서로 관련 있는 것끼리 선으로 이으세요.

(1) 바람이 골목을 뚜벅뚜벅 걸어 나가는 장면	•	• ①	당당한 분위기
(2) 바람이 신문지로 어린 민들레꽃을 덮어 주는 장면	•	• ②	따뜻한 분위기

[15~18] 다음 시를 읽고, 물음에 답하세요.

나는 오늘이 좋아.

오늘 아침 일찍 새들이
나를 깨워 주었고, / 저것 봐!
오늘은 좋은 일이 많을 거야.
해가 함빡 웃잖아.

오늘 학교에서는
선생님 질문에
자신 있게
대답할 수 있을 거야.

입에서 절로 휘파람이 나오는
즐거운 오늘.

안녕! 즐겁게 만날 친구도 많고
야호! 신나게 할 일도 많은

나는 오늘이 좋아.

241003-0520
15 이 시와 관련 있는 경험으로 알맞은 것은 무엇인가요? (   )

① 길을 가다가 넘어진 경험
② 학교에서 친구들과 다툰 경험
③ 부모님께 꾸중을 들었던 경험
④ 화창한 날씨로 기분이 좋았던 경험
⑤ 놀이공원에서 길을 잃어버렸던 경험

중요
241003-0521
16 이 시의 분위기로 알맞은 것은 무엇인가요?
(   )

① 어둡고 슬픈 분위기
② 즐겁고 신나는 분위기
③ 바쁘고 다급한 분위기
④ 조용하고 평화로운 분위기
⑤ 두근거리고 긴장되는 분위기

241003-0522
17 '나'의 마음에 알맞은 표정을 그려 보세요.

241003-0523
18 기분 좋았던 하루를 떠올려 시의   부분을 알맞게 바꾼 것에 ○표를 하세요.

(1)
오늘 학교에서는
친구들과
신나게
놀 수 있을 거야.
(   )

(2)
오늘 학교에서는
아파서
보건실에
누워 있을 거야.
(   )

241003-0524
19 다음 낱말을 바르게 읽은 것은 무엇인가요?
(   )

① 앉다 - [안타]   ② 많다 - [만다]
③ 없다 - [업타]   ④ 걷다 - [걷따]
⑤ 가엾다 - [가엽타]

241003-0525
20 다음 문장에서 겹받침이 들어간 낱말을 찾아 번호를 쓰고, 그 낱말을 소리 나는 대로 쓰세요.

발표가 끝나서 자리에 앉다.
  ①   ②   ③   ④

(1) 겹받침이 들어간 낱말: (   )
(2) 소리 나는 대로 쓰기: [   ]

❶ 인물의 마음 짐작해 보기

● 인물에게 있었던 일을 정리해 봅니다.

| 자전거 타는 연습을 하기 위해 아빠와 함께 놀이터로 나감. | ➡ | 소영이는 아빠와 놀이터에서 자전거를 타는 연습을 열심히 함. | ➡ | 혼자서 자전거를 타게 됨. |

● 인물의 말이나 행동에 드러난 마음을 짐작해 봅니다.

말이나 행동		짐작할 수 있는 마음
"엄마, 일주일이 너무 짧은 것 같아요."	➡	콩이와 헤어지기 아쉬운 마음

❷ 의미가 드러나게 띄어 읽기

● '누가(무엇이)' 다음에 조금 쉬어(∨) 읽습니다.

(예) 또야 것이∨안 남았네요.

● 문장이 너무 길면 문장의 뜻을 생각하며 한 번 더 쉬어(∨) 읽습니다. 예를 들어 '누구를(무엇을)' 뒤에서 조금 쉬어(∨) 읽습니다.

(예) 애들은∨삶은 밤을∨까먹기 시작했어요.

● ⩔(겹쐐기표)는 ∨(쐐기표)보다 조금 더 쉬어 읽습니다. 문장과 문장 사이에서는 조금 더 쉬어(⩔) 읽습니다.

(예) 또야 것이∨안 남았네요.⩔애들은∨삶은 밤을∨까먹기 시작했어요.

확인 문제 인물의 마음을 짐작하는 방법으로 알맞은 것에 모두 ○표를 하세요.

1 인물에게 있었던 일을 정리합니다. ( )
2 인물의 주변에는 어떤 사람들이 있는 살펴봅니다. ( )
3 인물의 말이나 행동에 드러난 마음을 짐작해 봅니다. ( )

정답 1. ○ 3. ○

학교 시험 만점왕

5. 마음을 짐작해요

[01~02] 다음 글을 읽고, 물음에 답하세요.

> 행복①요정이②오솔길을 가는데③시끌벅
> 적한 소리가④들렸어요.
> "오소리야! 이게 얼마 만이야! 반갑다, 반가워!"
> "너구리야! 반갑다, 정말 반가워!"

241003-0526

01 밑줄 그은 부분을 읽을 때 자연스럽게 띄어 읽어야 할 곳이 <u>아닌</u> 것의 번호를 쓰세요.

(   )

241003-0527

02 오소리와 너구리의 마음으로 알맞은 것을 <u>두 가지</u> 고르세요. (,   )

① 반가운 마음   ② 행복한 마음
③ 미안한 마음   ④ 불안한 마음
⑤ 부끄러운 마음

[03~05] 다음 글을 읽고, 물음에 답하세요.

> 나는 너무 힘들었다. 그래도 자전거 타는 방법을 빨리 배우고 싶은 마음에 열심히 연습했다.
> "어? 된다, 된다! 소영아, 잘하고 있어!"
> 아빠의 칭찬이 끝나자마자 나는 또 넘어지고 말았다. 아빠는 내가 다칠까 봐 걱정하시며 내일 다시 연습하자고 하셨다. 하지만 왠지 오늘은 꼭 성공할 것 같은 느낌이 들었다. 나는 다시 페달을 힘차게 밟았다.
> 한참을 집중하며 타다 보니 저 멀리서 아빠가 달려오는 모습이 보였다.
> "우아, 제가 지금 혼자 타고 있는 거예요?"
> "그럼, 아까부터 그랬단다."

241003-0528

03 소영이가 자전거 타는 연습을 할 때 아빠께서 하신 일은 무엇인가요? (   )

① 공원 주변을 산책하셨습니다.
② 도와주고 칭찬해 주셨습니다.
③ 고장 난 페달을 고치셨습니다.
④ 아빠도 함께 자전거를 탔습니다.
⑤ 정신이 번쩍 들게 꾸짖으셨습니다.

중요
241003-0529

04 소영이가 겪은 일 중에서 가장 마지막에 있었던 일은 무엇인가요? (   )

① 아빠께 꾸중을 들었습니다.
② 아빠와 자전거를 타기로 하였습니다.
③ 자전거를 탄 후 공원을 산책했습니다.
④ 자전거를 혼자 탈 수 있게 되었습니다.
⑤ 자전거 타는 방법을 빨리 배우고 싶었습니다.

서술형
241003-0530

05 이 글에서 인물의 마음이 드러난 말이나 행동을 찾고, 그때 인물의 마음을 짐작하여 쓰세요.

(1) 인물의 마음이 드러난 부분: _____

_____

_____

(2) 그때의 마음: _____

_____

_____

[06~10] 다음 글을 읽고, 물음에 답하세요.

(가) "일주일만 우리 콩이 좀 잘 돌봐 줘."

휴대 전화 너머로 할머니 목소리가 들렸어요. 콩이는 할머니께서 키우시는 강아지예요. 할머니께서 일주일 동안 여행을 떠나시게 되어 그동안 우리 집에서 콩이를 돌보기로 했어요. '야호! 할머니 댁에서만 볼 수 있었던 콩이를 우리 집에서 돌보게 된다니!'

(나) 콩이는 신났는지 점점 더 꼬리를 힘차게 흔들었어요. 서로 공을 주고받으면서 나는 콩이와 꽤 친해진 기분이 들었어요.

(다) 어느새 콩이가 우리 집에서 지내는 마지막 날이 되었어요. 나는 아침부터 너무 슬펐어요. ㉠"엄마, 일주일이 너무 짧은 것 같아요." 나는 눈물이 날 것만 같았어요. / "띵동!" 초인종 소리가 울리고 할머니께서 오셨어요. 콩이는 할머니를 보자 반갑게 꼬리를 흔들며 현관문 앞으로 달려갔어요. 할머니께서는 그동안 콩이를 잘 돌봐 주어서 정말 고맙다고 말씀하셨어요. 나는 무척 아쉬웠지만 콩이와 작별 인사를 나누었어요.

241003-0531

06 할머니 댁 강아지의 이름을 쓰세요.

(   )

241003-0532

07 ㉠처럼 말한 까닭으로 알맞은 것은 무엇인가요? (   )

① 콩이와 헤어지기 아쉬워서
② 할머니 댁을 떠나기 싫어서
③ 학교생활이 너무 재미있어서
④ 할머니와 함께한 여행이 좋아서
⑤ 일주일 동안 공놀이를 하느라 바빠서

서술형 241003-0533

08 글 (가)~(다)를 차례대로 정리할 때 빈칸에 들어갈 알맞은 내용을 쓰세요.

> (가) 할머니께서 일주일 동안 콩이를 돌봐 달라고 하셨습니다.

⬇

> (나) _____
> _____

⬇

> (다) 콩이와 작별 인사를 나누었습니다.

241003-0534

09 할머니의 고마운 마음을 알 수 있는 부분에 ○표를 하세요.

(1) "일주일만 우리 콩이 좀 잘 돌봐 줘." (   )
(2) 초인종 소리가 울리고 할머니께서 오셨어요. (   )
(3) 할머니께서는 그동안 콩이를 잘 돌봐 주어서 정말 고맙다고 말씀하셨어요. (   )

중요 241003-0535

10 '나'의 말이나 행동에 드러난 마음을 찾아 선으로 이으세요.

(1) 나는 눈물이 날 것만 같았어요.	·	· ①	아쉬운 마음
(2) '야호! 할머니 댁에서만 볼 수 있었던 콩이를 우리 집에서 돌보게 된다니!'	·	· ②	설레는 마음

[11~12] 다음 글을 읽고, 물음에 답하세요.

> 고마운 윤아에게
> 윤아야, 안녕? 난 2학년 1반 김예린이야.
> 어제 학교를 마치고 집에 가는 길에 넘어진 나를 네가 도와주었잖아.
> 사실 어제는 삼촌이 오시기로 한 날이라 마음이 들떠 있었어. 그래서 자꾸만 걸음이 빨라졌지 뭐니? 그러다 쾅당 넘어진 거야. 다친 무릎이 아파서 눈물이 핑 돌았지.
> 그런데 갑자기 네가 나타나서 "괜찮니?" 하며 날 일으켜 주었잖아. / 어제는 너무 당황해서 고맙다는 말을 제대로 못 했어.
> 윤아야, 그때 도와줘서 정말 고마워.
> 우리 앞으로 더 친하게 지내자.

241003-0536

11 편지 속에 담긴 윤아에 대한 예린이의 마음으로 알맞은 것은 무엇인가요? ( )

① 고마운 마음
② 미안한 마음
③ 얄미운 마음
④ 부러운 마음
⑤ 짜증스러운 마음

241003-0537

12 파란색으로 쓴 낱말에 주의하며 글을 읽어야 하는 까닭에 대한 설명으로 ㉠과 ㉡에 알맞은 낱말은 무엇인가요? ( )

> ㉠ 은/는 같지만 ㉡ 이/가 달라서 낱말을 헷갈리면 친구가 전한 마음을 파악하기 어렵기 때문입니다.

	㉠	㉡		㉠	㉡
①	뜻	소리	②	뜻	글자 수
③	소리	뜻	④	소리	글자 수
⑤	글자 수	소리			

중요 241003-0538
13 그림에 어울리는 낱말에 ○표를 하세요.

(1)

① 늘이다   ② 느리다
( )   ( )

(2)
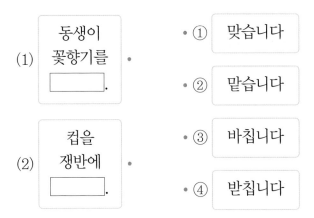

① 붙이다   ② 부치다
( )   ( )

241003-0539

14 왼쪽의 문장을 완성하려고 할 때 빈칸에 알맞은 낱말을 선으로 이으세요.

(1) 동생이 꽃향기를 ▢ .   • ① 맞습니다
                            • ② 맡습니다
(2) 컵을 쟁반에 ▢ .   • ③ 바칩니다
                            • ④ 받칩니다

241003-0540

15 다음 문장에 알맞은 낱말을 골라 ○표를 하세요.

(1) 옷에 묻은 (떼 , 때)가 깨끗이 지워졌습니다.
(2) 나는 내 꿈을 (반듯이 , 반드시) 이루고 싶습니다.

[16~20] 다음 글을 읽고, 물음에 답하세요.

(가) 또야네 엄마가 삶은 밤 다섯 개를 또야한 테 주면서, / "가지고 나가 동무들하고 나눠 먹어라." / 그랬어요. / 또야 너구리는 좋아 라 밤 다섯 개를 가지고 밖으로 나갔어요.

(나) 코야 한 개, 후야 한 개, 차야 한 개, 찌야 한 개, 뽀야 한 개. / 에계계, 그리고 나니 밤 다섯 개 다 줘 버렸어요.

또야 것이 안 남았네요.

애들은 삶은 밤을 까먹기 시작했어요.

또야는 애들이 맛있게 먹는 걸 바라보다가 그만, / ㉠"으앙!" / 하고 울어 버렸어요.

㉡애들은 눈이 휘둥그레져서 또야를 봤어 요. 알고 보니 삶은 밤 다섯 개 다 나눠 주고 또야는 빈손이었지요.

(다) "애들아, 왜 우니?"

"또야 밤 우리가 다 먹었어요."

코야가 울음을 그치고 얼른 대답했어요.

또야네 엄마는 웃음이 나왔어요. 얼른 앞치 마 주머니에서 삶은 밤 한 개를 꺼내었어요.

똥그란 삶은 밤 한 개가 또야 손에 쥐어졌 어요. / 또야는 울던 울음을 그쳤어요.

241003-0541

16 또야가 ㉠처럼 행동한 까닭을 쓰세요.

( )

241003-0542

17 ㉡을 통해 짐작할 수 있는 친구들의 마음은 무 엇인가요? ( )

① 놀란 마음   ② 설레는 마음

③ 외로운 마음   ④ 뿌듯한 마음

⑤ 감동받은 마음

241003-0543

18 글 (가)~(다)에서 또야의 마음으로 알맞은 것을 선으로 이으세요.

(1) 글 (가) •   • ① 기쁜 마음

(2) 글 (나) •   • ② 속상한 마음

(3) 글 (다) •   • ③ 위로받은 마음

241003-0544

19 이 글 속 인물에게 하고 싶은 말을 잘못 말한 친구의 이름을 쓰세요.

선영: 또야야, 친구들에게 삶은 밤을 나누 어 줄 때 어떤 기분이었어?

지훈: 또야 친구들아, 또야가 우는 모습을 보고 어떤 생각이 들었어?

정민: 또야 어머니, 또야와 친구들의 우는 소리가 들렸을 때 화가 나셨겠어요.

( )

중요

241003-0545

20 다음 글을 띄어 읽는 방법에 대한 설명으로 알 맞은 것 두 가지에 ○표를 하세요.

코야가∨울음을 그치고∨얼른 대답했어 요.∨∨또야네 엄마는∨웃음이 나왔어요.

(1) '누가(무엇이)' 다음에 조금 쉬어 읽습 니다. ( )

(2) 문장과 문장 사이에 조금 더 쉬어 읽습 니다. ( )

(3) 문장이 너무 길면 문장의 뜻을 생각하 며 한 번에 쉬지 않고 읽습니다. ( )

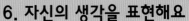

❶ **글을 읽고 중요한 내용을 찾는 방법**

● 글의 제목이 무엇인지 찾습니다.

  예 「나무뿌리는 무슨 일을 할까」

● 글쓴이가 이 글에서 알려 주고 싶은 것은 무엇인지 생각해 봅니다.

  예 '나무뿌리'가 어떤 일을 하는지 알려 주고 싶어 합니다.

● 글의 내용을 모두 몇 가지로 나누어 설명하고 있는지 살펴봅니다.

  예

```
                    나무뿌리가 하는 일
    ┌───────────────────┼───────────────────┐
```

나무뿌리는 땅속에서 나무가 흔들리지 않게 잡아 줍니다.	나무는 필요한 물과 영양분을 뿌리를 이용해 흙에서 얻습니다.	나무뿌리는 잎에서 만들어진 영양분을 모아 두기도 합니다.

❷ **글을 읽고 인물의 생각과 그 까닭을 찾는 방법**

● 인물의 생각과 그 까닭은 주로 인물의 말에서 찾습니다.
  인물의 생각을 찾을 때에는 그 까닭도 함께 찾음.

  예

  아빠   얘들아, 아빠는 시골에 있는 친척 집에 가면 좋겠어. 오랜만에 친척들을 만나면 반가울 거야.

인물	가고 싶은 곳	가고 싶은 까닭
아빠	시골 친척 집	오랜만에 친척들을 만나면 반가워서

● 인물의 말 이외에 인물의 생각을 나타내는 부분이나 인물의 행동, 표정 등에서도 찾을 수 있습니다.

● 인물의 말에서 생각을 찾고 그다음 말에서 생각에 대한 좋은 점, 옳은 점 등의 뒷받침하는 내용이 나온 부분에서 까닭을 찾습니다.

확인 문제   **글을 읽고 중요한 내용을 찾는 방법으로 알맞은 것에 모두 ○표를 하세요.**

1 글의 제목이 무엇인지 찾습니다.   (   )

2 글이 짧은 글인지 긴 글인지 살펴봅니다.   (   )

3 글쓴이가 알려 주고 싶은 것은 무엇인지 생각해 봅니다.   (   )

정답 1. ○ 3. ○

6. 자신의 생각을 표현해요

[01~04] 다음 광고를 보고, 물음에 답하세요.

241003-0546

01 무엇에 관한 광고인가요? ( )

① 안전   ② 위생   ③ 배려
④ 인사   ⑤ 표정

241003-0547

02 장면 2에서 유모차와 함께 타는 아이 엄마가 편하게 타기를 바라는 마음에서 한 행동을 쓰세요.

( )

241003-0548

03 이 광고가 전달하고자 하는 내용으로 알맞은 것에 ○표를 하세요.

(1) 서로 배려하면서 살자.   ( )

(2) 나를 위해 더 많이 배려하자.   ( )

241003-0549

04 이 광고를 보며 들었던 자신의 생각이나 느낌을 바르게 말한 친구의 이름을 쓰세요.

> 현수: 다른 사람들을 배려하는 모습이 보기 좋았어.
> 미혜: 배려받는 사람들은 당연하다고 느낄 것 같아.

( )

[05~07] 다음 글을 읽고, 물음에 답하세요.

> 먼저, 줄넘기를 하면 몸이 튼튼해집니다. 줄넘기는 몸 전체를 움직여서 하는 운동이기 때문입니다. 줄넘기를 하면 심장, 뼈 따위가 튼튼해지고 몸에 근육이 더 많아집니다.
> 다음으로, 줄넘기를 친구들과 재미있게 할 수 있습니다. 줄넘기를 동작을 바꿔 가며 뛸 수 있고 여러 명이 함께 모여 뛸 수도 있어서 지루하지 않게 운동할 수 있습니다.
> 마지막으로, 줄넘기는 언제 어디서나 손쉽게 할 수 있는 운동입니다. 줄넘기는 간단한 도구인 줄과 줄넘기를 할 수 있는 작은 공간만 있으면 언제든지 할 수 있기 때문입니다.

241003-0550

05 이 글의 제목은 무엇인가요? ( )

① 줄넘기의 좋은 점
② 줄넘기를 했던 경험
③ 근육을 사용하는 운동
④ 줄넘기를 할 때 주의할 점
⑤ 몸의 균형을 맞추기 위한 운동

241003-0551

06 줄넘기를 할 때 튼튼해지는 것은 무엇인지 쓰세요.

( )

중요 241003-0552

07 이 글의 중요한 내용을 정리한 것으로 알맞지 **않은** 것에 ×표를 하세요.

(1) 줄넘기는 줄이 필요합니다.   ( )

(2) 줄넘기를 하면 몸이 튼튼해집니다. ( )

(3) 줄넘기는 친구들과 재미있게 할 수 있습니다.   ( )

[08~11] 다음 글을 읽고, 물음에 답하세요.

> ㉠나무는 필요한 물과 영양분을 뿌리를 이용해 흙에서 얻습니다. 우리가 물과 음식을 먹으며 자라듯이 나무가 자라는 데에도 물과 영양분이 필요합니다. ㉡뿌리는 마치 빨대처럼 흙에서 물과 영양분을 빨아들여서 줄기를 거쳐 잎까지 전달합니다.
>
> ㉢나무뿌리는 잎에서 만들어진 영양분을 모아 두기도 합니다. ㉣나무뿌리는 나무에 필요한 영양분을 저장하기 때문에 굵고 통통한 모양으로 자라게 됩니다.

241003-0553

08 나무뿌리가 저장하는 영양분은 어디에서 만들어지는지 쓰세요.

(   )

241003-0554

09 다음 뜻에 알맞은 낱말을 찾아 <u>두 글자</u>로 쓰세요.

> 물건 따위를 잘 모아서 간직함.

(   )

241003-0555

10 이 글의 중요한 내용을 찾는 방법을 <u>잘못</u> 말한 친구의 이름을 쓰세요.

> 은미: 이 글의 제목을 통해 알 수 있는 것은 무엇일까?
>
> 혜숙: 나무뿌리뿐만 아니라 줄기가 하는 일은 무엇일까?

(   )

241003-0556

11 ㉠~㉣ 중에서 중요한 내용에 해당하는 문장을 <u>두 가지</u> 골라 기호를 쓰세요.

(,   )

[12~13] 다음 글을 읽고, 물음에 답하세요.

> ㉮ 수연이네 가족은 이번 여름 방학에 가족여행을 가려고 합니다. 그래서 가족이 함께 모여 여름 방학에 여행 갈 곳을 정하기로 했습니다.
>
> ㉯ **수연:** 저는 산도 좋지만 바다에 가고 싶어요. 바다에서는 수영도 할 수 있고 모래놀이도 할 수 있어요.
>
> ㉰ **수진:** 저는 산이나 바다도 좋지만 이번에는 꼭 놀이공원에 가고 싶어요. 지난번에 갔을 때에는 사람이 너무 많아서 놀이기구를 많이 못 탔거든요. 얼마나 아쉬웠는지 몰라요. 이번에는 꼭 지난번에 못 탄 놀이기구를 모두 타고 싶어요.

241003-0557

12 수연이네는 여름 방학에 갈 가족여행 장소를 어떻게 정하기로 했는지 쓰세요.

(   )

서술형

13 이 글을 읽고 수연이와 수진이가 가고 싶은 곳과 그 까닭은 무엇인지 각각 쓰세요.

241003-0558

인물	가고 싶은 곳	가고 싶은 까닭
수연	(1)	(2)
수진	(3)	(4)

중요

14 다음 빈칸에 들어갈 알맞은 낱말을 쓰세요.

241003-0559

> 인물의 생각은 인물이 한 말에서 찾을 수 있고, 인물의 생각을 찾을 때에는 그렇게 생각한 □□도 함께 찾습니다.

(   )

[15~18] 다음 글을 읽고, 물음에 답하세요.

(개) 아기 곰도 자리에서 일어나 말했습니다.
"저는 나이는 어리지만 지구를 무척 사랑해요. 만약 제가 별나라에 가게 된다면 지구가 얼마나 아름답고 살기 좋은 곳인지 알려 주겠어요. 지구를 사랑하는 마음보다 더 중요한 것이 있을까요?"

(내) 원숭이도 일어나서 말했습니다.
"저는 별나라에서 보고 들은 일을 여러분께 생생하게 전할 수 있어요. 별나라가 어떤 곳인지 궁금해하는 친구가 많잖아요? 그곳의 모습을 잘 전할 수 있는 제가 지구의 대표가 되어야 합니다."

(대) 어떤 동물이 지구를 대표해 별나라에 가면 좋을까요?

중요
15 241003-0560
동물들은 무엇에 대해 의논하고 있나요? ( )

① 지구 여행을 많이 한 동물 뽑기
② 별나라에서 오래 살기 위한 조건
③ 아기 곰과 친해질 수 있는 방법 찾기
④ 거북 할아버지 댁에 초대할 동물 뽑기
⑤ 별나라에 갈 지구를 대표할 동물 뽑기

16 241003-0561
아기 곰이 별나라에 가는 동물에게 가장 중요하다고 말한 것은 무엇인지 쓰세요.

( )

17 241003-0562
역할을 나누어 이 글을 소리 내어 읽을 때 원숭이 역할에 알맞은 목소리에 ○표를 하세요.

(1) 발랄하면서 간절한 목소리 ( )
(2) 무관심하고 툴툴대는 목소리 ( )

18 241003-0563
이 글을 읽고 별나라에 보낼 편지에 들어갈 내용으로 알맞지 <u>않은</u> 것은 무엇인지 보기에서 골라 기호를 쓰세요.

보기
㉮ 우주에 대한 소개
㉯ 초대에 대한 감사 인사
㉰ 대표로 뽑힌 동물과 그 까닭

( )

[19~20] 다음 글을 읽고, 물음에 답하세요.

배를 타고 강 한가운데쯤 왔을 때, 아우는 갑자기 금덩이를 강물 속으로 휙 던져 버렸습니다. 형은 눈이 휘둥그레졌습니다.
"아우야, 그 귀한 금덩이를 왜 버렸니?"
그러자 아우가 대답했습니다.
"금덩이를 갖고 나서부터 자꾸 형님이 미워지고 더 욕심이 나서 버렸습니다. 저에게는 형님이 더 소중해요."
이 말을 듣고 보니 형도 부끄러워져서 금덩이를 강물 속에 던져 버렸습니다. 그 뒤로 형제는 이전보다 더 우애가 깊어졌습니다.

19 241003-0564
배를 타고 가던 아우가 갑자기 한 행동은 무엇인지 쓰세요.

( )

서술형
20 241003-0565
이 글을 읽고 어떤 생각이 들었는지 까닭과 함께 쓰세요.

(1) 생각	
(2) 까닭	

❶ 자신의 경험 말하기

- 한 일, 본 일, 들은 것을 정리합니다.

  ㉦ 나는 지난주 토요일에 친구들과 축구를 했는데, 내가 골을 넣었어.

- 그때의 생각이나 느낌이 어땠는지 떠올립니다.

  ㉦ 내가 골을 넣어서 우리 팀이 이기게 되어 정말 기뻤어.

- 정리한 내용을 바탕으로 친구들을 바라보며 말합니다.

> 친구들 앞에서 발표할 때는 어떻게 해야 하지?

> 바른 자세로 친구들을 바라보며 말해야 해. 그리고 알맞은 크기의 목소리로 말해야 해.

❷ 주변 사람에게 고운 말로 자신의 마음 전하기

- 고운 말을 전하고 싶은 주변 사람을 떠올립니다.

  ㉦ 담임 선생님

- 전하고 싶은 마음, 전하고 싶은 까닭, 전하고 싶은 고운 말을 정리해 봅니다.

  ㉦ 재미있는 이야기도 해 주시고 모르는 것들도 잘 알려 주셔서 고마운 마음을 전하고 싶어.

- 정리한 내용을 바탕으로 전하고 싶은 마음을 담은 쪽지를 씁니다.

  > ㉦ 담임 선생님께
  >
  > 선생님 안녕하세요? 저는 조민찬이에요. 선생님께서 재밌는 이야기도 해 주시고 모르는 것들도 잘 알려 주셔서 고맙습니다. 선생님 덕분에 학교에 오는 게 정말 즐거워요.

확인 문제 **다음 중 알맞은 내용에 ○표를 하세요.**

1 한 일, 본 일, 들은 일, 그리고 그에 대한 생각이나 느낌을 경험이라고 합니다.   (   )

2 자신의 경험을 말할 때는 선생님이 경험한 일이나 친구의 생각이나 느낌을 말합니다.   (   )

3 친구들 앞에서 발표할 때는 친구의 눈을 바라보지 않고 말합니다.   (   )

정답 1. ○

[01~05] 지우가 겪은 일을 쓴 다음 글을 읽고, 물음에 답하세요.

오늘 나는 아빠와 함께 문구점에 가려고 승강기를 탔다. 그런데 승강기 문이 열리자마자 작고 귀여운 토끼가 그려진 머리핀이 보였다. 나는 아빠에게 누가 머리핀을 잃어버린 것 같다고 이야기했다. 아빠는 머리핀을 잃어버린 사람이 우리 아파트에 사는 사람 가운데 한 명일 거라고 하셨다. 아빠의 말씀을 들으니, 머리핀을 잃어버리고 속상해하고 있을 누군가의 모습이 떠올랐다. 나도 얼마 전 승강기에서 아끼는 우산을 잃어버렸을 때 무척 속상했기 때문이다.

나는 아빠에게 머리핀의 주인을 찾아 주고 싶다고 이야기했다. 그런데 도무지 머리핀 주인을 찾을 방법이 떠오르지 않았다. 그때 승강기에 붙은 전단지가 눈에 띄었다. 나는 머리핀 주인을 찾는 안내문을 붙이면 주인을 찾을 수 있을 것 같다는 생각이 들었다.

나는 문구점에서 예쁜 색 도화지를 사서 집으로 돌아왔다. 집에서 사인펜으로 '머리핀 주인을 찾습니다.'라고 크게 쓴 안내문을 만들고 승강기에 붙였다. 빨리 머리핀 주인이 이 안내문을 봤으면 좋겠다고 생각했다.

241003-0566

01 지우가 머리핀을 발견한 곳은 어디인지 글에서 찾아 쓰세요.

(   )

241003-0567

02 아빠는 머리핀을 보고 뭐라고 말씀하셨는지 알맞은 것에 ○표를 하세요.

(1) 누가 버리고 간 것이다. (   )

(2) 우리 아파트에 사는 사람이 잃어버린 것이다. (   )

241003-0568

03 지우가 머리핀을 보고 떠올린 경험은 무엇인가요? (   )

① 승강기에서 전단지를 봤던 경험

② 아끼던 머리핀을 잃어버렸던 경험

③ 친구 생일 선물로 머리핀을 줬던 경험

④ 갖고 싶었던 머리핀을 선물받았던 경험

⑤ 승강기에서 아끼던 우산을 잃어버렸던 경험

241003-0569

04 지우는 안내문에 뭐라고 썼는지 글에서 찾아 쓰세요.

(   )

중요
241003-0570

05 지우는 머리핀 주인의 마음이 어떨 것이라고 짐작했나요? (   )

① 즐거울 것입니다.

② 속상할 것입니다.

③ 지루할 것입니다.

④ 두려울 것입니다.

⑤ 재미있을 것입니다.

중요
06 241003-0571
자신의 경험을 떠올리며 이야기를 듣는 방법을 <u>잘못</u> 말한 친구의 이름을 쓰세요.

> 동원: 이야기 속 인물에게 어떤 일이 있었는지 살펴봐야 해.
> 지안: 이야기 속 인물의 경험과 나의 경험을 비교하면서 듣는 것이 좋아.
> 현민: 이야기 속 인물의 경험과 비슷한 경험을 한 친구가 누구인지 떠올리며 들어야 해.

(   )

07 241003-0572
나의 경험을 친구들에게 발표하기 위해 떠올려야 할 내용에 <u>모두</u> ○표를 하세요.

(1) 내가 겪은 일   (   )
(2) 친구가 겪은 일   (   )
(3) 일이 있었던 때와 장소   (   )
(4) 그때 나의 생각이나 느낌 (   )

[08~10] 다음 그림을 보고, 물음에 답하세요.

> 너 때문에 그림을 망쳤잖아. 앞을 잘 보고 다녀야지.

> 그림을 망쳐서 많이 화가 났구나. 미안해. 가방이 걸려 있는 줄 몰랐어.

08 241003-0573
여자아이에게 어떤 일이 있었나요? (   )

① 친구와 싸웠습니다.
② 다퉜던 친구와 화해했습니다.
③ 친구에게 거짓말을 했습니다.
④ 친구의 물건을 잃어버렸습니다.
⑤ 실수로 친구의 작품을 망쳤습니다.

09 241003-0574
남자아이의 마음으로 알맞은 것은 무엇인가요?
(   )

① 화난 마음
② 즐거운 마음
③ 미안한 마음
④ 지겨운 마음
⑤ 자랑스러운 마음

서술형
10 241003-0575
남자아이가 상대의 마음을 생각하며 여자아이에게 고운 말로 어떻게 말하면 좋을지 쓰세요.

_____

_____

[11~15] 다음 글을 읽고, 물음에 답하세요.

조용하던 연못에 천둥소리가 요란하게 울려 퍼졌습니다. 그러더니 굵은 빗방울이 쏟아졌습니다. 비는 며칠 동안이나 그치지 않고 계속 내렸습니다.

그렇게 며칠이 지났습니다. 드디어 비가 그치고 나뭇가지 사이로 밝은 햇살이 비쳐 들었습니다. 나뭇가지에 매달린 물방울도 햇살을 받아 　ㄱ　 빛나고 있었습니다.

"어유, 혼났네! 무슨 비가 그렇게 많이 온담?"

잉어가 환하게 웃으며 말했습니다.

"잉어야, 안녕? 너도 무사했구나."

붕어가 입을 벙긋거리며 인사했습니다.

"응, 정말 다행이야. 그런데 ㄴ저 친구는 누구지?"

ㄷ잉어가 가리키는 곳을 보니 ㄹ낯선 물고기가 헤엄쳐 오고 있었습니다. ㅁ그 물고기는 험상궂게 생긴 데다가 입은 옆으로 길게 찢어져 있었습니다. 그리고 입 양쪽에는 긴 수염도 나 있었습니다.

험상궂은 모습을 본 물고기들은 슬금슬금 피하기 시작했습니다.

"안녕? 나는 메기란다. 이번 비로 내가 살던 강이 넘쳐 이 연못에 들어오게 되었지. 앞으로 잘 지내자."

메기는 쉰 목소리로 자기를 소개했습니다. 모습만 보고 겁을 먹었던 잉어와 붕어는 메기의 말을 듣고 안심하게 되었습니다.

241003-0576

11 ㄱ에 들어갈 알맞은 말은 무엇인가요? (　　)

① 부슬부슬　② 반짝반짝　③ 살랑살랑
④ 살금살금　⑤ 데굴데굴

241003-0577

12 ㄴ~ㅁ 중에서 가리키는 것이 다른 것의 기호를 쓰세요.

(　　　　　)

241003-0578

13 이 글에 나타난 메기의 생김새로 알맞은 것에 ○표를 하세요.

(1) 눈이 작고, 입이 아주 컸습니다. (　　)
(2) 입이 옆으로 길게 찢어져 있었습니다.

(　　)

241003-0579

14 물고기들이 메기를 피한 까닭으로 알맞은 것을 골라 기호를 쓰세요.

ㄱ 목소리가 쉬어서
ㄴ 말을 하지 않아서
ㄷ 험상궂은 모습이어서

(　　　　　)

중요

15 **241003-0580**

메기는 물고기들에게 뭐라고 인사하였나요?

(　　)

① "고마워."
② "미안해."
③ "잘 부탁해."
④ "안녕히 계세요."
⑤ "앞으로 잘 지내자."

[16~19] 다음 글을 읽고, 물음에 답하세요.

연못에 갑자기 큰일이 일어났습니다. 물장군들이 나타나 붕어와 잉어의 몸에 달라붙어서 떨어지지 않았습니다.

"아야, 아야!"

"아이, 따가워!"

붕어와 잉어는 소리쳤습니다.

"누가 좀 도와주세요!"

그러나 아무리 소리쳐도 소용이 없었습니다. 물장군들을 보자, 다른 물고기들도 도망치기에 바빴기 때문이었습니다.

그때, 메기가 나타났습니다.

메기는 물고기들 곁으로 다가갔습니다. 그리고 물살을 일으켜 물장군들을 모두 쫓아 버렸습니다.

"메기야, 고마워."

물고기들은 진심으로 고맙다는 인사를 했습니다.

"고맙긴 뭘……."

메기는 ⏃ㄱ⏃ 웃으며 말했습니다. 메기가 웃는 모습이 더 정답게 느껴졌습니다.

16 241003-0581

물장군들은 붕어와 잉어에게 어떻게 하였나요? (　　)

① 장난을 치며 놀렸습니다.

② 먹을 것을 빼앗았습니다.

③ 연못에서 함께 놀았습니다.

④ 물살을 일으켜 도와주었습니다.

⑤ 몸에 달라붙어서 떨어지지 않았습니다.

17 241003-0582

붕어와 잉어가 도와달라고 소리쳤을 때 물고기들과 메기의 행동으로 알맞은 것끼리 선으로 이으세요.

(1) 물고기들　·　·① 도망치기 바빴음.

(2) 메기　·　·② 물살을 일으켜 물장군을 쫓음.

18 241003-0583

⏃ㄱ⏃에 들어갈 알맞은 말은 무엇인가요? (　　)

① 쿵쿵　　② 빙그레

③ 깡충깡충　④ 홀짝홀짝

⑤ 하늘하늘

중요
19 241003-0584

메기에 대한 생각을 알맞게 말한 친구의 이름을 쓰세요.

하나: 친구들이 위험에 빠졌을 때 도와주는 모습을 보니 용감한 것 같아.

선주: 친구들이 도움이 필요할 때, 모른 체하는 것을 보니 이기적인 것 같아.

(　　　　　)

서술형
20 241003-0585

주변 사람을 떠올려 보고, 고운 말로 전하고 싶은 말을 생각하여 쓰세요.

(1) 전하고 싶은 사람	
(2) 전하고 싶은 말	

❶ 작품을 감상하고 생각이나 느낌 표현하기

● 작품 속 인물에게 어떤 일이 있었는지 살펴봅니다.

　㉑ 시 속 인물은 친구와 건널목을 사이에 두고 만났을 때 신호를 주고받았습니다.

● 인물의 마음이 드러난 부분을 찾고, 인물의 마음이 어떨지 짐작해 봅니다.

　㉑ '내가 빙긋 웃자 / 너도 빙긋'에서 친구와 '나'의 기분이 즐겁다는 것을 알 수 있습니다.

● 인물과 비슷한 나의 경험을 떠올리고, 그때 느꼈던 마음을 생각합니다.

● 작품을 읽고 든 생각이나 느낌을 표현합니다.

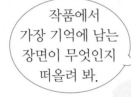
작품에서 가장 기억에 남는 장면이 무엇인지 떠올려 봐.

그리고 그 장면이 기억에 남는 까닭과 장면에 대한 나의 생각을 함께 정리하면 돼.

❷ 인형극을 감상하고 생각이나 느낌 표현하기

● 인형극에서 기억에 남는 장면이나 인물을 떠올립니다.

　㉑ 「해와 달이 된 오누이」에서 똘이가 호랑이에게 손에 기름을 바르고 나무 위로 올라오라고 말하는 장면이 기억에 남아.

● 그 장면이 기억에 남는 까닭이 무엇인지 생각합니다.

　㉑ 다급한 상황에 반짝이는 생각으로 위기를 벗어나는 똘이가 멋지다고 생각했어.

● 기억에 남는 인물에게 해 주고 싶은 말이 무엇인지 생각합니다.

● 생각한 내용을 정리해서 글로 씁니다.

> ㉑ 똘이에게
> 　호랑이가 나타났을 때, 나라면 정말 무서워서 아무 생각도 나지 않았을 거야. 그런데 용기 있게 호랑이를 물리칠 방법을 생각한 네가 너무 멋있었어. 나도 너처럼 용기 있는 사람이 되고 싶어.

확인 문제 **다음 중 시를 읽는 방법으로 알맞은 것에 ○표를 하세요.**

1 시를 읽을 때는 재미있는 부분만 골라 읽습니다. 　　　　　　　　　　　　(　　)

2 인물의 마음이 나타난 부분을 찾고, 마음을 짐작하며 읽습니다. 　　　　(　　)

정답 2. ○

학교 시험 만점왕

8. 다양한 작품을 감상해요

[01~03] 다음 시를 읽고, 물음에 답하세요.

> 두 개보다는 / 한 개
> 큰 것보다는 / 작은 것
>
> 우산 속에서 팔짱 낀 두 사람
> 어깨동무한 두 사람
> 더 따뜻해 / 더 정다워

241003-0586

01 이 시의 상황으로 알맞은 것은 무엇인가요?

( )

① 친구와 함께 우산을 썼습니다.
② 친구와 함께 공부하고 있습니다.
③ 친구에게 우산을 빌려주었습니다.
④ 새 친구가 생겨 좋아하고 있습니다.
⑤ 비 오는 날 우산이 없어 비를 맞았습니다.

241003-0587

02 우산 속에서 친구와 어떻게 하였나요? ( )

① 싸웠습니다.   ② 축구를 했습니다.
③ 잠들었습니다.   ④ 춤을 추었습니다.
⑤ 어깨동무를 하였습니다.

241003-0588

03 이 시를 읽고, 비슷한 경험을 떠올린 친구의 이름을 쓰세요.

> 하람: 비 오는 날 우산이 없어서 걱정하고
>   있는데 친구가 우산을 같이 쓰자고
>   해 줘서 고마웠던 적이 있어.
> 서진: 선물 받은 우산을 잃어버려서 선물해
>   준 친구에게 미안한 마음이 들었어.

( )

[04~06] 다음 장면을 보고, 물음에 답하세요.

가    나

다    라

241003-0589

04 장면 **가**에서 흥부의 마음은 어땠을지 쓰세요.

( )

241003-0590

05 장면 **나**와 **라**는 어떤 이야기의 한 장면인지 알맞게 선으로 이으세요.

(1) 나 ·   · ① 「별주부전」

(2) 라 ·   · ② 「콩쥐팥쥐」

서술형 241003-0591

06 장면 **다**에서 할머니의 마음을 짐작하여 쓰세요.

중요 241003-0592

07 작품을 감상하고 생각이나 느낌을 글로 쓸 때 들어가야 할 내용으로 알맞은 것을 <u>두 가지</u> 골라 기호를 쓰세요.

> ㉮ 작품에서 기억에 남는 장면
> ㉯ 그 장면이 기억에 남는 까닭
> ㉰ 작품에 대한 우리 반 친구들의 생각

(,)

[08~11] 다음 시를 읽고, 물음에 답하세요.

> 너랑 만나기로 했다
> ㉠신발 끈도 못 묶고 달려 나갔다
> 건널목에서 우리 마주쳤다
> 빨간 신호등이 켜졌다
> 내가 빙긋 웃자 / 너도 빙긋
> 고개를 까딱하자 / 너도 까딱
> 팔을 휘휘 흔들자 너도 휘휘
> 폴짝폴짝 뛰자 너도 뛴다
> 빨간불이 막아도 / 너랑 나랑 마주 보며
> 너랑 나랑 ㉡____ 중.

241003-0593

08 '나'는 왜 ㉠처럼 행동했는지 쓰세요.

(   )

241003-0594

09 '나'가 고개를 까딱하자 '너'는 어떻게 하였나요? (   )

① 빙긋 웃었습니다.
② 소리를 쳤습니다.
③ 손을 흔들었습니다.
④ 폴짝폴짝 뛰었습니다.
⑤ 고개를 까딱하였습니다.

241003-0595

10 ㉡에 가장 어울리는 낱말은 무엇인가요? (   )

① 신호   ② 고민   ③ 경쟁
④ 산책   ⑤ 달리기

241003-0596

11 다음 뜻을 가진 낱말을 시에서 찾아 쓰세요.

> 이리저리 휘두르거나 휘젓는 모양.

(   )

중요
241003-0597

12 인형극 속 인물의 마음을 짐작하는 방법으로 알맞은 것을 두 가지 골라 기호를 쓰세요.

> ㉮ 인물이 입은 옷을 살펴봅니다.
> ㉯ 인물의 행동을 자세히 살펴봅니다.
> ㉰ 인물의 마음이 드러나는 말을 찾아봅니다.

(,   )

[13~14] 다음 장면을 보고, 물음에 답하세요.

1    2

241003-0598

13 장면 **1**에서 엄마의 마음을 알맞게 짐작한 것에 ○표를 하세요.

(1) 반가웠을 것입니다.   (   )
(2) 기대되고 설렜을 것입니다.   (   )
(3) 놀랍고 무서웠을 것입니다.   (   )

241003-0599

14 장면 **2**에서 호랑이의 말과 행동을 보고 짐작할 수 있는 마음은 무엇인가요? (   )

> 엄마의 목소리를 흉내 내어 "엄마가 왔단다."라고 말했습니다.

① 느긋한 마음
② 고맙고 뿌듯한 마음
③ 엄마를 속이려는 마음
④ 슬프고 안타까운 마음
⑤ 오누이를 속이려는 마음

15 241003-0600

다음 장면에서 제리가 바위인 줄 알았던 것은 무엇인지 기호를 쓰세요.

> ㉮ 여우 엉덩이
> ㉯ 사자의 머리
> ㉰ 너구리의 손

( )

[16~20] 다음 글을 읽고, 물음에 답하세요.

> **1** 너구리: 오오? 사자님께서 밧줄을 목에 감고 계시네.
> 라온: 너구리구나. 너구리야, 빨리 이 밧줄을 좀 풀어 줘.
> 너구리: 오오? 그럼 밧줄을 잡아당기면 되나요? 하나, 둘, 하나, 둘…….
> 라온: 야, 풀어 달라고 하니까 잡아당기면 어떡해?
> **2** 제리: 어, 어, 어!
> 여우: 아니, 어디로 도망 가? 거기 서! 에잇!
> 제리: 으악! 저한테 왜 이러세요! 라온 님, 라온 님! 도와주세요!
> 여우: 흥! 사자가 너를 도와줄 것 같아? 소리 질러 봐야 소용없어.
> 제리: 으악! 라온 님! 라온 님!
> 라온: 누가 내 친구를 괴롭혀? 여우! 너 나한테 혼나 볼래?

16 241003-0601

글 **1**에서 라온이 처한 상황의 기호를 쓰세요.

> ㉮ 너구리를 도와주고 있습니다.
> ㉯ 밧줄이 목에 감겨 힘들어하고 있습니다.

( )

중요
17 241003-0602

글 **1**에서 라온은 너구리에게 어떤 마음이었을까요? ( )

① 미안한 마음
② 억울한 마음
③ 부끄러운 마음
④ 자랑스러운 마음
⑤ 고맙지만 답답한 마음

18 241003-0603

글 **2**에서 여우의 마음으로 알맞은 것에 ○표를 하세요.

(1) 즐거웠습니다. ( )
(2) 화가 났습니다. ( )
(3) 재미있었습니다. ( )

19 241003-0604

글 **2**에서 라온이 제리에게 온 까닭은 무엇인가요? ( )

① 제리를 도와주려고
② 제리를 혼내 주려고
③ 여우와 친구가 되려고
④ 제리와 같이 도망치려고
⑤ 목에 걸린 밧줄을 풀려고

서술형
20 241003-0605

글 **2**의 라온에게 자신의 생각이나 느낌을 전하는 말을 써 보세요.

_____

_____

국어 2-1 수록 저작물 목록

단원	저작물명	지은이	나온 곳	참고
2단원	「가랑비와 이슬비」 (원제목: 「뜨고 지고!」)	박남일	『뜨고 지고!』, 길벗어린이㈜, 2008.	글
	「가랑비와 이슬비」 (원제목: 「뜨고 지고!」)	김우선	『뜨고 지고!』, 길벗어린이㈜, 2008.	그림 자료
	「어디까지 왔니」	편해문 엮음	『께롱께롱 놀이 노래』, ㈜도서출판 보리, 2008.	글
	「시원한 책」	이수연	『시원한 책』, 발견, 2020.	글
	「시원한 책」	민승지	『시원한 책』, 발견, 2020.	그림 자료
3단원	「식물은 어떻게 자랄까?」	유다정	『식물은 어떻게 자랄까?』, ㈜교원, 2011.	글
	「식물은 어떻게 자랄까?」	최병옥	『식물은 어떻게 자랄까?』, ㈜교원, 2011.	그림 자료
	괭이갈매기		독도종합정보시스템 누리집(www.dokdo.re.kr)	사진 자료
4단원	「누가 누가 잠자나」	목일신	『누가 누가 잠자나』, ㈜문학동네, 2003.	글
	「바람은 착하지」	권영상	『잘 커다오, 꽝꽝 나무야』, ㈜문학동네, 2009.	글
	「오늘」	이준관	『내가 채송화꽃처럼 조그마했을 때』, ㈜푸른책들, 2006.	글
5단원	「밤 다섯 개」	권정생	『아기 토끼와 채송화꽃: 권정생 동화집』, ㈜창비, 2012.	글
	국어 교과서 154쪽 1번 활동	김세실	『두근두근 이 마음은 뭘까? – 마음을 표현하는 감정 낱말–』, 한빛에듀, 2021.	글
6단원	「공공장소에서의 예절 – 당신의 배려가 –」	해피프로덕션	한국방송광고진흥공사, 2018.	동영상 자료
	「누구를 보낼까요」	이형래	『누구를 보낼까요』, 국수, 2023.	글
	「저마다 다른 동물의 생김새」	보리	『세밀화로 그린 보리 어린이 동물 도감』, ㈜도서출판 보리, 1998.	글
	「저마다 다른 동물의 생김새」	윤봉선	『세밀화로 그린 보리 어린이 동물 도감』, ㈜도서출판 보리, 1998.	그림 자료
	「토끼의 재판」	방정환	『어린이』 제1권 제10호, 1923.	글
7단원	「메기야, 고마워」 (원제목: 「마음 착한 메기」)	홍은순	『꿀항아리』, 보육사, 1979.	글
8단원	「우산 사용법」	정연철	『알아서 해가 떴습니다』, ㈜사계절출판사, 2018.	글
	「신호」	장세정	『튀고 싶은 날』, 오픈키드㈜열린어린이, 2018.	글
	「해와 달이 된 오누이」 (원제목: 「해님달님」)	인형극단 친구들	「해님달님」, 인형극단친구들, 2021.	동영상 자료
	「사자와 생쥐」	극단조이아이	「사자와 생쥐」, 의정부문화원, 2020.	동영상 자료

아직 기초가 부족해서
차근차근
공부하고 싶어요.

조금 어려운 내용에
도전해보고 싶어요.

영어의 모든 것!
체계적인
영어공부를 원해요.

조금 어려운
내용에
**도전해보고
싶어요.**

학습 고민이 있나요?
초등온에는
친구들의 **고민에 맞는**
다양한 강좌가 준비되어 있답니다.

학교 진도에
맞춰
공부하고
싶어요.

초등 ON 이란?

EBS가 직접 제작하고 분야별 전문 교육업체가 개발한
다양한 콘텐츠를 바탕으로,

대표강좌

초등 목표달성을 위한 **<초등온>** 서비스를 제공합니다.

EBS

EBS 초등 인터넷·모바일·TV **무료 강의 제공**

초 | 등 | 부 | 터 **EBS**

'한눈에 보는 정답' 보기 & 풀이책 다운로드

예습, 복습, 숙제까지 해결되는

교과서 완전 학습서

만점왕

BOOK 3
해설책

국어 2-1

만점왕

BOOK 3 해설책

국어 2-1

이 책의 **차례**

BOOK
3

해
설
책

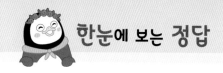

BOOK 1 개념책

1 만나서 반가워요!

교과서 내용 학습   6~10쪽

01 (2) ○   02 ㉮, ㉰   03 ①, ④   04 ④   05 ⑤
06 곱슬이   07 ⑤   08 (1) ○ (2) ○ (3) ○   09 꿈
10 (1) ○   11 예 친구가 갑자기 끼어들어 당황했을 것이다.   12 ②   13 ①   14 글 ㉯   15 ⑤   16 (1) – ①
(2) – ④ (3) – ③ (4) – ②   17 ⑤   18 (1) 자세하게
(2) 모습 (3) 쉽게   19 (1) 예 최다예 (2) 예 이마가 넓고
반짝이며 잘 웃음. (3) 점토 놀이 (4) 달리기   20 예
저는 최다예입니다. 저는 이마가 넓고 반짝여서 이마가
예쁘다는 소리를 많이 듣습니다. 또, 항상 웃고 다녀서
스마일이라는 별명이 있습니다. 제가 좋아하는 것은 점
토 놀이입니다. 점토로 음식 모형을 만드는 것을 좋아합
니다. 저는 달리기를 잘해서 올해 우리 반 계주 선수로
뽑혔습니다.   21 ④, ⑤   22 (1) ○ (2) ○

단원 확인 평가   16~19쪽

01 (2) ○   02 (1) – ① (2) – ③ (3) – ②   03 ③
04 (3) ○   05 ①, ②, ④   06 과학자   07 ㉮
08 예 친구가 말할 때 갑자기 끼어들지 말고 앞으로는
말차례를 지켜 말하면 좋겠어.   09 ③, ⑤   10 (1) –
②, ③ (2) – ①, ④   11 희야   12 ①, ⑤   13 ⑤
14 ③, ⑤   15 (1) 맞지 않게 (2) 예 친구의 이름이 무엇
이며 어떤 특징을 가졌는지 자세히 알 수 없기 때문입니
다.   16 ⑤   17 모습   18 (3) ○   19 ㉰   20 ⑤

2 말의 재미가 솔솔

교과서 내용 학습   22~32쪽

01 ㉮   02 (2) ○   03 이슬비   04 서현   05 (1) –
② (2) – ④ (3) – ① (4) – ③   06 (1) 여우비 (2) 채
찍비 (3) 안개비   07 ④   08 ②, ⑤   09 (1) ○
10 예 정말 고마워. / 진짜 멋있어.   11 ④   12 ㉯, ㉰
13 ②   14 ③   15 ②   16 예 떡볶이, 김치, 라면
11 (질문 , 명령)을 하고 그에 대한 (느낌 , 대답)을 이
야기하며 서로 말을 주고받습니다.   18 (3) ○   19 ③
20 예 손가락 다섯, 발가락 다섯   21 ⑤   22 (2) ○
(3) ○   23 (1) 딸기 (2) 예 포도, 키위, 참외   24 ②, ④
25 ①, ③   26 (1) ○   27 (2) ○   28 (1) 예 교문 앞
(2) 예 운동장 (3) 예 교실 앞   29 ①, ③   30 ④
31 예 학교 / 교실 / 학원   32 (1) 예 칠판, 미끄럼틀
(2) 예 칠판에 미끄럼틀을 그렸다.   33 ②   34 (1) ○
35 예 다시 집으로 헐레벌떡 뛰어가 준비물을 챙겨 학교
에 왔다.   36 ㉮   37 ⑤   38 (2) ○   39 ㉯   40 건
우   41 (1) – ① (2) – ②   42 ③   43 윤서   44 예
여름에 먹은 팥빙수가 무척 시원했다. / 수업 시간에 큰
소리로 대답하는 친구들의 목소리가 시원시원했다.

단원 확인 평가   38~41쪽

01 ①   02 (3) ○   03 은수   04 ①, ②, ⑤   05 예
재미있고 자연스럽게 여러 가지 낱말을 익힐 수 있다. /
다양한 말로 내 생각을 표현할 수 있다.   06 (1) ○
07 (1) – ③ (2) – ② (3) – ①   08 ②   09 예 갈치도
있고.   10 (1) 방법 (2) 앞사람   11 ①   12 (1) 개울가
(2) 대문 앞   13 ⑤   14 ③   15 예 ㉡ 철봉, ㉣ 꽃
16 (2) ○   17 영완   18 ⑤   19 (1) – ① (2) – ③ (3)
– ②   20 예 아저씨가 뜨거운 국물을 마시면서 시원하
다고 말하는 장면이 재미있다. 뜨거운 것을 시원하다고
표현하는 어른들이 이상하면서도 한편으로는 이해가 되
기 때문이다.

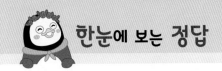

한눈에 보는 정답

3 겪은 일을 나타내요

교과서 내용 학습 44~53쪽

01 (2) ○   02 ②, ④   03 ④   04 예준   05 (1) - ②
(2) - ①   06 예 멋진 / 튼튼한   07 (1) 예 빨간 (2) 예
맛있게   08 (1) 예 귀여운 (2) 예 빠르게   09 (1) 예
거센 (2) 예 끝없이   10 (1) 예 누리호가 넓은 하늘로
발사되었다. (2) 예 누리호가 시커먼 연기를 내뿜는다.
11 ②   12 (1) ○   13 ①   14 (1) - ① (2) - ②
15 (1) ○   16 ④   17 (1) - ① (2) - ② (3) - ③
18 ③   19 ㉰   20 ③   21 ⑤   22 현태, 민성
23 예 물 위로 나뭇잎이 동동 떠내려간다. / 바람이 불
자 낙엽이 우수수 떨어졌다. / 팥죽에 동글동글 새알심
이 많다.   24 (3) ○   25 (1) 교통 (2) 인사   26 ①, ③
27 ④   28 (1) - ② (2) - ①   29 ③   30 ②, ④
31 (1) ○ (2) ○   32 (1) 예 두근두근 떨리는 달리기 시
합 (2) 예 겪은 일 중 중요한 일은 달리기 시합이고, 그
때 마음이 두근두근 떨렸기 때문이다.   33 (1) 들은 것
(2) 슬펐던 일 (3) 인상 깊은   34 (1) 예 친구와 만나 학
교에 감. (2) 예 수업 시간에 꽃 화분을 만듦. (3) 예 오빠
와 자전거를 탐.   35 ①   36 ⑤   37 ③   38 (1) - ②
(2) - ①   39 ①   40 (1) ○   41 (1) - ① (2) - ③
(3) - ②   42 (1) ㉮ (2) ㉯   43 (1) 예 저녁에 (2) 예
오빠와 (3) 예 함께 자전거를 탔다. (4) 예 힘들었지만
자전거 타는 실력이 늘어 재미있었다.   44 ③   45 ④
46 (1) - ③ (2) - ④ (3) - ② (4) - ①   47 예 시원한
바람을 맞으니 상쾌하고 기분이 좋았다.   48 ①, ②, ④

단원 확인 평가 60~63쪽

01 (2) ○   02 ㉲   03 ①   04 (1) 예 멋진 (2) 예 힘
차게   05 (1) 예 노란 (2) 예 천천히   06 예 힘껏
07 예 멋진, 푸드덕푸드덕   08 예 누리호가 뜨거운 불
길을 뿜으며 넓은 하늘로 솟아오른다.   09 ②, ③
10 ②   11 ④   12 포도   13 (1) ① (2) ①   14 (1) 1
(2) 3 (3) 2   15 (1) - ① (2) - ②   16 ⑤   17 (1) 예 긴
장되고 떨렸다. (2) 예 기분이 좋았다.   18 (3) ○   19
④   20 예 20○○년 ○월 ○일 / 날씨: 맑고 화창함. /
제목: 상추야, 쑥쑥 자라라! / 엄마와 집에서 큰 화분에
상추씨를 심었다. 흙에 뽕뽕 구멍을 뚫고 상추씨를 2~3
개씩 넣고는 잘 덮어 준 후 물을 주었다. 햇빛 잘 드는
창가에서 물을 잘 주고 키우면 상추가 쑥쑥 자라겠지?
내가 키운 상추에 고기를 넣고 쌈을 싸 먹어야겠다. 상
추야! 쑥쑥 자라렴.

4 분위기를 살려 읽어요

교과서 내용 학습　66~75쪽

01 ② 　02 (2) ○ 　03 현주 　04 ④ 　05 (1) – ①
(2) – ③ 　06 (1) ○ 　07 ④ 　08 몫 　09 ② 　10 (1)
걷다 (2) 없다 　11 (2) ○ 　12 (1) 예 없다 (2) 예 나는
사이 나쁜 친구가 없다. 　13 따 　14 ⑤ 　15 [여덜]
16 ③, ④ 　17 ⑤ 　18 ① 　19 (2) ○ 　20 연우 　21 ⑤
22 예 해안가에 있는 플라스틱 쓰레기를 줍거나 바다에
떠다니는 쓰레기를 모아 없애기도 합니다. 　23 (1) – ②
(2) – ① 　24 (1) ○ 　25 ③ 　26 ② 　27 ④ 　28 ④,
⑤ 　29 (1) ○ 　30 예 (1) 민들레꽃 (2) 구석진 응달에
홀로 피어 있는 모습에서 안쓰러운 마음이 느껴졌습니
다. 　31 서준 　32 (1) ○ 　33 ④ 　34 ①, ③ 　35 ①
36 ② 　37 (1) ○ 　38 연희 　39 예 친구들과 / 재미
있는 / 놀이를 할 거야. 　40 (1) ○ (2) ○

단원 확인 평가　82~85쪽

01 (2) ○ 　02 예 엄마 품에서 새근새근 잠자는 아기의
모습은 정말 귀여울 것 같아. 　03 (1) ○ 　04 ③
05 (1) 있다 (2) 앉다, 없다, 흙 　06 ①, ③ 　07 ②
08 글 ㈎ 　09 ②, ③ 　10 ① 　11 ④ 　12 ㉢ 　13 (1)
○ 　14 (1) – ② (2) – ① 　15 ③ 　16 ④ 　17 ①
18 예 같이 기분 좋게 학교에 가고 싶다고 말하고 싶어.
19 (1) ○ 　20 (1) – ② (2) – ③

5 마음을 짐작해요

교과서 내용 학습　88~96쪽

01 일기 　02 ⑤ 　03 (3) ○ 　04 ④, ⑤ 　05 ②
06 ⑤ 　07 (1) 예 아빠가 웃으며 말씀하셨다. (2) 예 기
쁘고 흐뭇한 마음이 느껴집니다. 　08 병운 　09 ⑤
10 설레는 　11 (1) ○ (3) ○ 　12 ③ 　13 (2) ○
14 ③, ⑤ 　15 (1) 2 (2) 3 (3) 1 　16 ㉡ 　17 (1) ○
18 (1) – ② (2) – ① 　19 ㉰, ㉯, ㉮ 　20 ④ 　21 ⑤
22 마치고 　23 (1) ○ 　24 ① 　25 (1) 반듯이 (2) 반
드시 　26 (1) 예 '맞다'는 '문제에 대한 답이 틀리지 아
니하다.'라는 뜻이기 때문에 문장에 어울리지 않습니다.
(2) 맡고 　27 받칩니다 　28 (2) ○ 　29 (삶은) 밤 다섯
개 　30 ② 　31 (1) ○ 　32 세연 　33 ④ 　34 (1) – ②
(2) – ① 　35 예 골목길에서 우는 소리가 들렸을 때 놀라
셨겠어요. 　36 (1) ○

단원 확인 평가　104~107쪽

01 ⑤ 　02 (1) ○ 　03 ④ 　04 ㉮, ㉰, ㉯ 　05 ㉢
06 ⑤ 　07 ⑤ 　08 ② 　09 (1) 1 (2) 3 (3) 2 　10 예
친한 친구가 전학을 간 날 너무 슬퍼서 눈물이 났어.
11 ③ 　12 (1) ㉡ (2) 걸음 　13 (1) – ② (2) – ①
14 (1) 맡습니다 (2) 받칩니다 　15 (1) 떼 (2) 때
16 ② 　17 (2) ○ 　18 ③ 　19 예 또야에게 밤을 받았
을 때 어떤 생각이 들었어? 　20 효섭

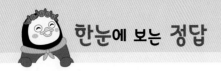

6 자신의 생각을 표현해요

교과서 내용 학습 110~117쪽

01 배려 02 ⑤ 03 예 다른 사람을 배려하는 모습이 보기 좋았습니다. 04 아현 05 줄, 작은 공간 06 (1) ○ (3) ○ 07 예 친구들과 재미있게 할 수 있습니다. 08 ③, ④ 09 (3) ○ 10 ⑤ 11 (1) – ② (2) – ① 12 ㉢, ㉣ 13 말, 표정, 행동 14 산 15 ② 16 ⑤ 17 유현 18 초대장 19 ⑤ 20 ② 21 예 지구에 대해 누구보다도 잘 알기 때문입니다. 22 원숭이 23 (2) ○ 24 거북 할아버지, 아기 곰, 원숭이 25 예 지구를 무척 사랑하고 지구가 얼마나 아름답고 살기 좋은 곳인지 알려 줄 수 있어서입니다. 26 금덩이 두 개 27 ⑤ 28 형님(형) 29 채윤

단원 확인 평가 124~127쪽

01 (1) – ① (2) – ③ (3) – ② 02 예 버스에서 할아버지, 할머니께 자리를 양보하고 싶습니다. 03 ② 04 가희 05 ㉡ 06 ① 07 뿌리 08 (1) ㉠ (2) ㉢ (3) ㉡ 09 (1) × 10 주영 11 가족여행 장소를 정하려고 가족회의를 하고 있습니다. / 가족회의 12 ③ 13 (1) – ① (2) – ② 14 (1) ㉡ (2) ㉢ 15 말 16 지구, 대표 17 ③ 18 별나라에서 보고 들은 일을 생생하게 전할 수 있어서 19 (2) ○ (3) ○ 20 예 나는 치타가 가야 한다고 생각합니다. 치타는 빨리 달릴 수 있어서 별나라 소식을 빠르게 전해 줄 것이기 때문입니다.

7 마음을 담아서 말해요

교과서 내용 학습 130~140쪽

01 ⑤ 02 (2) ○ 03 줄넘기 04 예 처음부터 잘하는 사람은 없어. 너무 속상해하지 마. 05 승강기 06 ④ 07 (2) ○ 08 서윤 09 ⑤ 10 ③ 11 (2) ○ 12 ① 13 ① 14 (1) 예 한글 박물관에 다녀온 일 (2) 예 지난 주말에 한글 박물관에서 (3) 예 한글을 만드신 세종 대왕께 감사한 마음이 들었고, 한글 박물관에 볼거리가 많아서 재미있었다. 15 예 지난 주말 나는 부모님과 한글 박물관에 갔습니다. 한글 박물관에는 한글로 꾸며진 놀이터가 있었고, 한글이 만들어지는 과정에 대해 알 수 있는 자료들이 많았습니다. 나는 한글의 소중함을 느끼고, 한글을 만드신 세종 대왕께 더욱 감사한 마음이 들었습니다. 16 (1) × 17 ①, ④, ⑤ 18 ④ 19 (2) ○ 20 예 속상했을 것입니다. 21 ⑤ 22 (3) ○ 23 ③ 24 ㉮ 25 ⑤ 26 ① 27 천둥소리 28 ④ 29 ③ 30 ⑤ 31 (2) ○ 32 ① 33 (1) ○ 34 ④ 35 도와주세요 36 (1) ○ 37 강율 38 ① 39 (2) ○ 40 ② 41 (4) × 42 ② 43 은지 44 예 금메달 딴 것을 축하한다고 하였습니다. 45 ⑤ 46 ②, ⑤

단원 확인 평가 146~149쪽

01 머리핀 02 (2) ○ 03 (2) ○ 04 ⑤ 05 예 지하철에서 누군가 놓고 내린 우산을 발견한 적이 있는데, 주인을 찾아 주고 싶어서 분실물 센터에 가져다주었습니다. 06 ④ 07 지아 08 (2) ○ 09 ㉣ 10 예 아프겠다. 같이 보건실에 갈까? 11 ⑤ 12 ③ 13 (2) ○ 14 ⑤ 15 ② 16 ④ 17 메기 18 ③ 19 ① 20 나은

8 다양한 작품을 감상해요

교과서 내용 학습   152~156쪽

01 ④   **02** (1) ○   **03** ①   **04** 재이   **05** ④   **06** 두꺼비   **07** ④   **08** 유이   **09** 건널목   **10** ①   **11** ㉡   **12** 예빈   **13** (3) ○   **14** ③   **15** ⑤   **16** 예 나무 위에 오누이가 올라가 있을 때, 꾀를 내어 호랑이가 올라오지 못하도록 한 점이 인상 깊었어.   **17** ③   **18** 라온   **19** ①   **20** 예 글 ①에서 너구리가 느릿느릿하게 말하고 움직이는 것이 재미있습니다. / 글 ②에서 여우가 도망가다가 머리를 부딪혀 쓰러지는 부분이 재미있습니다.

단원 확인 평가   163~166쪽

01 ④   **02** ④   **03** 기쁨   **04** ⑤   **05** 예 밭일을 하고 있는데 갑자기 호랑이가 나타나 너무 놀랐을 것입니다.   **06** (3) ×   **07** ④   **08** ④   **09** 폴짝폴짝   **10** 예 나도 친한 친구와 신호를 만들어 주고받아 보고 싶습니다.   **11** 연재   **12** ③   **13** (3) ○   **14** ③   **15** ④, ②, ③, ①   **16** 너구리   **17** ②   **18** (3) ○   **19** ②   **20** (1) 예 라온 (2) 예 생쥐를 도와주러 온 행동이 너무 멋있었어.

학교 시험 만점왕   1. 만나서 반가워요!   5~7쪽

01 (2) ○   **02** ⑤   **03** (3) ×   **04** ①   **05** 대영   **06** 예 대상의 이름, 모습이나 특징, 잘하는 것, 좋아하는 것 등   **07** ②   **08** ③   **09** 인준   **10** (1) 말차례 (2) 끼어들면 (3) 관계없는   **11** ⑤   **12** ④   **13** (2) ○   **14** 정하윤   **15** ㉡   **16** ⑤   **17** ①, ③, ④   **18** ①, ④   **19** ⑤   **20** 예 저는 이지민입니다. 저는 과일을 무척 좋아합니다. 저는 춤을 잘 춥니다. 방과 후 댄스반에서 춤을 배우고 있고, 동네 춤추기 대회에서 인기상을 받은 적도 있습니다.

학교 시험 만점왕   2. 말의 재미가 솔솔   9~12쪽

01 이슬비   **02** (3) ○   **03** ①, ③, ⑤   **04** 준영   **05** 예 길면 바나나 / 바나나는 노래 / 노란 것은 개나리   **06** ①   **07** (3) ○   **08** (1) 반복 (2) 덧붙여   **09** (2) ○   **10** ④   **11** ①   **12** ①   **13** 예 음료수, 초콜릿, 컵라면 등   **14** 예 놀이터   **15** (1) 예 우유, 시소 (2) 예 우유를 마시고 시소를 탔더니 속이 좋지 않다.   **16** ①   **17** ③   **18** ②   **19** ⑤   **20** 윤서

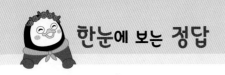

한눈에 보는 정답

학교 시험 만점왕 **3. 겪은 일을 나타내요**
14~17쪽

01 (1) ○   **02** 넓은, 활짝   **03** 지현   **04** 예 빨간, 맛있게   **05** 예 귀여운, 힘차게   **06** (2) ○ (3) ○   **07** 예 밥에서 뜨거운 김이 모락모락 납니다.   **08** ①, ③, ④   **09** ⑤   **10** (1) 조롱조롱 (2) 올록볼록   **11** ②, ⑤   **12** ①, ④, ⑤   **13** ③   **14** (1) ○ (2) × (3) × (4) ○   **15** (1) 예 돌돌 (2) 예 종이를 돌돌 말아서 도깨비방망이를 만들었다. / (1) 예 빙글빙글 (2) 예 친구와 함께 손을 잡고 운동장을 빙글빙글 돌았다.   **16** ③   **17** ②   **18** 다 - 가 - 나 - 라   **19** 도윤   **20** ⑤

학교 시험 만점왕 **4. 분위기를 살려 읽어요**
19~21쪽

01 (1) ○   **02** ㉠, ㉢   **03** (2) ×   **04** ②   **05** (1) - ③ (2) - ① (3) - ②   **06** 맑다   **07** (1) ○   **08** ②, ⑤   **09** ㉠   **10** (1) ○   **11** ②   **12** 목도리   **13** 예 바람에 이끌려 던져지거나 굴려질 때, 그리고 구겨질 때는 속상한 마음이 느껴졌는데, 목도리가 될 때는 뿌듯한 마음이 느껴졌습니다.   **14** (1) - ① (2) - ②   **15** ④   **16** ②   **17** 예 즐겁고 신나는 표정(해설 참조)   **18** (1) ○   **19** ④   **20** (1) ④ (2) [안따]

학교 시험 만점왕 **5. 마음을 짐작해요**
23~26쪽

01 ①   **02** ①, ②   **03** ②   **04** ④   **05** 예 (1) "우아, 제가 지금 혼자 타고 있는 거예요?" (2) 신기하고 기쁜 마음   **06** 콩이   **07** ①   **08** 예 콩이와 공놀이를 하며 꽤 친해졌습니다.   **09** (3) ○   **10** (1) - ① (2) - ②   **11** ①   **12** ③   **13** (1) ① (2) ②   **14** (1) - ② (2) - ④   **15** (1) 때 (2) 반드시   **16** 예 친구들에게 밤 다섯 개를 다 주고 또야는 빈손이 되어서   **17** ①   **18** (1) - ① (2) - ② (3) - ③   **19** 정민   **20** (1) ○ (2) ○

학교 시험 만점왕 **6. 자신의 생각을 표현해요**
28~30쪽

01 ③   **02** 예 승강기의 단추를 대신 눌러 주었습니다.   **03** (1) ○   **04** 현수   **05** ①   **06** 심장, 뼈 따위가 튼튼해집니다. / 몸이 튼튼해집니다.   **07** (1) ×   **08** 잎   **09** 저장   **10** 혜숙   **11** ㉠, ㉢   **12** 가족이 함께 모여 정하기로 했습니다.   **13** (1) 바다 (2) 수영과 모래놀이를 할 수 있어서 (3) 놀이공원 (4) 놀이기구를 많이 타고 싶어서   **14** 까닭(이유)   **15** ⑤   **16** 예 지구를 사랑하는 마음   **17** (1) ○   **18** ㉮   **19** 예 금덩이를 강물속으로 휙 던져 버렸습니다.   **20** (1) 예 형제의 마음이 따뜻하다는 생각이 들었습니다. (2) 예 형과 아우 모두 금덩이보다 우애를 중요하게 생각했기 때문입니다.

학교 시험 만점왕 **7. 마음을 담아서 말해요**
32~35쪽

01 승강기   **02** (2) ○   **03** ⑤   **04** 머리핀 주인을 찾습니다.   **05** ②   **06** 현민   **07** (1) ○ (3) ○ (4) ○   **08** ⑤   **09** ①   **10** 예 다음부터는 조심해 줘.   **11** ②   **12** ㉢   **13** (2) ○   **14** 다   **15** ⑤   **16** ⑤   **17** (1) - ① (2) - ②   **18** ②   **19** 하나   **20** (1) 예 엄마 (2) 예 저를 잘 키워 주셔서 감사합니다.

학교 시험 만점왕 **8. 다양한 작품을 감상해요**
37~39쪽

01 ①   **02** ⑤   **03** 하람   **04** 예 행복합니다.   **05** (1) - ② (2) - ①   **06** 예 너무 무서웠을 것입니다.   **07** ㉮, ㉯   **08** 예 친구를 빨리 만나고 싶어서   **09** ⑤   **10** ①   **11** 휘휘   **12** ㉯, ㉰   **13** (3) ○   **14** ⑤   **15** ㉯   **16** ㉯   **17** ⑤   **18** (2) ○   **19** ①   **20** 예 제리를 도와주러 와 줘서 고마워.

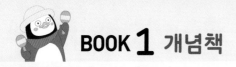

1 만나서 반가워요!

교과서 내용 학습   6~10쪽

01 (2) ○   **02** ㉮, ㉰   **03** ①, ④   **04** ④   **05** ⑤
06 곱슬이   **07** ⑤   **08** (1) ○ (2) ○ (3) ○   **09** 꿈
10 (1) ○   **11 예** 친구가 갑자기 끼어들어 당황했을 것이다.   **12** ②   **13** ①   **14** 글 ㉯   **15** ⑤   **16** (1) – ① (2) – ④ (3) – ③ (4) – ②   **17** ⑤   **18** (1) 자세하게 (2) 모습 (3) 쉽게   **19** (1) **예** 최다예 (2) **예** 이마가 넓고 반짝이며 잘 웃음. (3) 점토 놀이 (4) 달리기   **20** **예** 저는 최다예입니다. 저는 이마가 넓고 반짝여서 이마가 예쁘다는 소리를 많이 듣습니다. 또, 항상 웃고 다녀서 스마일이라는 별명이 있습니다. 제가 좋아하는 것은 점토 놀이입니다. 점토로 음식 모형을 만드는 것을 좋아합니다. 저는 달리기를 잘해서 올해 우리 반 계주 선수로 뽑혔습니다.   **21** ④, ⑤   **22** (1) ○ (2) ○

01 궁금한 내용이 있으면 손을 들고 기회를 얻어 질문합니다.

02 들은 내용을 잘 이해했다면 미소를 짓거나 고개를 끄덕입니다.

03 발표를 들을 때는 발표하는 친구 얼굴을 보면서 바른 자세로 듣습니다.

04 중요한 내용은 쓰면서 듣습니다.

05 민수가 자신이 기르는 강아지를 소개하는 글입니다.

06 강아지 이름이 곱슬이라고 하였습니다.

07 민수네 강아지는 곱슬곱슬한 털이 많고, 몸집은 작지만 귀가 크고, 눈은 동그라면서 크고, 코는 까만색이며 코끝은 반질거린다고 하였습니다. 또, 민수가 학교에 갔다 오면 경중경중 높이 뛰어오르며 반

겨 준다고 하였습니다.

08 소개하는 글에는 소개하는 대상이 무엇인지와 이름, 특징과 생김새 등을 씁니다. 그리고 읽을 사람이 궁금해할 내용을 써야 합니다.

09 선생님과 친구들은 자신의 꿈에 대해 대화하고 있습니다.

10 동현이가 자신의 꿈을 말하고 있는데, 친구가 갑자기 끼어들었습니다.

11 친구가 갑자기 끼어들어 동현이는 기분이 나쁘고 당황했을 것입니다.

> 채점 기준
> '기분이 나쁘다, 당황하다' 등 좋지 않은 기분을 썼으면 정답으로 인정합니다.

12 대화할 때는 말차례를 지켜 말하고, 친구가 말할 때 끼어들지 않습니다. 상대의 말을 귀 기울여 듣고, 상대의 말이 끝나기를 기다려 말하며, 대화 내용과 관계없는 말을 하지 않습니다.

13 글 ㉮와 ㉯ 모두 자신을 소개하는 글입니다.

14~15 글 ㉯에 소개하는 내용이 더 잘 드러나 있습니다. 소개하는 사람의 모습과 좋아하는 것, 잘하는 것이 자세히 나와 있기 때문입니다.

16 ㉠은 자신의 이름, ㉡은 자신의 모습, ㉢은 자신이 좋아하는 것, ㉣은 자신이 잘하는 것에 해당합니다.

17 자신을 소개하는 글을 쓰기 위해 이름, 모습, 좋아하는 것, 잘하는 것 등을 정리해 볼 수 있습니다. 전화번호와 주소는 개인 정보에 해당하므로 함부로 소개하지 않습니다.

18 자신을 소개하는 글을 쓸 때는 소개하는 내용을 자세하게 쓰고, 자신의 모습이 자연스럽게 떠오르도록 표현합니다. 그리고 읽을 사람이 알아보기 쉽게

맞춤법에 맞게 씁니다.

19 나의 이름, 모습, 좋아하는 것, 잘하는 것을 떠올려 간단히 정리해 봅니다.

채점 기준

(1)부터 (4)까지 해당하는 내용을 모두 정리하여 썼으면 정답으로 인정합니다.

20 19에서 정리한 내용을 바탕으로 자신을 소개하는 글을 써 봅니다. 이름과 모습, 좋아하는 것과 잘하는 것이 잘 드러나게 자세히 쓰고, 그밖에 소개하고 싶은 내용도 있으면 써 봅니다.

채점 기준

나의 이름, 모습, 좋아하는 것, 잘하는 것 등이 드러나도록 자세히 썼으면 정답으로 인정합니다.

21 친구를 소개하는 글에 친구의 성격, 이름, 생김새 등은 써도 좋으나, 친구가 못하는 것, 나쁜 버릇 등의 부정적인 내용은 쓰지 않는 것이 좋습니다.

22 소개하는 글을 쓸 때는 소개할 내용을 자세히 쓰고, 바르고 정확한 문장으로 씁니다. 자신의 특징을 여러 가지 소개하고, 읽을 사람이 잘 알고 있는 내용보다는 궁금해할 내용을 쓰는 것이 좋습니다.

더 알아보기

소개하는 글을 쓸 때 주의할 점
• 소개하는 내용이 잘 드러나게 씁니다.
• 소개하는 내용을 자세히 씁니다.
• 읽을 사람을 생각하며 씁니다.
• 바르고 정확한 문장으로 씁니다.

단원 확인 평가 16~19쪽

01 (2) ○   **02** (1) - ① (2) - ③ (3) - ②   **03** ③
04 (3) ○   **05** ①, ②, ④   **06** 과학자   **07** ㉮
08 예 친구가 말할 때 갑자기 끼어들지 말고 앞으로는 말차례를 지켜 말하면 좋겠어.   **09** ③, ⑤   **10** (1) - ②, ③ (2) - ①, ④   **11** 희야   **12** ①, ⑤   **13** ⑤
14 ③, ⑤   **15** (1) 맞지 않게 (2) 예 친구의 이름이 무엇이며 어떤 특징을 가졌는지 자세히 알 수 없기 때문입니다.   **16** ⑤   **17** 모습   **18** (3) ○   **19** ㉰   **20** ⑤

01 그림을 통해 발표를 들을 때 주의할 점에 대해 알 수 있습니다.

02 중요한 내용은 쓰면서 들어야 하고, 궁금한 내용이 있으면 손을 들고 기회를 얻어 질문합니다. 들은 내용을 잘 이해했다면 미소를 짓거나 고개를 끄덕입니다.

03 민수네 강아지는 곱슬곱슬한 털이 많고, 몸집은 작지만 귀가 크고, 눈은 동그라면서 크고, 코는 까만색이며 코끝은 반질거린다고 하였습니다. 털이 길고 흰색이라는 것은 소개하는 글에 나타나 있지 않습니다.

04 민수네 강아지는 민수가 학교에 갔다 오면 겅중겅중 높이 뛰어오르며 반겨 준다고 했습니다.

05 강아지의 이름, 특징, 생김새 등을 소개하였습니다. 강아지의 나이와 강아지가 좋아하는 음식은 나오지 않습니다.

06 동현이는 꿈이 과학자라고 하였습니다.

07 동현이가 말하고 있는 도중에 친구가 갑자기 끼어들어 당황스럽고 기분이 나빴을 것입니다. 4에서 동현이의 표정과 생각을 통해 동현이의 기분을 짐작할 수 있습니다.

08 동현이의 말이 끝나지 않았는데도 끼어든 친구에게 그렇게 끼어들면 안 되며 말차례를 지켜야 한다고 충고해 줄 수 있습니다.

> **채점 기준**
> '말하는 도중에 끼어들면 안 된다.', '말차례를 지켜 말해야 한다.', '친구의 말이 끝난 뒤에 말해야 한다.' 등을 썼으면 정답으로 인정합니다.

09 말차례를 지켜 말하면 상대의 기분이 상하지 않으며, 서로 원활하게 대화할 수 있어 좋습니다.

> **더 알아보기**
> **말차례를 지켜야 하는 까닭**
> • 말차례를 지키지 않으면 상대가 당황하거나 기분이 나쁠 수 있습니다.
> • 말차례를 지켜 말하면 서로 원활하게 대화할 수 있습니다.

10 상대의 말이 끝날 때까지 귀 기울여 듣고, 끼어들지 않고 기다려야 합니다. 자신의 말차례가 되었을 때 말을 시작하고, 하고 싶은 말을 끝까지 분명하게 합니다.

> **더 알아보기**
> **대화할 때 주의할 점**
> • 상대의 말을 귀 기울여 듣습니다.
> • 친구가 말하고 있을 때는 끼어들지 않습니다.
> • 자기 말차례가 되었을 때 하고 싶은 말을 끝까지 분명하게 합니다.
> • 대화 내용과 관계없는 말은 하지 않습니다.

11 글 **나** 가 소개하는 내용이 더 잘 드러난 글입니다. 소개하는 사람의 모습과 좋아하는 것, 잘하는 것이 자세히 나와 있기 때문입니다.

12 글 **가** 에서는 소개하는 사람의 이름과 좋아하는 것만 알 수 있습니다.

13 글 **나** 에는 자신의 이름, 모습, 좋아하는 것, 잘하는 것이 드러나 있지만, 싫어하는 것은 드러나 있지 않습니다.

14 소개하는 글을 쓸 때는 자신의 특징을 한 가지만

쓰는 것이 아니라 여러 가지 소개하는 것이 좋고, 읽을 사람이 잘 알고 있는 내용보다는 궁금해할 내용을 씁니다.

15 소개하는 글을 쓰는 방법에 맞지 않게 쓴 글입니다. 친구의 이름, 잘하는 것 등 특징을 자세히 쓰지 않았기 때문입니다.

> **채점 기준**
> 소개하는 글을 쓰는 방법에 맞지 않게 썼으며, 소개하는 내용이 자세히 드러나지 않았기 때문이라는 내용을 썼으면 정답으로 인정합니다.

> **더 알아보기**
> **소개하는 글에 들어갈 내용**
> • 이름
> • 모습
> • 좋아하는 것
> • 잘하는 것
> • 성격
> • 장래 희망 등

16 자신을 소개하는 글을 쓰기 위해 어떻게 쓸지 계획하여 표로 정리한 것입니다.

17 얼굴이 둥글고 항상 웃는 얼굴이라는 것은 '모습'에 해당합니다.

18 ㉡에는 자신을 소개하는 내용이 들어가야 하므로 ⑶이 들어갈 내용으로 알맞습니다.

19 소개한 내용 중에서 더 알고 싶은 내용이나 좋아하는 것에 대한 까닭 등을 궁금한 내용으로 물어볼 수 있습니다. 이름과 얼굴의 특징은 이미 소개한 내용이므로 물어볼 내용으로 알맞지 않습니다.

20 존경하는 인물을 소개할 때 존경하는 인물보다 내가 더 나은 점을 소개하는 것은 알맞지 않습니다. 존경하는 인물의 이름, 성격, 한 일, 존경하는 까닭 또는 본받을 점을 소개하는 것이 좋습니다.

01 ㉮ **02** (2) ○ **03** 이슬비 **04** 서현 **05** (1) – ② (2) – ④ (3) – ① (4) – ③ **06** (1) 여우비 (2) 채찍비 (3) 안개비 **07** ④ **08** ②, ⑤ **09** (1) ○ **10** 예 정말 고마워. / 진짜 멋있어. **11** ④ **12** ㉯, ㉰ **13** ② **14** ③ **15** ② **16** 예 떡볶이, 김치, 라면 **17** (질문 , 명령)을 하고 그에 대한 (느낌 , 대답)을 이야기하며 서로 말을 주고받습니다. **18** (3) ○ **19** ③ **20** 예 손가락 다섯, 발가락 다섯 **21** ⑤ **22** (2) ○ (3) ○ **23** (1) 딸기 (2) 예 포도, 키위, 참외 **24** ②, ④ **25** ①, ③ **26** (1) ○ **27** (2) ○ **28** (1) 예 교문 앞 (2) 예 운동장 (3) 예 교실 앞 **29** ①, ③ **30** ④ **31** 예 학교 / 교실 / 학원 **32** (1) 예 칠판, 미끄럼틀 (2) 예 칠판에 미끄럼틀을 그렸다. **33** ② **34** (1) ○ **35** 예 다시 집으로 헐레벌떡 뛰어가 준비물을 챙겨 학교에 왔다. **36** ㉮ **37** ⑤ **38** (2) ○ **39** ㉯ **40** 건우 **41** (1) – ① (2) – ② **42** ③ **43** 윤서 **44** 예 여름에 먹은 팥빙수가 무척 시원했다. / 수업 시간에 큰 소리로 대답하는 친구들의 목소리가 시원시원했다.

01 비가 가늘게 내려서, 즉 내리는 비의 양이 얼마 되지 않아서 우산을 쓸까 말까 고민하였습니다.

02 국숫발같이 가늘다고 '가랑비'라는 이름이 붙었다고 하였습니다.

03 풀잎에 겨우 이슬이 맺힐 만큼 내려서 '이슬비'라고 하였습니다.

04 이 시는 '가랑비'와 '이슬비'라는 재미있는 비의 이름과 그런 이름이 붙은 까닭이 잘 드러난 시입니다.

05 '단비'는 꼭 필요할 때 알맞게 내려서 붙여진 이름이고, '잠비'는 여름에 일을 쉬고 낮잠을 잘 수 있게 하는 비라서 붙여진 이름입니다. '찬비'는 비가 차갑게 느껴져서, '장대비'는 장대처럼 굵고 거세게 좍좍 내려서 붙여진 이름입니다. 비의 이름에서 그런 이름이 붙은 까닭을 짐작해 볼 수 있습니다.

06 볕이 나 있는 날 잠깐 오다가 그치는 비를 '여우비'라고 하고, 채찍을 내리치듯이 굵고 세차게 쏟아져 내리는 비를 '채찍비'라고 합니다. 또, 내리는 빗줄기가 매우 가늘어서 안개처럼 부옇게 보이는 비를 '안개비'라고 합니다.

07 '비누', '비행기', '비밀'은 모두 '비'로 시작하는 낱말이므로, 친구들이 '비'로 시작하는 낱말을 말하고 있음을 알 수 있습니다.

08 ㉠에는 '비'로 시작하는 낱말이 들어가야 합니다. '선비'는 '비'로 끝나는 낱말이고, '산비탈'은 '비'가 가운데에 들어가는 낱말입니다. 따라서 ②와 ⑤는 '비'로 시작하는 낱말이 아닙니다.

09 ㉮에서 친구들은 모두 다섯 글자로 말하고 있습니다.

10 '정말 고마워.', '진짜 멋있어.', '친하게 지내.' 등 말이 되도록 다섯 글자로 말해야 합니다.

채점 기준

친구에게 해 주고 싶은 말을 말이 되도록 다섯 글자로 말했으면 정답으로 인정합니다.

11 ㉯에서 친구들은 말놀이를 하면 어떤 점이 좋은지 이야기를 나누고 있습니다.

12 친구들과 함께 말놀이를 하면 재미있고, 여러 가지 낱말을 자연스럽게 익힐 수 있으며, 재미있고 다양한 말로 내 생각을 표현할 수 있어 좋습니다.

13 꼬리따기 말놀이는 「사과는 빨개」처럼 비슷한 것을 떠올려 말을 이어 가는 놀이입니다.

14 빨간 것을 떠올려 말을 이어 갈 수 있습니다. 케첩, 장미꽃, 단풍잎, 토마토는 빨갛지만, 바나나는 껍질이 노란색이라 알맞지 않습니다.

15 뒤에 이어지는 말이 '귀여우면'이므로, 빈칸에는 '귀여워'가 들어가야 알맞습니다.

16 매운 것을 떠올려 써 봅니다. 떡볶이, 김치, 라면 등 매운 음식을 떠올리면 됩니다.

17 주고받는 말놀이는 질문을 하고 그에 대한 대답을 이야기하며 서로 말을 주고받는 놀이입니다.

18 셋에 해당하는 것은 '세발자전거 바퀴'입니다. '안경다리'는 둘에 해당하고, '고양이 다리'는 넷에 해당합니다.

19 넷에 해당하지 않는 것은 닭의 다리입니다. 닭의 다리는 두 개이므로 둘에 해당합니다.

20 다섯에 해당하는 것을 떠올려 씁니다. 손가락이나 발가락을 떠올려 '손가락 다섯' 등으로 표현할 수 있습니다.

채점 기준
다섯에 해당하는 것을 떠올려 '( ) 다섯'의 형태로 썼으면 정답으로 인정합니다.

21 선생님께서 말씀하신 '말 덧붙이기 놀이'를 하고 있습니다.

22 말 덧붙이기 놀이는 앞 친구가 한 말을 반복한 뒤에 다른 말을 덧붙여 말합니다. 과일 가게 대신 다른 장소로 바꾸어 가며 놀이를 계속할 수 있습니다.

23 앞사람이 한 말을 그대로 반복하고 새로운 말을 덧붙여 말해야 하므로, ㉮에는 '딸기'가 들어가고, ㉯에는 앞에서 나오지 않은 다른 과일을 넣어 말해야 합니다.

24 말놀이를 잘하려면 규칙이나 방법을 생각하며 말하고, 앞사람이 하는 말을 집중해서 들어야 합니다.

더 알아보기
말놀이를 잘하기 위해 주의해야 할 점
• 규칙을 잘 알고 지켜야 합니다.
• 다른 사람이 하는 말을 집중해서 들어야 합니다.
• 다른 사람에게 말할 때는 정확하게 표현해야 합니다.

25 전래 동요 「어디까지 왔니」는 어디까지 왔는지 묻고 답하는 내용으로 여러 장소가 나옵니다.

26 이 노래는 맨 앞 사람은 눈을 뜨고, 뒷사람은 앞사람의 허리를 잡고 눈을 감고 따라가며 부릅니다.

27 장소는 '동네 앞'에서 '개울가', '대문 앞'으로 바뀌었습니다.

28 (1)~(3)에 다양한 장소를 넣어 대답하면 됩니다. 예를 들어 '교문 앞 → 운동장 → 교실 앞'으로 대답할 수 있습니다.

29 채소 가게에서 볼 수 있는 낱말이 나와야 하므로, '상추'와 '당근'이 들어갈 낱말로 알맞습니다.

30 놀이터에서 볼 수 있는 것에는 '그네, 시소, 철봉, 미끄럼틀' 등이 있습니다. '지하철'은 놀이터에서 볼 수 없으므로 알맞지 않습니다.

31 칠판과 책상, 의자를 볼 수 있는 장소는 '학교, 교실, 학원' 등입니다.

32 생각그물에 들어갈 수 있는 서로 다른 장소의 두 낱말을 이용해 뜻이 통하는 문장을 만들어야 합니다. 예를 들어 '미끄럼틀'과 '칠판'을 골랐다면, '칠판에 미끄럼틀을 그렸다.'로 문장을 만들 수 있습니다. 억지스러운 문장을 만들면 안 됩니다.

채점 기준
서로 다른 장소에서 볼 수 있는 두 낱말을 넣어 뜻이 통하도록 자연스러운 문장을 만들어 썼으면 정답으로 인정합니다.

33 칠판에 '오이'라는 낱말이 써 있고 첫 문장에 '오이'가 들어간 것으로 보아, 친구들은 '오이'라는 낱말을 정해 줄줄이 이야기 만들기 놀이를 하고 있음을 알 수 있습니다.

34 줄줄이 이야기 만들기 놀이를 할 때는 정한 낱말이 들어가도록 첫 문장을 만든 뒤 내용이 계속 이어지도록 이야기를 만들어야 합니다. 처음 정한 낱말은 첫 문장에만 들어가면 됩니다.

35 마지막 친구가 말한 '학교에 와 보니 준비물을 잘 못 가져와서 가슴이 콩닥콩닥 뛰었다.'에 이어지는 내용을 생각해 써 봅니다. '다시 집으로 헐레벌떡 뛰어가 준비물을 챙겨 학교에 왔다.'와 같은 문장을 이어 말하면 됩니다.

36 정한 낱말이 들어가도록 첫 문장을 만들어야 하므로, ㉮가 첫 문장으로 알맞습니다.

37 이 그림책에서는 '시원하다'라는 말이 반복되고 있습니다.

38 **1**에서 '시원하다'는 '음식이 차고 산뜻하여 속이 후련하다.'라는 의미로 쓰였습니다.

39 **2**는 속이 후련할 만큼 음식이 뜨겁고 얼큰할 때 시원하다고 느끼는 상황에 해당합니다.

40 **1**과 같은 경험을 떠올려 말한 사람은 건우입니다. 규현이는 **2**와 비슷한 경험을 떠올려 말했습니다.

41 **3**은 막힌 데가 없이 활짝 트여 마음이 후련할 때 시원하다고 느끼는 상황에 해당하며, **4**는 지저분하던 것이 깨끗하고 말끔해져 기분이 좋아질 때 시원하다고 느끼는 상황에 해당합니다.

42 **4**에서 ㉠은 '지저분하던 것이 깨끗하고 말끔하다.'라는 의미이므로, '기분이나 몸이 상쾌하고 가뜬하다.'라는 의미의 '개운해'와 바꾸어 쓸 수 있습니다.

43 이 그림책에서는 시원하다고 말할 수 있는 다양한 상황들이 나와서 재미있게 느껴집니다. 시원하다는 낱말이 다양한 뜻으로 쓰인다는 것을 알 수 있습니다.

44 자신이 시원하다고 느꼈던 다양한 상황들을 떠올려 봅니다. 더위를 식힐 정도로 서늘했던 상황, 속이 후련할 만큼 뜨겁고 얼큰한 음식을 먹었던 경험, 막힌 데가 없이 활짝 트여 마음이 후련했던 경험, 지저분하던 것이 깨끗하고 말끔해져 기분이 좋아졌던 경험 등을 떠올려 써 봅니다.

단원 확인 평가
38~41쪽

01 ① **02** (3) ○ **03** 은수 **04** ①, ②, ⑤ **05** 예 재미있고 자연스럽게 여러 가지 낱말을 익힐 수 있다. / 다양한 말로 내 생각을 표현할 수 있다. **06** (1) ○ **07** (1) – ③ (2) – ② (3) – ① **08** ② **09** 예 갈치도 있고. **10** (1) 방법 (2) 앞사람 **11** ① **12** (1) 개울가 (2) 대문 앞 **13** ⑤ **14** ③ **15** 예 ㉡ 철봉, ㉣ 꽃 **16** (2) ○ **17** 영완 **18** ⑤ **19** (1) – ① (2) – ③ (3) – ② **20** 예 아저씨가 뜨거운 국물을 마시면서 시원하다고 말하는 장면이 재미있다. 뜨거운 것을 시원하다고 표현하는 어른들이 이상하면서도 한편으로는 이해가 되기 때문이다.

01 가랑비와 이슬비는 모두 '가는 비'라는 공통점이 있습니다.

02 이슬비는 풀잎에 겨우 이슬이 맺힐 만큼 내려서 붙여진 이름입니다.

03 가루처럼 뿌옇게 내려서 '가루비'라고 한 은수가 비의 특징이 잘 드러나도록 이름을 붙였습니다.

04 포근한 느낌을 주는 것에는 '봄', '이불', '엄마 품'이 있습니다. '책상'과 '동전'은 포근한 느낌과는 거리가 멉니다.

05 친구들과 함께 말놀이를 하면 재미있고, 여러 가지 낱말을 자연스럽게 익힐 수 있으며, 재미있고 다양

한 말로 내 생각을 표현할 수 있어 좋습니다.

'재미있다, 여러 낱말을 자연스럽게 익힐 수 있다, 다양한 말로 내 생각을 표현할 수 있다.' 등 말놀이를 하면 좋은 점을 썼으면 정답으로 인정합니다.

06 묻고 답하면서 말을 주고받는 말놀이입니다.

07 ㉠에는 셋에 해당하는 세발자전거 바퀴가, ㉡에는 넷에 해당하는 코끼리 다리가, ㉢에는 다섯에 해당하는 발가락이 들어가야 알맞습니다.

08 앞 친구가 한 말을 반복한 뒤에 다른 말을 덧붙여 말하고 있으므로, '말 덧붙이기 놀이'에 해당합니다.

09 생선 가게에서 볼 수 있는 것을 떠올려 덧붙여 말해야 합니다. 앞에 이미 나온 고등어와 오징어를 제외한, 갈치, 새우, 꽁치, 동태 등을 넣어 '(   )도 있고'의 형태로 말하면 됩니다.

10 말놀이를 할 때는 규칙이나 방법을 생각하며 말하고, 앞사람이 하는 말을 집중해서 들어야 합니다.

11 「어디까지 왔니」를 부를 때는 장소를 바꾸어 가며 부릅니다.

12 동네 앞에서 개울가, 대문 앞으로 차례로 이동하였습니다.

13 갈치는 채소 가게가 아니라 생선 가게에서 볼 수 있습니다.

14 소고기, 삼겹살, 사골, 등갈비, 목살 등을 파는 곳은 정육점입니다.

15 놀이터에서 그네나 시소, 미끄럼틀 이외에 철봉, 꽃, 정글짐 등을 볼 수 있습니다.

16 두 낱말로 문장을 만들 때는 뜻이 통하도록 자연스럽게 만들어야 하므로 (2)가 알맞은 문장입니다. (1)에서 삼겹살이 그네 타기를 좋아한다는 것은 말이 되지 않습니다.

17 늦잠을 자서 지각을 했고, 교실에 들어갈 때 친구들이 쳐다봐서 부끄러웠다는 것은 자연스럽게 이야기가 이어집니다. 그러나 영완이가 말한 "앞으로는 친구와 친하게 지내야겠다."는 앞의 내용과 어울리지 않습니다. "앞으로는 일찍 일어나야겠다."라고 문장을 만드는 것이 더 적절합니다.

18 ❷에서 '시원하다'는 '음식이 뜨거우면서도 속이 후련하다.'라는 뜻입니다.

19 ❶은 더위를 식힐 정도로 서늘할 때 시원하다고 느끼는 상황, ❷는 속이 후련할 만큼 음식이 뜨겁고 얼큰할 때 시원하다고 느끼는 상황, ❸은 막힌 데가 없이 활짝 트여 마음이 후련할 때 시원하다고 느끼는 상황에 해당합니다.

20 이 그림책에서는 시원하다고 말할 수 있는 다양한 상황들이 나옵니다. 어떤 문장이나 장면이 특히 재미있었는지 까닭과 함께 써 봅니다.

글에서 재미있는 문장이나 장면을 찾아 쓰고, 그 까닭도 함께 썼으면 정답으로 인정합니다.

2단원에서는 재미있는 말놀이를 하며 말의 재미를 느껴 보고, 글을 읽고 자신의 생각이나 느낌을 표현해 보았어. 친구들과 협동하며 즐겁게 말놀이에 참여하고, 책을 읽고 자신의 생각이나 느낌도 솔직하게 표현할 수 있겠지?

교과서 내용 학습

44~53쪽

01 (2) ○   02 ②, ④   03 ④   04 예준   05 (1) – ②
(2) – ①   06 예 멋진 / 튼튼한   07 (1) 예 빨간 (2) 예
맛있게   08 (1) 예 귀여운 (2) 예 빠르게   09 (1) 예
거센 (2) 예 끝없이   10 (1) 예 누리호가 넓은 하늘로
발사되었다. (2) 예 누리호가 시커먼 연기를 내뿜는다.
11 ②   12 (1) ○   13 ①   14 (1) – ① (2) – ②
15 (1) ○   16 ④   17 (1) – ① (2) – ② (3) – ③
18 ③   19 ㉰   20 ③   21 ⑤   22 현태, 민성
23 예 물 위로 나뭇잎이 동동 떠내려간다. / 바람이 불
자 낙엽이 우수수 떨어졌다. / 팥죽에 동글동글 새알심
이 많다.   24 (3) ○   25 (1) 교통 (2) 인사   26 ①, ③
27 ④   28 (1) – ② (2) – ①   29 ③   30 ②, ④
31 (1) ○ (2) ○   32 (1) 예 두근두근 떨리는 달리기 시
합 (2) 예 겪은 일 중 중요한 일은 달리기 시합이고, 그
때 마음이 두근두근 떨렸기 때문이다.   33 (1) 들은 것
(2) 슬펐던 일 (3) 인상 깊은   34 (1) 예 친구와 만나 학
교에 감. (2) 예 수업 시간에 꽃 화분을 만듦. (3) 예 오빠
와 자전거를 탐.   35 ①   36 ⑤   37 ③   38 (1) – ②
(2) – ①   39 ①   40 (1) ○   41 (1) – ① (2) – ③
(3) – ②   42 (1) ㉮ (2) ㉯   43 (1) 예 저녁에 (2) 예
오빠와 (3) 예 함께 자전거를 탔다. (4) 예 힘들었지만
자전거 타는 실력이 늘어 재미있었다.   44 ③   45 ④
46 (1) – ③ (2) – ④ (3) – ② (4) – ①   47 예 시원한
바람을 맞으니 상쾌하고 기분이 좋았다.   48 ①, ②, ④

01 글 ㉯는 꾸며 주는 말을 사용해 글 ㉮보다 더 생
   생하고 실감 납니다.

더 알아보기

꾸며 주는 말을 사용하면 좋은 점
• 자신의 생각을 정확하게 나타낼 수 있습니다.
• 생각이나 느낌을 실감 나게 표현할 수 있습니다.
• 대상에 대해 좀 더 생생하게 설명할 수 있습니다.

02~03 글 ㉯에 쓴 '넓은', '활짝'처럼 뒤에 오는 말을
꾸며 그 뜻을 자세하게 해 주는 말을 '꾸며 주는 말'
이라고 합니다.

04 일기에는 아주 특별한 일만 써야 하는 것이 아니라
그날 겪은 일 가운데에서 기억하고 싶은 일을 글감
으로 하여 쓰면 됩니다.

05 우산의 색깔을 보고 '노란'을 넣어 우산을 꾸며 줄
수 있고, 우산의 모양을 보고 '예쁜'을 넣어 우산을
꾸며 줄 수 있습니다.

06 '멋진', '튼튼한' 등을 넣어 거북선을 꾸며 줄 수 있
습니다.

07 '딸기'를 꾸며 줄 수 있는 말에는 '빨간', '탐스러운'
등이 있고, '먹었다'를 꾸며 줄 수 있는 말에는 '맛
있게', '천천히' 등이 있습니다.

08 '강아지'를 꾸며 줄 수 있는 말에는 '귀여운', '작은'
등이 있고, '달린다'를 꾸며 줄 수 있는 말에는 '빠
르게' 등이 있습니다.

09 '파도'를 꾸며 주는 말로 '거센', '새하얀' 등을 넣을
수 있고, '몰려온다'를 꾸며 주는 말로 '힘차게', '끝
없이' 등을 넣을 수 있습니다.

10 사진을 보면 넓은 하늘이 보이고, 연기가 시커먼
색입니다. '넓은 하늘', '시커먼 연기' 등을 넣어 사
진을 설명하는 문장을 써 봅니다.

채점 기준
'넓은'과 '시커먼'을 꾸며 주는 말로 넣어 사진을 설명하는 문
장을 각각 썼으면 정답으로 인정합니다.

11 조그만 새싹이 자라 노랑꽃을 피웠습니다.

12 땅속에서 조롱조롱 열매를 맺었습니다.

13 식물이 맺은 열매는 고소한 땅콩입니다.

14 '조롱조롱'은 '작은 열매 따위가 많이 매달려 있는

모양.'을, '올록볼록'은 '물체의 거죽이나 면이 고르지 않게 높고 낮은 모양.'을 뜻하는 말입니다.

15 '고소한'은 '볶은 깨, 참기름 따위에서 나는 맛이나 냄새와 같은.'의 뜻이므로, 떡볶이보다는 군밤을 꾸며 주는 말로 알맞습니다.

16 덩굴손이 꼬불꼬불 뻗어 가며 자라 포도가 열렸습니다.

17 '꼬불꼬불'은 '이리로 저리로 고부라지는 모양.'을, '빙글빙글'은 '큰 것이 잇따라 미끄럽게 도는 모양.'을, '송알송알'은 '땀방울이나 물방울, 열매 따위가 잘게 많이 맺힌 모양.'을 뜻하는 말입니다.

18 포도가 새콤달콤 맛나다고 하였습니다.

19 '탐스러운'은 '가지거나 차지하고 싶은 마음이 들 정도로 보기가 좋고 끌리는 데가 있는.'을 뜻하는 말이므로, ㉣의 '개똥'을 꾸며 주는 말로는 알맞지 않습니다.

20 '떨어진'을 꾸며 주는 말로는 물건이 수북하게 쏟아지는 모양을 뜻하는 '우수수'가 가장 어울립니다.

21 개구리가 물속에서 나올 때 입가에 밥풀처럼 붙어서 '개구리밥'이라 부른다고 하였습니다.

22 개구리밥은 잎이 동글동글하고, 물 위에 떠서 자랍니다.

23 '동동'은 '작은 물체가 떠서 움직이는 모양.'을, '우수수'는 '물건이 수북하게 쏟아지는 모양.'을, '동글동글'은 '여럿이 다 또는 매우 동근 모양.'을 뜻하는 말입니다. 그 뜻에 맞게 문장을 만들어 봅니다.

채점 기준

주어진 낱말 중 하나를 골라 그 뜻에 알맞도록 문장을 만들어 썼으면 정답으로 인정합니다.

24 맑은 날씨를 보고 웃는 모습이므로 (3)이 겪은 일을 바르게 정리한 것입니다.

25 소율이는 학교 가는 길에 교통 봉사를 해 주시는 분께 인사를 했습니다.

26 소율이는 학교에서 식물 관찰과 달리기를 했습니다.

27 소율이는 저녁에 도서관에서 동생과 그림책을 읽었습니다.

28 화창하게 맑은 하늘을 보았을 때는 반가웠을 것이고, 운동장에서 친구들과 달리기를 할 때는 긴장되었을 것입니다.

29 소율이는 수업 시간에 운동장에서 달리기를 한 일을 일기로 썼습니다.

30 소율이는 빠르게 달리는 방법을 배운 뒤 세 명씩 달리기를 하였습니다.

31 출발선에 섰을 때는 긴장되고 떨렸고, 달리기를 잘한다고 칭찬을 들었을 때는 기분이 좋았다고 하였습니다.

32 일기의 제목은 일기의 내용을 대표할 만한 것으로, 중요한 일이나 인물을 제목으로 하거나, 생각이나 느낌을 넣어 제목을 붙이는 것이 좋습니다.

채점 기준

달리기를 한 일이나, 그때의 생각이나 느낌이 드러나도록 제목을 붙이고, 그렇게 제목을 정한 까닭을 알맞게 썼으면 정답으로 인정합니다.

33 하루에 겪은 일 가운데에서 한 것, 본 것, 들은 것을 떠올려 보고, 떠올린 것 가운데에서 기뻤던 일, 슬펐던 일, 화났던 일이 무엇인지 생각해 봅니다. 그 가운데에서 가장 인상 깊은 일을 골라 일기를 씁니다.

34 자신이 어제 하루 동안 겪은 일을 아침, 낮, 저녁으로 나누어 떠올려 정리합니다.

채점 기준

자신이 겪었던 일을 아침, 낮, 저녁으로 나누어 떠올려 썼으면 정답으로 인정합니다.

35 떠올렸던 일 중에서 인상 깊은 일을 골라 일기의 글감으로 정하는 것이 좋습니다.

36 언제, 어디에서 무슨 일이 있었으며 어떤 생각이나 느낌이 들었는지 정리해 봅니다.

37 일기의 제목은 그날 있었던 중요한 일을 알 수 있게 붙여야 합니다.

38 있었던 중요한 일과 그때의 생각이나 느낌이 잘 드러나도록 제목을 연결해 봅니다.

39 '반 친구들 앞에서 노래 부름.'이라는 내용을 통해 장소가 학교임을 짐작할 수 있습니다.

40 큰따옴표 안의 말을 통해 들은 것임을 알 수 있습니다.

41 구름 가득한 하늘을 보고 걱정되었을 것이고, 반 친구들 앞에서 노래를 부를 때는 긴장되었으나 칭찬을 받고 기뻤을 것입니다. 예쁜 물고기를 봤을 때는 행복했을 것입니다.

42 선생님께 칭찬받은 일은 기뻤던 일, 친한 친구가 전학을 간 것은 슬펐던 일에 해당합니다.

43 겪었던 일 중 인상 깊은 일을 떠올려 언제, 누구와 무슨 일이 있었는지, 그때 어떤 생각이나 느낌이 들었는지 정리해 봅니다.

채점 기준
각 항목에 맞게 정리해 썼으면 정답으로 인정합니다.

44 일기에는 날씨와 요일, 누구와 무슨 일을 했는지와 자신의 생각이나 느낌을 솔직하게 써야 합니다. 일기를 쓴 시간까지 기록할 필요는 없습니다.

45 여자아이는 할머니, 강아지와 함께 있습니다.

46 바람을 꾸며 주는 말은 '시원한', 바람개비가 돌아가는 모양을 꾸며 주는 말은 '빙글빙글', '강아지'를 꾸며 주는 말은 '귀여운', 꽃이 떨어지는 모양이나 소리를 꾸며 주는 말은 '톡톡'이 알맞습니다.

47 그림 속 여자아이의 표정을 보고 생각이나 느낌을 짐작해 써 봅니다.

채점 기준
기분 좋은 느낌이 잘 드러나도록 생각이나 느낌을 썼으면 정답으로 인정합니다.

48 일기를 쓸 때는 날짜와 날씨를 모두 쓰고, 누구와 무엇을 했는지, 겪은 일과 생각이나 느낌을 모두 씁니다. 꾸며 주는 말을 넣어 생생하게 쓰고, 따옴표를 이용해 다른 사람과 나눈 대화까지 쓰면 더 좋습니다.

단원 확인 평가
60~63쪽

01 (2) ◯　**02** ㄴ　**03** ①　**04** (1) 예 멋진 (2) 예 힘차게　**05** (1) 예 노란 (2) 예 천천히　**06** 예 힘껏　**07** 예 멋진, 푸드덕푸드덕　**08** 예 누리호가 뜨거운 불길을 뿜으며 넓은 하늘로 솟아오른다.　**09** ②, ③　**10** ②　**11** ④　**12** 포도　**13** (1) ① (2) ①　**14** (1) 1 (2) 3 (3) 2　**15** (1) − ① (2) − ②　**16** ⑤　**17** (1) 예 긴장되고 떨렸다. (2) 예 기분이 좋았다.　**18** (3) ◯　**19** ④　**20** 예 20◯◯년 ◯월 ◯일 / 날씨: 맑고 화창함. / 제목: 상추야, 쑥쑥 자라라! / 엄마와 집에서 큰 화분에 상추씨를 심었다. 흙에 뽕뽕 구멍을 뚫고 상추씨를 2~3개씩 넣고는 잘 덮어 준 후 물을 주었다. 햇빛 잘 드는 창가에서 물을 잘 주고 키우면 상추가 쑥쑥 자라겠지? 내가 키운 상추에 고기를 넣고 쌈을 싸 먹어야겠다. 상추야! 쑥쑥 자라렴.

---

01 '꾸며 주는 말'은 뒤에 오는 말을 꾸며 그 뜻을 자세하게 해 주는 말입니다.

02 글 ㄴ는 꾸며 주는 말을 사용해 글 가보다 더 생생하고 실감 납니다.

더 **알아보기**
꾸며 주는 말을 사용해 문장을 쓰면 좋은 점
- 글의 내용을 더 실감 나게 표현할 수 있습니다.
- 글의 내용을 더 자세하게 나타낼 수 있습니다.
- 읽는 사람이 재미를 느끼게 할 수 있습니다.

03 글 **나**에서 '넓은'과 '활짝'이 꾸며 주는 말에 해당합니다.

04 (1)에는 '거북선'을 꾸며 주는 말인 '큰', '멋진', '튼튼한' 등을 넣고, (2)에는 '나간다'를 꾸며 주는 말인 '힘차게', '빠르게' 등을 넣습니다.

05 (1)에는 '우산'을 꾸며 주는 말인 '노란', '예쁜' 등을 넣고, (2)에는 '간다'를 꾸며 주는 말인 '천천히', '빠르게' 등을 넣습니다.

06 '날린다'를 꾸며 주는 말인 '힘껏', '신나게' 등을 넣어 문장을 꾸밉니다.

07 '황새'를 꾸며 주는 말인 '멋진', '커다란' 등을 넣고, '한다'를 꾸며 주는 말인 '푸드덕푸드덕', '우아하게' 등을 넣어 문장을 꾸밉니다.

08 우주선이 뿜는 불길이 뜨거워 보이며, 넓은 하늘이 보입니다. 따라서 '누리호가 뜨거운 불길을 뿜으며 넓은 하늘로 솟아오른다.'와 같이 '뜨거운'과 '넓은'을 넣어 사진을 설명할 수 있습니다.

채점 기준
'뜨거운'과 '넓은'을 넣어 사진에 알맞은 문장을 꾸며 썼으면 정답으로 인정합니다.

09 땅콩은 노란색 꽃을 피우며 땅속에서 열매를 맺습니다.

10 꾸며 주는 말은 문장에서 빼도 말이 통합니다. '쑥쑥', '조롱조롱', '올록볼록', '고소한'은 모두 뒤에 오는 말을 자세히 설명하는 말로 빼더라도 문장을 이해하는 데 어려움이 없지만, '노랑꽃'은 문장에서 '무엇을'에 해당하는 말로, 빼면 문장의 뜻이 통하지 않습니다.

11 글을 읽고 포도의 색과 맛, 개구리밥이 자라는 곳과 개구리밥이란 이름이 붙은 까닭을 알 수 있지만, 개구리가 주로 먹는 먹이가 무엇인지는 알 수 없습니다.

12 포도는 덩굴손이 꼬불꼬불 뻗어 가며 자라는 식물입니다.

13 (1) '돌돌'은 '작은 물건이 여러 겹으로 동글하게 말리는 모양.'을 뜻하는 말이므로, ①이 바르게 만든 문장입니다.

(2) '우수수'는 '물건이 수북하게 쏟아지는 모양.'을 뜻하는 말이므로, ①이 바르게 만든 문장입니다.

14 소율이가 겪은 일을 순서대로 쓰면 '식물 관찰하기, 운동장에서 달리기하기, 집으로 돌아가기'입니다.

15 식물을 관찰할 때는 신기했을 것이고, 달리기를 할 때는 긴장했을 것입니다.

16 수업 시간에 달리기를 한 일을 글감으로 하여 일기를 썼습니다.

17 출발선에 섰을 때는 긴장되고 떨렸고, 달리기를 잘한다고 칭찬을 들었을 때는 기분이 좋았다고 하였습니다.

18 달리기를 한 일이 중심 글감이고, 달리기 전에 긴장되고 떨렸다고 하였으므로, 있었던 일과 생각이나 느낌이 잘 드러나도록 붙인 '두근두근 떨리는 달리기'가 일기의 제목으로 가장 어울립니다.

더 **알아보기**
겪은 일에 알맞은 제목 정하는 방법
- 그날 있었던 중요한 일을 생각하며 정합니다.
- 겪은 일에 대해 어떤 생각이나 느낌이 들었는지 떠올려 정합니다.
- 겪은 일을 간단히 줄여서 나타냅니다.
- 겪은 일에서 가장 중요하게 생각하는 사람이나 물건을 제목으로 할 수도 있습니다.

19 일기는 자신이 겪은 일을 솔직하게 써야지 없던 일을 재미있게 꾸며서 쓰면 안 됩니다.

20 날짜와 날씨를 쓰고, 일기의 글감에 어울리는 제목을 붙입니다. 언제, 어디에서, 누구와 무슨 일이 있었는지, 그때 어떤 생각이나 느낌이 들었는지 나타나도록 일기를 씁니다.

채점 기준

언제, 어디에서, 누구와 무슨 일이 있었는지, 그때의 생각이나 느낌이 잘 드러나도록 썼으면 정답으로 인정합니다.

더 알아보기

자신이 쓴 일기를 읽고 스스로 확인해 보기
• 날짜와 요일을 정확하게 썼나요?
• 날씨를 생생하게 나타냈나요?
• 누구와 무슨 일이 있었는지 자세히 썼나요?
• 겪은 일에 대한 자신의 생각이나 느낌을 솔직하게 썼나요?

3단원에서는 꾸며 주는 말을 넣어 문장을 쓰고, 겪은 일이 잘 드러나게 일기를 써 보았어. 이제 꾸며 주는 말을 넣어 겪은 일이 잘 드러나는 일기도 써 볼 수 있겠지? 꾸며 주는 말을 넣어 일기를 쓰면 일기 내용이 더 자세하고 풍부해질 거야.

4 분위기를 살려 읽어요

교과서 내용 학습   66~75쪽

01 ②   **02** (2) ○   **03** 현주   **04** ④   **05** (1) – ①
(2) – ③   **06** (1) ○   **07** ④   **08** 못   **09** ②   **10** (1)
걷다 (2) 없다   **11** (2) ○   **12** (1) 예 없다 (2) 예 나는
사이 나쁜 친구가 없다.   **13** 따   **14** ⑤   **15** [여덜]
16 ③, ④   **17** ⑤   **18** ①   **19** (2) ○   **20** 연우   **21** ⑤
22 예 해안가에 있는 플라스틱 쓰레기를 줍거나 바다에
떠다니는 쓰레기를 모아 없애기도 합니다.   **23** (1) – ②
(2) – ①   **24** (1) ○   **25** ③   **26** ②   **27** ④   **28** ④,
⑤   **29** (1) ○   **30** 예 (1) 민들레꽃 (2) 구석진 응달에
홀로 피어 있는 모습에서 안쓰러운 마음이 느껴졌습니
다.   **31** 서준   **32** (1) ○   **33** ④   **34** ①, ③   **35** ①
36 ②   **37** (1) ○   **38** 연희   **39** 예 친구들과 / 재미
있는 / 놀이를 할 거야.   **40** (1) ○ (2) ○

01 이 시를 읽을 때 자장가를 들으며 잠들었던 경험을 떠올리면 시를 이해하는 데 도움이 됩니다.

02 그림에서는 손뼉을 치거나 발을 구르며 시를 읽고 있습니다.

더 알아보기

분위기에 알맞게 시를 읽는 여러 가지 방법
• 주고받으며 읽기
• 손뼉을 치거나 발을 구르며 읽기
• 시에서 떠오르는 장면을 몸짓으로 표현하며 읽기

03 손뼉을 치거나 발을 구르며 읽으면 시의 리듬감이 느껴져 마치 노래를 부르는 느낌이 들 수 있습니다.

04 '넓고 넓은'은 [널꼬 널븐]으로 소리 내어 읽습니다.

05 '학교'는 [학꾜], '있다'는 [읻따]로 소리 납니다.

06 '앉다'는 [안따]로 소리 납니다.

07 '가위', '사랑', '오리', '나라', '쉬다'의 공통점은 소리

내어 읽은 것과 쓴 것이 같다는 것입니다.

08 그림에 알맞은 낱말은 '몫'입니다.

09 '가위', '오리', '나라', '쉬다'와 '많다', '여덟', '몫', '학교', '낚시', '사랑', '강물', '앉다', '없다', '있다', '걷다', '흙'은 받침이 있는지 없는지로 나눌 수 있습니다.

10 '많다', '여덟', '몫', '학교', '낚시', '사랑', '강물', '앉다', '없다', '있다', '걷다', '흙'은 받침에 사용한 자음자의 개수에 따라 자음자 한 개를 받침으로 사용한 낱말과 자음자 두 개를 받침으로 사용한 낱말로 나눌 수 있습니다. 따라서 ㉡에는 '걷다', ㉢에는 '없다'가 들어갑니다.

11 (2)의 '낚시', '있다'에 있는 'ㄲ, ㅆ'이 쌍받침입니다.

12 겹받침이 있는 낱말을 고른 뒤 그 낱말이 들어가는 자연스러운 문장을 써 봅니다. 예를 들어, 겹받침이 있는 '없다'를 고른 후, '나는 사이 나쁜 친구가 없다.'라고 쓸 수 있습니다.

> **채점 기준**
>
> 겹받침이 있는 낱말을 고른 뒤 그 낱말이 들어가는 자연스러운 문장을 썼으면 정답으로 인정합니다.

13 '묶다', '엎다', '있다', '않다', '끊다'처럼 '다'로 끝나는 낱말은 '타' 또는 '따'로 발음합니다.

14 '괜찮아'를 소리 나는 대로 읽으면 [괜차나]입니다.

15 '여덟'을 소리 나는 대로 읽으면 [여덜]입니다.

> **더 알아보기**
>
> **받침 'ㄼ' 발음하기**
> • 받침 'ㄼ'은 보통 [ㄹ]로 발음합니다.
> ⑩ 짧다[짤따]
> 얇다[얄따]

16 겹받침은 하나의 받침만 소리가 납니다. 또한 겹받침 발음 규칙에 따르면 대부분 앞 받침이 소리가 나는데, 받침 'ㄳ'은 'ㄱ', 'ㄵ'은 'ㄴ', 'ㄶ'은 'ㄴ'으로 발음합니다.

17 바다에서 요트 경기를 하던 사람이 발견한 것은 바다에 있는 플라스틱 쓰레기 더미입니다.

18 '많은'을 소리 나는 대로 읽으면 [마는]입니다.

19 '더미'는 '많은 물건이 한데 모여 쌓인 큰 덩어리.'라는 뜻이므로 (2)가 알맞습니다.

20 문장의 의미를 생각하며 자연스럽게 띄어 읽기를 한 친구는 연우입니다.

> **더 알아보기**
>
> **띄어 읽기에 주의하며 읽는 방법**
> • 의미를 묶어서 띄어 읽습니다.
> • '누가(무엇이)' 다음에 띄어 읽습니다.
> • 문장 부호에 따라 띄어 읽습니다.

21 바다에서 사용한 그물, 부표, 우리가 함부로 버린 페트병, 물휴지가 바다로 흘러들어 가 쓰레기 더미가 되었습니다. 쓰레기 더미가 만들어진 원인으로 물고기 뼈는 알맞지 않습니다.

22 환경 단체들은 해안가에 있는 플라스틱 쓰레기를 줍거나 바다에 떠다니는 쓰레기를 모아 없애기도 합니다.

> **채점 기준**
>
> 쓰레기를 줍거나 쌓여 있는 쓰레기를 없앤다는 내용을 썼으면 정답으로 인정합니다.

23 '부표'는 '물 위에 띄워 위치를 알려 주는 물건.'이고, '분류'는 '종류에 따라 나눔.'이라는 뜻입니다.

24 '몫을'은 [목쓸]로 읽습니다.

25 이 시는 바람이 구석진 응달에 홀로 핀 민들레꽃에게 신문지로 목도리를 해 주며 힘내라고 용기를 주는 내용의 시로, 관련 있는 날씨는 바람이 부는 날입니다.

26 바람이 신문지 한 장을 끌고 간 곳은 골목입니다.

27 바람이 신문지를 목도리로 만든 까닭은 달달달 떠는 민들레꽃을 따뜻하게 해 주기 위해서입니다.

28 '힘내렴!'이라고 말할 때 바람의 마음은 따뜻한 마음, 어린 민들레꽃을 아껴 주는 마음입니다.

29 뚜벅뚜벅 골목을 걸어 나가야 하는데, 기어가는 몸짓으로 표현하는 것은 알맞지 않습니다.

30 바람, 신문지, 민들레꽃 중 하나를 골라 그에 어울리는 자신의 생각이나 느낌을 씁니다. 예를 들어, 민들레꽃에 대해 구석진 응달에 홀로 피어 있는 모습에서 안쓰러운 마음을 느꼈다고 쓸 수 있습니다.

> **채점 기준**
> 시 속 인물을 골라 그에 어울리는 자신의 생각이나 느낌을 썼으면 정답으로 인정합니다.

31 이 시는 바람이 신문지로 응달에 홀로 핀 민들레꽃에게 목도리를 해 주는 내용으로 따뜻한 분위기를 느낄 수 있습니다.

32 이 시를 읽고 떠오르는 장면으로 알맞은 것은 골목에 있는 민들레꽃이 신문지 목도리를 두르고 있는 장면입니다.

33 민들레꽃의 잘못을 분석하며 읽는 것은 이 시를 읽는 방법으로 알맞지 않습니다.

34 시 속 인물이 '오늘은 좋은 일이 많을 거야.'라고 한 까닭은 아침 일찍 새들이 깨워 주었고 해가 함빡 웃었기 때문입니다.

35 '안녕!'이나 '야호!'를 읽을 때에는 밝고 힘찬 목소리로 읽습니다.

36 '오늘은 좋은 일이 많을 거야.', '입에서 절로 휘파람이 나오는 / 즐거운 오늘.' 등을 통해 즐겁고 신나는 분위기가 느껴집니다.

> **더 알아보기**
> **시의 분위기 살펴보기**
> • 시 속 인물의 마음을 그려 봅니다.
> • 시 속 인물에게 하고 싶은 말을 떠올려 봅니다.
> • 시의 분위기를 친구들과 이야기해 봅니다.

37 시 속 '나'의 마음은 즐겁고 신나므로 웃는 얼굴 표정이 알맞습니다.

38 오늘 '학교에서는 선생님 질문에 자신 있게 대답할 수 있을 거야.'라고 했으므로, 선생님의 질문에 긴장한 까닭을 물어보고 싶다는 말은 알맞지 않습니다.

39 학교에서 즐겁게 보낼 수 있을 것 같은 경험을 떠올려 써 봅니다. 예를 들어, '친구들과 / 재미있는 놀이를 할 거야.'라고 쓸 수 있습니다.

> **채점 기준**
> 학교에서 즐겁게 보낼 수 있을 것 같은 경험을 썼으면 정답으로 인정합니다.

40 시 전체를 바꾸어 쓸 때 자신이 기분 좋았던 하루를 떠올려 보고, 바꾸어 쓴 시에 그림도 그려서 보여 주면 좋습니다. 친구가 바꾸어 쓴 내용과 내 시의 내용을 비슷하게 하는 것은 따라 쓰는 것이므로 알맞은 방법이 아닙니다. 각자의 경험을 떠올려 창의적으로 바꾸어 씁니다.

단원 확인 평가 82~85쪽

01 (2) ○ **02** 예 엄마 품에서 새근새근 잠자는 아기의 모습은 정말 귀여울 것 같아. **03** (1) ○ **04** ③ **05** (1) 있다 (2) 앉다, 없다, 흙 **06** ①, ③ **07** ② **08** 글 (가) **09** ②, ③ **10** ① **11** ④ **12** ㉢ **13** (1) ○ **14** (1) - ② (2) - ① **15** ③ **16** ④ **17** ① **18** 예 같이 기분 좋게 학교에 가고 싶다고 말하고 싶어. **19** (1) ○ **20** (1) - ② (2) - ③

01 그림에서 보여 주는 시를 읽는 방법은 시에서 '떠오르는 장면을 몸짓으로 표현하며 읽기'입니다.

02 시를 읽고 떠오르는 생각이나 느낌을 써 봅니다.

예를 들어, '엄마 품에서 새근새근 잠자는 아기의 모습은 정말 귀여울 것 같아.'라고 쓸 수 있습니다.

채점 기준
시를 읽고 시의 내용에 어울리는 생각이나 느낌을 떠올려 썼으면 정답으로 인정합니다.

03 '모여 앉아'는 [모여 안자]로 읽습니다. 낱말의 받침 뒤에 'ㅇ'으로 시작하는 글자가 오는 경우, 받침의 뒷글자가 'ㅇ'으로 옮겨 가 소리 납니다.

04 그림의 낱말을 나눈 기준과 관련 있는 것은 글자의 '받침'입니다.

05 'ㄲ, ㅆ' 따위는 쌍받침, 'ㄳ, ㄵ, ㄶ, ㄿ' 따위는 겹받침입니다.

06 'ㄳ, ㄵ, ㄿ, ㅄ' 따위를 겹받침이라고 합니다. '몫'과 '없습니다'는 겹받침이 있는 낱말입니다.

07 '몫'은 [목], '없어'는 [업써], '묶다'는 [묵따], '읽다'는 [익따]로 소리 납니다.

08 쓰레기 더미가 만들어진 원인은 바다에서 사용한 그물, 부표, 우리가 함부로 버린 페트병, 물휴지가 바다로 흘러들어 가서입니다. 이러한 내용은 글 (가)에서 찾을 수 있습니다.

09 환경 단체들은 해안가에 있는 플라스틱 쓰레기를 줍거나 바다에 떠다니는 쓰레기를 모아 없애기도 했습니다.

10 '없애기'는 [업쌔기]로, '몫을'은 [목쓸]로 읽습니다.

11 바람이 신문지로 만든 것은 목도리입니다.

12 '힘내렴!'을 통해서 어린 민들레꽃을 아껴 주는 바람의 마음을 알 수 있습니다.

13 골목을 뚜벅뚜벅 걸어가는 모습으로 알맞은 것은 (1)입니다.

14 바람에 대해서는 신문지로 어린 민들레꽃에게 목도리를 해 주는 모습에서 엄마처럼 따뜻한 마음이

느껴졌고, 민들레꽃에게는 구석진 응달에 홀로 피어 있는 모습에서 안쓰러운 마음이 느껴졌습니다.

15 바람이 민들레꽃을 돌봐 준다는 내용을 통해서 따뜻한 분위기를 느낄 수 있습니다.

더 알아보기
시의 분위기를 파악하는 방법
• 시를 읽고 떠오르는 장면을 몸짓으로 표현합니다.
• 시 속 인물에 대한 생각이나 느낌을 나누어 봅니다.
• 시의 분위기에 대해 친구들과 이야기를 나누어 봅니다.

16 '집에서 키울 새를 선물 받을 것'이라는 내용은 ㉠처럼 말한 까닭으로 알맞지 않습니다.

17 '입에서 절로 휘파람이 나오는 / 즐거운 오늘.', '나는 오늘이 좋아.' 등을 통해 '나'의 기분이 즐겁고 신난다는 것을 알 수 있습니다.

18 '나'에게 궁금한 점이나 하고 싶은 말을 써 봅니다. 예를 들어, '같이 기분 좋게 학교에 가고 싶다고 말하고 싶어.'라고 할 수 있습니다.

채점 기준
'나'에게 궁금한 점이나 하고 싶은 말을 썼으면 정답으로 인정합니다.

19 '괜찮다'는 [괜찬타]로 읽습니다.

20 '귀찮다'는 [귀찬타], '넓다'는 [널따]로 읽습니다.

> 4단원에서는 겹받침과 작품의 분위기에 대해 알아보았어. 겹받침이 있는 낱말을 바르게 읽고 쓸 수 있고, 시의 분위기를 생각하며 소리 내어 읽을 수 있겠지?

5 마음을 짐작해요

교과서 내용 학습

88~96쪽

01 일기 **02** ⑤ **03** (3) ○ **04** ④, ⑤ **05** ②
06 ⑤ **07** (1) ⑩ 아빠가 웃으며 말씀하셨다. (2) ⑩ 기쁘고 흐뭇한 마음이 느껴집니다. **08** 병운 **09** ⑤
10 설레는 **11** (1) ○ (3) ○ **12** ③ **13** (2) ○
14 ③, ⑤ **15** (1) 2 (2) 3 (3) 1 **16** ⓒ **17** (1) ○
18 (1) – ② (2) – ① **19** ⓓ, ⓑ, ㉮ **20** ④ **21** ⑤
22 마치고 **23** (1) ○ **24** ① **25** (1) 반듯이 (2) 반드시 **26** (1) ⑩ '맞다'는 '문제에 대한 답이 틀리지 아니하다.'라는 뜻이기 때문에 문장에 어울리지 않습니다.
(2) 맡고 **27** 받칩니다 **28** (2) ○ **29** (삶은) 밤 다섯 개 **30** ② **31** (1) ○ **32** 세연 **33** ④ **34** (1) – ② (2) – ① **35** ⑩ 골목길에서 우는 소리가 들렸을 때 놀라셨겠어요. **36** (1) ○

---

01 열심히 연습하여 자전거 타기에 성공했다는 내용을 담은 소영이의 일기입니다.

02 소영이는 아빠와 함께 놀이터에서 자전거 타는 연습을 하였습니다.

03 소영이가 지난주부터 자전거 타는 연습을 하고 있었다는 것이 가장 먼저 일어난 일입니다.

04 힘들었지만 열심히 자전거 페달을 밟는 소영이의 행동을 통해서 자전거를 타기 위해 포기하지 않고 노력하는 마음과 인내하는 마음을 짐작할 수 있습니다.

05 자전거를 혼자서도 잘 타게 된 소영이는 뿌듯한 하루라고 생각했습니다.

06 소영이는 처음에는 자전거를 혼자 타기 위해서 힘들었지만 최선을 다하였고 마침내 자전거를 혼자 탈 수 있게 되자 뿌듯한 마음이 들었습니다.

07 아빠의 마음이 잘 드러난 말이나 행동을 찾아 쓰고, 그때의 마음을 씁니다. 예를 들어, '아빠가 웃으며 말씀하셨다.'는 부분을 통해 아빠는 기쁘고 흐뭇한 마음이라는 것을 짐작할 수 있습니다.

채점 기준
아빠의 마음이 드러난 말과 행동을 찾고, 거기에서 드러난 아빠의 마음을 잘 파악하여 썼으면 정답으로 인정합니다.

08 인물의 마음을 짐작하며 글을 읽는다고 글의 짜임에 대해 잘 알 수 있는 것은 아닙니다.

09 주영이는 할머니께서 일주일 동안 여행을 가시게 돼서 할머니 댁 강아지 콩이를 돌보게 되었습니다.

10 '설레는'은 '마음이 가라앉지 않고 들떠서 두근거리는.'이라는 뜻의 낱말입니다.

11 콩이가 온다는 소식을 들었을 때 '나는 가슴이 두근거렸어요.'와 '엄마 말씀에 나는 설레는 마음으로 고개를 끄덕였어요.'를 통해서 주영이의 기쁘고 설레는 마음을 짐작할 수 있습니다.

12 주영이는 콩이가 자신을 잘 따라 줄지 걱정하고 있습니다.

13 주영이는 가장 먼저 콩이가 좋아하는 간식을 주어 콩이와 친해지려고 하였습니다.

14 콩이는 간식을 먹기 전에 주영이의 손바닥 냄새도 맡고 주영이 주변을 돌면서 살폈습니다.

15 주영이가 콩이와 친해질 수 있는 방법을 고민한 것이 가장 먼저 있었던 일이고, 이후 콩이는 밥도 잘 먹고 물도 잘 마셨으며, 저녁이 되었을 때 주영이는 콩이와 장난감 공을 주고받으며 놀았습니다.

16 "엄마, 콩이가 우리 집에 적응한 것 같아요. 정말 다행이에요."라는 부분에서 걱정을 내려놓고 안심하는 주영이의 마음을 짐작할 수 있습니다.

17 주영이는 콩이를 돌보는 동안 공놀이를 하였고, 산책도 하였습니다.

18 ㉠에서는 주영이의 헤어지기 아쉬운 마음, ㉡에서는 할머니의 고마운 마음을 짐작할 수 있습니다.

더 알아보기
인물의 마음을 짐작하는 방법
• 인물에게 있었던 일을 정리해 봅니다.
• 인물의 말이나 행동에 드러난 마음을 짐작해 봅니다.

19 가장 먼저 일어난 일은 할머니께서 일주일 동안 콩이를 돌봐 달라고 한 것입니다. 그리고 콩이가 우리 집에 와서 처음에는 낯설어했지만 점차 적응하면서 주영이와도 친해지게 되었다는 것이 두 번째 내용입니다. 이후 콩이를 데리고 집 근처 공원에 산책을 갔던 것이 세 번째 내용이며, 일주일이 지나 콩이와 작별 인사를 나누었다는 것이 마지막 내용입니다.

20 예린이는 자신이 넘어졌을 때 도움을 주었던 윤아에게 고마운 마음을 전하기 위해 편지를 썼습니다.

21 윤아는 삼촌이 오시기로 한 날이라 마음이 들떠서 걸음이 빨라졌습니다.

22 ㉠의 '맞히고'는 '물체를 쏘거나 던져서 어떤 물체에 닿게 하다.'라는 뜻이므로, 여기서는 '어떤 일을 끝내다.'라는 뜻의 '마치고'가 알맞습니다.

더 알아보기
헷갈리기 쉬운 낱말에 주의하며 읽어야 하는 까닭
• 글의 내용을 정확하게 파악하기 위해서입니다.
• 상대가 전달하고자 하는 내용을 오해하지 않기 위해서입니다.

23 ㉡에 들어갈 알맞은 낱말은 '부딪치거나 넘어져 몸에 상처를 입다.'라는 뜻을 지닌 '다친'으로 첫 번째 그림이 알맞습니다.

24 그림에 알맞은 낱말은 '서로 떨어지지 않게 하다.'라는 뜻의 '붙이다'입니다.

25 '반듯이'는 '물건이나 행동이 비뚤지 않고 바르게 된.'이라는 뜻으로 '교실에 책상들이 반듯이 놓여 있다.'가 알맞고, '반드시'는 '틀림없이 꼭.'이라는

뜻으로 '나는 내 꿈을 반드시 이루고 싶다.'가 알맞습니다.

26 '맞다'는 '문제에 대한 답이 틀리지 아니하다'라는 뜻이고, '맡다'는 '코로 냄새를 느끼다.'라는 뜻이므로, 이 문장에서는 '맡다'가 알맞습니다.

채점 기준
문장에 알맞은 낱말은 '맡다'로 '코로 냄새를 느끼다.'라는 뜻이 드러나도록 썼으면 정답으로 인정합니다.

27 컵을 쟁반에 올려놓을 때에는 '받칩니다'라고 써야 하고, '바칩니다'는 신이나 웃어른에게 정중하게 드릴 때 쓰는 표현입니다.

28 글을 읽을 때 헷갈리게 쉬운 낱말에 주의하며 읽어야 하는 까닭은 글의 내용을 정확하게 파악하고 상대가 전하고 싶은 내용을 정확하게 전달받기 위해서입니다.

29 또야 어머니는 또야에게 삶은 밤 다섯 개를 주셨습니다.

30 '또야 너구리는 좋아라 밤 다섯 개를 가지고 밖으로 나갔어요.'라는 문장을 통해 또야의 기쁜 마음을 짐작할 수 있습니다.

31 '눈이 휘둥그레져서'는 놀라거나 두려워서 눈이 크고 둥그렇게 된 상태이므로 눈을 크고 둥그렇게 한 표정을 고릅니다.

32 문장과 문장 사이에서는 조금 더 쉬어 읽습니다.

33 또야 친구들은 우는 또야를 보고 어쩔 줄 몰라 울상을 짓다가 소리 내어 따라 울었습니다.

34 '울상'은 '울려고 하는 얼굴 표정.'이므로 울상을 짓는 표정은 ②가 알맞으며, '비쭉비쭉'은 '비웃거나 언짢거나 울려고 할 때 소리 없이 입을 내밀고 실룩거리는 모양.'이므로 '입을 비쭉비쭉하다'에 알맞은 표정은 ①입니다.

35 또야 엄마에게 해 주고 싶은 말을 생각하여 써 봅니다. 예를 들어, '골목길에서 우는 소리가 들렸을 때 놀라셨겠어요.'라고 쓸 수 있습니다.

36 글을 바르게 읽기 위해서는 '누가(무엇이)' 다음에 조금 쉬어 읽고, 문장과 문장 사이에서는 조금 더 쉬어 읽습니다. '또야네 엄마는∨웃음이 나왔어요. ⩔얼른∨앞치마 주머니에서∨삶은 밤 한 개를 ∨꺼내었어요.'로 소리 내어 읽을 수 있습니다.

더 알아보기

글을 자연스럽게 띄어 읽는 방법
- '누가(무엇이)' 다음에 조금 쉬어(∨) 읽습니다.
- 문장이 너무 길면 문장의 뜻을 생각하며 한 번 더 쉬어(∨) 읽습니다.
- ⩔(겹쐐기표)는 ∨(쐐기표)보다 조금 더 쉬어 읽습니다.
- 문장과 문장 사이에서는 조금 더 쉬어(⩔) 읽습니다.

단원 확인 평가   104~107쪽

01 ⑤   **02** (1) ○   **03** ④   **04** ㉮, ㉰, ㉯   **05** ㉢
06 ⑤   **07** ⑤   **08** ②   **09** (1) 1 (2) 3 (3) 2   **10** 예
친한 친구가 전학을 간 날 너무 슬퍼서 눈물이 났어.
11 ③   **12** (1) ㉡ (2) 걸음   **13** (1) – ② (2) – ①
14 (1) 맡습니다 (2) 받칩니다   **15** (1) 떼 (2) 때
16 ②   **17** (2) ○   **18** ③   **19** 예 또야에게 밤을 받았을 때 어떤 생각이 들었어?   **20** 효섭

01 오소리와 너구리는 오솔길에서 오랜만에 만나 시끌벅적하게 인사하고 있습니다.

02 오소리와 너구리는 서로 반가운 마음입니다.

03 자전거가 자꾸만 쓰러지려고 할 때 아빠는 뒤에서 자전거를 잡아 주셨습니다.

04 '나'는 아빠와 함께 놀이터에 가서 자전거 타는 연습을 했습니다. 힘차게 연습을 했지만 자꾸만 자전거가 쓰러지려고 했습니다. '나'는 너무 힘들었지만 자전거 타는 방법을 빨리 배우고 싶은 마음에 열심히 연습했습니다.

05 '자전거 타는 방법을 빨리 배우고 싶은 마음에 계속 열심히 연습했다.'는 부분을 통해 '나'의 포기하지 않고 노력하는 마음을 짐작할 수 있습니다.

06 낯선 곳에 온 콩이는 적응을 못해서 처음에는 서성이며 주변을 맴돌았습니다.

07 ㉠에 들어갈 낱말로는 '전에 본 기억이 없어 익숙하지 않은.'의 뜻을 가진 '낯선'이 알맞습니다.

08 "엄마, 콩이가 우리 집에 적응한 것 같아요. 정말 다행이에요."에서 안심하는 마음을 알 수 있습니다.

09 가장 먼저 콩이가 '나'의 집으로 왔고, '나'는 콩이와 친해지기 위해서 콩이가 좋아하는 간식을 주기로 했고, 콩이가 '나'의 집에서 지내는 마지막 날 '나'는 너무 슬펐습니다.

10 헤어지기 아쉬운 마음을 느꼈던 경험을 떠올려 써 봅니다. 예를 들어, '친한 친구가 전학을 간 날 너무 슬퍼서 눈물이 났어.'라고 쓸 수 있습니다.

11 예린이는 자신이 넘어졌을 때 도와준 윤아에게 고마워했습니다.

12 '걸음'은 걷는 동작을 뜻하고, '거름'은 밭에 뿌리는 비료를 뜻하므로 '거름'이 아니라 '걸음'이라고 써야 합니다.

헷갈리기 쉬운 낱말 뜻
┌ 맞히다: 목표에 닿게 하다.
└ 마치다: 어떤 일이나 과정이 끝나다.
┌ 다치다: 부딪치거나 넘어져 몸에 상처를 입다.
└ 닫히다: 열어 있던 것이 닫아지다.

13 원래 길이보다 길게 하는 것이 '늘이다'이고, 빠르지 않은 것이 '느리다'입니다.

14 '꽃향기'는 '맡습니다'가 어울리는 낱말이며, '물건의 밑에 다른 물체를 대는 것'은 '받칩니다'로 써야 합니다.

15 '때'는 옷이나 몸에 묻은 더러운 먼지 등을 나타내는 말이고, '떼'는 행동을 같이 하는 무리를 가리키는 말입니다.

16 또야는 친구들에게 밤을 다 주어서 빈손이 되었습니다.

17 '울상'은 울려고 하는 얼굴 표정을 뜻하므로 울려고 하는 표정을 찾습니다.

18 또야가 친구들에게 밤을 나눠 줄 때에는 기쁜 마음이었으나, 친구들에게 밤을 다 나눠 주고 자신의 것이 남지 않아 속상한 마음이 들었습니다.

19 글의 내용에 알맞게 또야 친구들에게 하고 싶은 말을 떠올려 씁니다. 예를 들어, '또야에게 밤을 받았을 때 어떤 생각이 들었어?'라고 쓸 수 있습니다.

채점 기준

글의 내용에 알맞게 또야 친구들에게 하고 싶은 말을 썼으면 정답으로 인정합니다.

20 글을 자연스럽게 띄어 읽기 위해서는 '누가(무엇이)' 다음에 조금 쉬어 읽고, 문장이 너무 길면 문장의 뜻을 생각하며 한 번 더 쉬어 읽으며, 문장과 문장 사이에서는 조금 더 쉬어 읽습니다.

6 자신의 생각을 표현해요

교과서 **내용 학습**   110~117쪽

01 배려   **02** ⑤   **03** ⑩ 다른 사람을 배려하는 모습이 보기 좋았습니다.   **04** 아현   **05** 줄, 작은 공간   **06** (1) ◯ (3) ◯   **07** ⑩ 친구들과 재미있게 할 수 있습니다.   **08** ③, ④   **09** (3) ◯   **10** ⑤   **11** (1) - ② (2) - ①   **12** ㉢, ㉣   **13** 말, 표정, 행동   **14** 산   **15** ②   **16** ⑤   **17** 유현   **18** 초대장   **19** ⑤   **20** ②   **21** ⑩ 지구에 대해 누구보다도 잘 알기 때문입니다.   **22** 원숭이   **23** (2) ◯   **24** 거북 할아버지, 아기 곰, 원숭이   **25** ⑩ 지구를 무척 사랑하고 지구가 얼마나 아름답고 살기 좋은 곳인지 알려 줄 수 있어서입니다.   **26** 금덩이 두 개   **27** ⑤   **28** 형님(형)   **29** 채윤

01 광고에서 '배려'라는 낱말이 반복되고 있습니다.

02 다른 사람이 버린 종이컵과 페트병을 쓰레기통에 넣었습니다.

03 광고를 보며 배려와 관련해서 들었던 자신의 생각이나 느낌을 써 봅니다. 예를 들어, '다른 사람을 배려하는 모습이 보기 좋았습니다.'라고 쓸 수 있습니다.

채점 기준

광고를 보며 배려와 관련해서 들었던 자신의 생각이나 느낌을 썼으면 정답으로 인정합니다.

04 그네를 탈 때 혼자만 오래 타지 않고 뒤에서 기다리는 친구와 번갈아 타는 것도 배려하는 행동입니다.

05 줄넘기를 하기 위해서는 줄과 줄넘기를 할 수 있는 작은 공간이 필요합니다.

06 글에서 중요한 내용을 찾으려면 글의 제목을 알아보고, 글쓴이가 글을 통해 알려 주고 싶은 것이 무엇인지 생각해 봅니다.

01 이 글에서 말하고 있는 줄넘기의 좋은 점 두 번째는 친구들과 재미있게 할 수 있다는 것입니다.

'친구들과 재미있게 할 수 있습니다.'라는 내용이 들어가게 썼으면 정답으로 인정합니다.

08 나무뿌리가 쉽게 넘어지지 않는 까닭은 땅속에 있는 뿌리가 단단하게 고정해 주고, 나무뿌리가 깊고 넓게 퍼져 있어서입니다.

09 이 글은 나무뿌리가 하는 일에 관해 쓴 글로, 글 **4** 에서 중요한 내용은 '나무뿌리는 잎에서 만들어진 영양분을 모아 두기도 합니다.'입니다.

더 알아보기

중요한 내용을 찾는 방법
• 글의 제목을 알아봅니다.
• 글쓴이가 이 글에서 알려 주고 싶은 것은 무엇인지 생각해 봅니다.
• 글의 내용을 모두 몇 가지로 나누어 설명하고 있는지 살펴 봅니다.

10 수연이네 가족은 가족여행을 어디로 갈지 정하기 위해서 가족회의를 했습니다.

11 아빠는 시골에 있는 친척 집에, 엄마는 산에 가고 싶어 했습니다.

12 엄마가 산에 가고 싶어 하는 까닭은 시원한 바람이 불고 다람쥐와 꽃도 볼 수 있어서입니다.

13 인물의 생각과 그 까닭은 인물의 말과 표정, 행동 등에서 찾을 수 있습니다.

14 수연이가 '엄마 생각처럼 산에 가도 재밌겠네요.'라고 한 말을 통해서 엄마는 산으로 가족여행을 가고 싶어 한다는 것을 알 수 있습니다.

15 수연이는 바다에 가고 싶어 합니다.

16 수진이는 놀이기구를 많이 타고 싶어서 놀이공원에 가고 싶어 합니다.

17 인물의 생각과 그 까닭을 파악하며 글을 읽으면 인물과 글을 더 잘 이해할 수 있습니다.

18 별나라에서 지구에 사는 친구들을 초대하는 내용의 초대장입니다.

19 별나라 친구들은 자기네 별이 생겨난 날을 기념하는 자리에 지구를 대표할 수 있는 동물을 초대하기 위해 초대장을 보냈습니다.

20 동물들은 지구를 대표해 별나라에 갈 동물은 누구인가에 대해 의논하려고 합니다.

21 거북 할아버지는 지구에 대해 누구보다 잘 알고 있기 때문에 자신이 지구의 대표로 별나라에 가야 한다고 말했습니다.

22 원숭이는 별나라에서 보고 들은 일을 생생하게 전해 줄 수 있다고 했습니다.

23 역할을 나누어 이 글을 소리 내어 읽을 때 아기 곰은 귀엽고 사랑스러운 목소리가 알맞습니다.

24 별나라에 가고 싶어 하는 동물은 거북 할아버지, 아기 곰, 원숭이입니다.

25 아기 곰이 별나라에 가야 한다고 말한 까닭은 지구를 무척 사랑하고 지구가 얼마나 아름답고 살기 좋은 곳인지 알려 줄 수 있어서입니다.

26 형제가 산길을 가다가 발견한 것은 금덩이 두 개입니다.

27 금덩이를 갖고 나서부터 형님이 미워지고 더 욕심이 나서 아우는 금덩이를 강물에 던졌습니다.

28 아우는 금덩이보다 형님(형)을 더 소중하게 생각합니다.

29 채윤이는 형제의 마음이 따뜻한 것 같다고 하였고 그 까닭으로 서로를 생각하는 마음으로 금덩이를 강물에 버렸기 때문이라고 하였습니다. 이를 통해 자신의 생각을 까닭과 함께 바르게 말한 어린이는 채윤이라는 것을 알 수 있습니다.

단원 확인 평가 124~127쪽

01 (1) - ① (2) - ③ (3) - ② **02** 예 버스에서 할아버지, 할머니께 자리를 양보하고 싶습니다. **03** ② **04** 가희 **05** ㉡ **06** ① **07** 뿌리 **08** (1) ㉠ (2) ㉢ (3) ㉡ **09** (1) × **10** 주영 **11** 가족여행 장소를 정하려고 가족회의를 하고 있습니다. / 가족회의 **12** ③ **13** (1) - ① (2) - ② **14** (1) ㉡ (2) ㉢ **15** 말 **16** 지구, 대표 **17** ③ **18** 별나라에서 보고 들은 일을 생생하게 전할 수 있어서 **19** (2) ○ (3) ○ **20** 예 나는 치타가 가야 한다고 생각합니다. 치타는 빨리 달릴 수 있어서 별나라 소식을 빠르게 전해 줄 것이기 때문입니다.

01 장면 **1**은 버스에서 통화할 때 조용히 통화하여 배려하는 장면, 장면 **2**는 유모차와 함께 타는 아이 엄마가 편하게 타도록 승강기 단추를 대신 눌러 주며 배려하는 장면, 장면 **3**은 다른 사람이 버린 종이컵과 페트병을 쓰레기통에 넣으며 배려하는 장면입니다.

02 생활 속에서 우리가 배려할 수 있는 일들을 떠올려 봅니다. 예를 들어, '버스에서 할아버지, 할머니께 자리를 양보하고 싶습니다.'라고 쓸 수 있습니다.

> **채점 기준**
> 생활 속에서 배려할 수 있는 일에 대해 썼으면 정답으로 인정합니다.

03 이 글은 줄넘기를 하면 몸이 튼튼해지고 줄넘기를 친구들과 재미있게 할 수 있다는 내용을 담고 있는 '줄넘기의 좋은 점'에 관해 쓴 글입니다.

04 글에서 중요한 내용을 찾기 위해서 먼저 글의 제목을 알아보고, 글쓴이가 글을 통해 알려 주고 싶은 것이 무엇인지 생각해 볼 수 있습니다. 중요한 부분을 찾는 방법을 묻는 질문으로 '반복적으로 나오는 낱말을 다른 낱말로 어떻게 바꿀 수 있나?'는 알맞지 않습니다.

05 ㉡은 ㉠을 뒷받침하기 위해 자세히 설명하는 내용입니다.

06 이 글은 나무뿌리가 하는 일에 대해 알려 주는 글입니다.

07 나무에서 물과 영양분은 뿌리를 통해 얻습니다.

08 '한곳에 꼭 붙어 있거나 붙어 있게 함.'을 뜻하는 말은 '고정'이며, '물건 따위를 잘 모아서 간직함.'을 뜻하는 말은 '저장', '살아 있는 동물이나 식물이 성장하는 데 필요한 것.'을 뜻하는 말은 '영양분'입니다.

09 나무는 뿌리를 이용해 흙에서 필요한 물과 영양분을 빨아들인다고 하였습니다.

10 나무뿌리에 대해 더 알아보고 싶은 내용으로 나무뿌리에서 줄기까지 영양분이 어떻게 이동하는지 알고 싶어 한 주영이의 말이 알맞습니다. 인간이 살아갈 때 나무를 어떻게 이용하는지 알고 싶다는 것은 뿌리에 대한 내용으로 알맞지 않습니다.

11 수연이네 가족은 가족여행 장소를 정하려고 가족회의를 하고 있습니다.

12 수연이네 가족 중에서 아빠는 시골 친척 집, 엄마는 산, 수연이는 바다, 수진이는 놀이공원에 가고 싶어 합니다.

13 아빠는 오랜만에 친척들을 만나면 반갑고 좋아서 시골 친척 집에 가고 싶다고 하셨고, 엄마는 시원한 바람이 불고 다람쥐와 꽃도 볼 수 있어서 산으로 가고 싶다고 말씀하셨습니다.

> **더 알아보기**
> **인물의 생각과 그 까닭을 파악하면 좋은 점**
> • 인물과 글을 더 잘 이해하게 됩니다.
> • 인물이 제시한 생각과 그 까닭이 알맞은지 따져 볼 수 있습니다.

14 수연이의 생각은 바다에 가고 싶다는 것이고 그 까

닭은 수영과 모래놀이를 할 수 있어서입니다.

15 글 속에서 인물의 생각과 그 까닭은 주로 인물의 말에서 찾을 수 있습니다.

> **더 알아보기**
>
> **인물의 생각과 그 까닭을 찾는 방법**
> • 주로 인물의 말 속에서 찾을 수 있습니다.
> • 인물의 행동이나 표정 등에서도 찾을 수 있습니다.

16 동물들은 별나라로부터 지구를 대표할 동물을 별나라로 보내 달라는 초대장을 받았습니다.

17 거북 할아버지께서는 아주 오래전부터 지구에서 살아서 동물들이 태어나기 훨씬 전 일들도 많이 알고 있다고 말했습니다.

18 원숭이는 별나라에서 보고 들은 일을 생생하게 전할 수 있기에 자신이 지구를 대표할 동물로 가야 한다고 말했습니다.

19 이 글을 역할을 나누어 소리 내어 읽을 때에는 인물의 상황과 분위기에 어울리는 적당한 크기의 목소리로 읽되 실제 인물이 말하는 것처럼 실감 나게 읽어야 합니다. 모든 말을 똑같은 높낮이로 읽는 것은 알맞지 않습니다.

20 글에 등장하는 동물 외에 다른 동물을 쓰고 그 동물을 보내려는 까닭도 함께 씁니다. 예를 들어, '나는 치타가 가야 한다고 생각합니다. 치타는 빨리 달릴 수 있어서 별나라 소식을 빠르게 전해 줄 것이기 때문입니다.'라고 쓸 수 있습니다.

> **채점 기준**
>
> 글에 등장하는 동물 외에 다른 동물로 쓰고 보내려는 동물과 그 까닭이 들어가게 썼으면 정답으로 인정합니다.

> 6단원에서는 글을 읽고 중요한 내용 찾기와 인물의 생각과 그렇게 생각한 까닭을 파악하는 방법에 대해 알아보았어. 글을 읽고 인물의 생각에 대한 내 생각을 표현할 수 있겠지?

---

1 마음을 담아서 말해요

> **교과서 내용 학습**　　　130~140쪽
>
> **01** ⑤　**02** (2) ○　**03** 줄넘기　**04** ⑩ 처음부터 잘하는 사람은 없어. 너무 속상해하지 마.　**05** 승강기
> **06** ④　**07** (2) ○　**08** 서윤　**09** ⑤　**10** ③　**11** (2) ○　**12** ①　**13** ①　**14** (1) ⑩ 한글 박물관에 다녀온 일 (2) ⑩ 지난 주말에 한글 박물관에서 (3) ⑩ 한글을 만드신 세종 대왕께 감사한 마음이 들었고, 한글 박물관에 볼거리가 많아서 재미있었다.　**15** ⑩ 지난 주말 나는 부모님과 한글 박물관에 갔습니다. 한글 박물관에는 한글로 꾸며진 놀이터가 있었고, 한글이 만들어지는 과정에 대해 알 수 있는 자료들이 많았습니다. 나는 한글의 소중함을 느끼고, 한글을 만드신 세종 대왕께 더욱 감사한 마음이 들었습니다.　**16** (1) ×　**17** ①, ④, ⑤　**18** ④　**19** (2) ○　**20** ⑩ 속상했을 것입니다.　**21** ⑤　**22** (3) ○　**23** ③　**24** ㉮　**25** ⑤　**26** ①　**27** 천둥소리　**28** ④　**29** ③　**30** ⑤　**31** (2) ○　**32** ①　**33** (1) ○　**34** ④　**35** 도와주세요　**36** (1) ○　**37** 강율　**38** ①　**39** (2) ○　**40** ②　**41** (4) ×　**42** ②　**43** 은지　**44** ⑩ 금메달 딴 것을 축하한다고 하였습니다.　**45** ⑤　**46** ②, ⑤

01 그림 ㉮의 여자아이는 무거운 책상을 옮기고 있습니다.

02 남자아이가 "혼자서 그것도 못 옮기니?"라고 비난하듯이 말하면 여자아이는 속상한 마음이 들 것입니다.

03 그림 ㉯의 남자아이는 줄넘기를 하고 있습니다.

04 줄넘기를 잘하고 싶은데 잘되지 않아 속상해하는 친구에게 어떤 말을 하면 좋을지 생각해 봅니다.

> **채점 기준**
>
> 남자아이의 마음을 위로할 수 있는 말을 썼으면 정답으로 인정합니다.

친구를 위로할 때 말할 수 있는 고운 말(예)

- "괜찮아. 다 잘될 거야."
- "힘내!"
- "걱정하지 마."
- "천천히 해도 돼."
- "할 수 있어."

05 오늘 아빠와 함께 문구점에 가려고 승강기를 탔을 때의 일입니다.

06 지우는 승강기에서 누군가가 떨어뜨리고 간 머리핀을 발견했습니다.

07 지우는 얼마 전 승강기에서 아끼는 우산을 잃어버렸을 때의 일을 떠올렸습니다.

08 지우는 승강기에서 누군가가 잃어버린 머리핀을 발견했습니다. 이와 비슷한 경험을 말한 사람은 서윤이입니다.

09 지우는 문구점에서 예쁜 색 도화지를 사서 집으로 돌아왔습니다.

10 지우는 머리핀 주인을 찾기 위해 안내문을 만들어 승강기에 붙였습니다.

11 머리핀 주인은 쪽지에 자신이 가장 아끼는 물건을 찾게 되어 무척 기쁘고 지우에게 매우 고맙다고 썼습니다.

12 지우는 다른 사람의 소중한 물건을 찾아 주게 되어 뿌듯하고 행복했습니다.

13 한 일, 본 일, 들은 일, 그리고 그에 대한 생각이나 느낌을 경험이라고 합니다.

14 친구들에게 말하고 싶은 나의 경험을 떠올려서 항목에 맞게 정리해 봅니다.

> 채점 기준

자신의 경험을 일이 있었던 때, 일이 있었던 장소, 그때의 생각이나 느낌에 맞게 정리했으면 정답으로 인정합니다.

자신의 경험을 친구들 앞에서 발표하기

- 언제 경험한 일인지 말합니다.
- 어디서 경험한 일인지 말합니다.
- 무슨 일을 경험했는지 말합니다.
- 그때의 생각이나 느낌이 어땠는지 말합니다.

15 **14**에서 떠올린 내용을 문장으로 표현해 봅니다.

> 채점 기준

일이 있었던 때, 일이 있었던 장소, 그때의 생각이나 느낌이 들어가게 정리해서 썼으면 정답으로 합니다.

16 한 일, 본 일, 들은 일, 그리고 그에 대한 생각이나 느낌을 경험이라고 합니다. 한 일과 그에 대한 생각을 떠올린 것은 민준이입니다.

17 친구들 앞에서 경험을 발표할 때는 듣는 사람을 바라보며 바른 자세로 서서 알맞은 크기의 목소리로 말합니다.

18 남자아이는 그림을 그리고 있습니다.

19 남자아이는 여자아이에게 앞을 잘 보고 다니라고 화를 내며 소리쳤습니다.

20 화를 내는 말을 들은 여자아이는 속상한 마음이 들었을 것입니다.

> 채점 기준

'속상하다, 기분이 좋지 않다.' 등의 내용을 썼으면 정답으로 인정합니다.

21 일부러 그런 게 아니므로 친구에게 괜찮다고 말해 주는 것이 좋습니다.

22 그림 **가**의 여자아이는 무거운 책을 들고 나르고 있습니다.

23 그림 **가**의 여자아이는 무거운 물건을 들고 옮기고 있습니다. 이 상황에 가장 알맞은 고운 말은 ③입니다.

24 그림 **나**의 남자아이는 다쳐서 아파하며 울고 있습니다. 이 상황에서 남자아이의 마음을 생각하며 해

줄 수 있는 적절한 말은 ㉮입니다.

25 그림 `다`에서는 남자아이가 물장난을 해서 여자아이에게 물이 튀는 상황입니다. 이 상황에서 남자아이의 마음을 생각하며 할 수 있는 고운 말은 ⑤입니다.

더 알아보기

고운 말을 사용하면 좋은 점
• 말하는 사람과 듣는 사람의 기분이 좋아집니다.
• 친구들과 더욱 사이좋게 지낼 수 있습니다.

26 작은 연못에 며칠 동안 비가 계속 내렸습니다.

21 ㉠은 천둥소리를 표현한 것입니다. '조용하던 연못에 천둥소리가 울려 퍼졌습니다.'라는 부분에서 확인할 수 있습니다.

28 비가 그치자 나뭇가지에 매달린 물방울이 햇살을 받아 반짝반짝 빛나고 있었습니다.

29 "무슨 비가 그렇게 많이 온담?"이라는 말을 통해 비 때문에 힘들어서 한 말이라는 것을 알 수 있습니다.

30 물고기들은 메기의 험상궂게 생긴 겉모습을 보고 슬금슬금 피했습니다.

31 메기가 연못에 오게 된 이유를 설명하며 앞으로 잘 지내자고 인사하자, 잉어와 붕어는 안심하였습니다.

32 붕어는 메기에게 함께 헤엄치면서 놀자고 하였습니다.

33 고운 말로 서로 인사를 나눈 붕어, 잉어, 메기는 금방 친해질 수 있었습니다.

34 붕어와 잉어에게 달라붙어 괴롭힌 것은 물장군입니다.

35 물장군에게 괴롭힘을 당하던 붕어와 잉어는 "누가 좀 도와주세요!"라고 외쳤습니다.

36 붕어와 잉어가 도와달라고 소리쳤을 때, 다른 물고기들은 도망치기에 바빴습니다.

31 글 `3`은 연못에 갑자기 나타난 물장군 때문에 물고기들이 위험에 처한 내용입니다. 내용에 대한 생각을 알맞게 말한 친구는 강율입니다.

38 물고기들을 도와준 것은 메기입니다.

39 메기는 물살을 일으켜 물장군을 쫓았습니다.

40 물고기들은 메기에게 진심으로 고맙다고 하였습니다.

41 주변 사람에게 고운 말을 전할 때는 전하고 싶은 마음, 전하고 싶은 고운 말, 그 마음을 전하고 싶은 까닭이 들어가게 씁니다.

42 지난 토요일에 태권도 대회에서 금메달을 땄습니다.

43 결승전에서 만난 상대는 '나'와 같은 체육관에 다니는 은지였습니다.

44 은지는 '나'에게 금메달 딴 것을 축하한다고 말해 주었습니다.

채점 기준

축하해 주었다는 내용을 썼으면 정답으로 인정합니다.

45 은지의 축하를 받은 나는 고마웠고 기분이 좋았다고 하였습니다.

46 은지처럼 축하하는 말을 전하면 말하는 사람과 듣는 사람의 기분이 모두 좋아지고, 친구끼리 사이가 더욱 좋아질 수 있습니다.

01 머리핀　**02** (2) ○　**03** (2) ○　**04** ⑤　**05** 예 지하철에서 누군가 놓고 내린 우산을 발견한 적이 있는데, 주인을 찾아 주고 싶어서 분실물 센터에 가져다주었습니다.　**06** ④　**07** 지아　**08** (2) ○　**09** ㉰　**10** 예 아프겠다. 같이 보건실에 갈까?　**11** ⑤　**12** ③　**13** (2) ○　**14** ⑤　**15** ②　**16** ④　**17** 메기　**18** ③　**19** ①　**20** 나은

01 지우는 승강기 안에서 누군가 잃어버린 머리핀을 발견했습니다.

02 지우는 물건을 잃어버린 주인의 마음이 매우 속상할 것이라고 생각했습니다.

03 지우는 승강기에서 아끼던 우산을 잃어버렸던 경험을 떠올리고, 그때 자신의 마음이 속상했기 때문에 머리핀을 잃어버린 사람의 마음도 속상할 것이라고 생각했습니다.

04 지우는 승강기에 안내문을 붙이면 머리핀을 주인에게 찾아 줄 수 있을 것이라고 생각했습니다.

05 물건을 잃어버려 속상했던 경험이나 잃어버린 물건을 발견했던 경험을 떠올려 봅니다.

채점 기준

물건을 잃어버렸거나, 잃어버린 물건의 주인을 찾아 주기 위해 노력했던 경험 등을 떠올려 썼으면 정답으로 인정합니다.

06 친구들 앞에서 발표할 나의 경험을 떠올릴 때는 어디에서 겪은 일인지, 어떤 일인지, 이 일을 발표하고 싶은 까닭이 무엇인지, 그 일이 있었을 때 어떤 생각이나 느낌이 들었는지 떠올립니다.

07 친구들 앞에서 발표할 때는 듣는 사람을 바라보며 분명한 목소리로 또렷하게 말합니다.

08 그림은 여자아이가 실수로 남자아이의 그림을 망치게 한 상황입니다.

09 친구가 정성껏 그린 그림을 망치게 했으니 미안하다고 사과를 해야 합니다.

10 넘어진 친구에게 뭐라고 말하면 좋을지 생각해 봅니다.

채점 기준

아프지 않은지, 다친 데는 없는지 묻는 내용을 쓰거나, 위로하는 말을 썼으면 정답으로 인정합니다.

11 어떤 소리가 요란하게 울려 퍼졌고, 곧 굵은 빗방울이 쏟아졌다고 하였으므로 가장 알맞은 말은 '천둥소리'입니다.

12 ㉡은 연못에 새롭게 온 친구인 '메기'를 가리킵니다.

13 메기를 처음 본 물고기들은 메기의 험상궂은 모습 때문에 슬금슬금 피했습니다.

14 메기는 원래 살던 강의 물이 넘쳐 이 연못으로 오게 되었다고 하였습니다.

15 앞으로 잘 지내자고 하는 메기의 말을 들은 잉어와 붕어는 안심하였습니다.

16 ㉠은 물장군들이 나타나 붕어와 잉어의 몸에 달라붙어서 떨어지지 않은 일을 말합니다.

17 물고기들을 도와주기 위해 메기가 나타났습니다.

18 물고기들은 메기에게 고마운 마음을 담아 "메기야, 고마워."라고 말했습니다.

19 고맙다는 말을 듣고 빙그레 웃는 메기의 모습이 정답게 느껴졌습니다.

20 영준이처럼 말한다면 듣는 사람의 기분이 상할 수 있습니다. 친구가 상을 받아서 축하해 주는 상황이므로 나은이처럼 말해야 합니다.

8 다양한 작품을 감상해요

152~156쪽

교과서 내용 학습

01 ④ 02 (1) ○ 03 ① 04 재이 05 ④ 06 두꺼비 07 ④ 08 유이 09 건널목 10 ① 11 ㉡ 12 예빈 13 (3) ○ 14 3 15 ⑤ 16 ⑩ 나무 위에 오누이가 올라가 있을 때, 꾀를 내어 호랑이가 올라오지 못하도록 한 점이 인상 깊었어. 11 ③ 18 라온 19 ① 20 ⑩ 글 1에서 너구리가 느릿느릿하게 말하고 움직이는 것이 재미있습니다. / 글 2에서 여우가 도망가다가 머리를 부딪혀 쓰러지는 부분이 재미있습니다.

01 두 개를 나누어 쓰는 것보다는 한 개를 같이 쓰는 것, 큰 것보다는 작은 것을 쓰는 것이 더 정답고 따뜻하다고 하였습니다.

02 '우산 속에서 어깨동무한 두 사람'에서 두 명이 함께 우산을 쓰고 가는 장면을 떠올릴 수 있습니다.

03 우산을 함께 쓰면 더 따뜻하고 더 정답다고 하였습니다.

04 이 시는 비 오는 날 친구와 함께 우산을 쓴 경험을 쓴 시입니다. 시와 비슷한 내용을 떠올린 사람은 재이입니다.

05 그림 가는 「흥부와 놀부」의 한 장면으로 흥부가 박을 탔을 때 박 속에서 보물이 나온 장면입니다.

06 그림 나에서 콩쥐의 깨진 독을 막아 주기 위해 두꺼비가 찾아왔습니다.

01 그림 다에서 밭일을 하던 할머니 앞에 호랑이가 불쑥 나타났습니다. 할머니는 깜짝 놀라고 무서운 마음이 들었을 것입니다.

08 그림 라에서 토끼는 자라를 따라 용궁으로 가고 있습니다. 토끼는 용궁이 어떨지 궁금하고 신기한

마음일 것입니다.

09 '나'와 '너'는 건널목에서 마주쳤다고 하였습니다.

10 '내'가 빙긋 웃자, '너'도 빙긋 웃었습니다.

11 '빙긋'은 '입을 슬쩍 벌릴 듯하면서 소리 없이 가볍게 한 번 웃는 모양.', '휘휘'는 '이리저리 휘두르거나 휘젓는 모양.', '폴짝폴짝'은 '작은 것이 자꾸 세차고 가볍게 뛰어오르는 모양.'을 뜻합니다.

12 이 시는 친구와 건널목을 사이에 두고 마주 보며 둘만의 신호를 주고받는 내용입니다. 시의 내용과 관련된 생각을 떠올린 사람은 예빈입니다.

13 장면 1은 엄마가 잔칫집에 가고 오누이만 집에 남아 있는 상황입니다.

14 호랑이가 엄마인 척하며 오누이를 찾아온 장면은 3입니다.

15 고갯길에서 호랑이와 마주친 엄마는 깜짝 놀라고 매우 무서웠을 것입니다.

16 인형극을 보고 어떤 생각이나 느낌이 들었는지, 인상 깊었던 장면은 무엇인지 생각해 봅니다.

> **채점 기준**
> 「해와 달이 된 오누이」의 내용과 관련된 생각이나 느낌을 썼으면 정답으로 인정합니다.

17 너구리는 사자의 밧줄을 풀어 주기 위해 애썼습니다.

18 제리는 라온에게 도와달라고 했습니다.

19 라온이 제리를 도와주러 올 것이라고 믿지 않았는데 라온이 나타난 것을 보고 놀란 마음을 표현하고 있습니다.

20 글 1의 라온, 너구리, 글 2의 여우, 제리의 말과 행동 중에서 재미있게 느껴지는 부분을 찾아 씁니다.

> **채점 기준**
> '글 1에서 라온이 너구리의 행동을 답답해하는 것이 재미있습니다.'와 같이 인물의 말과 행동에서 재미있는 부분을 찾아 썼으면 정답으로 인정합니다.

단원 확인 평가
163~166쪽

01 ④   02 ④   03 기쁨   04 ⑤   05 예 밭일을 하고 있는데 갑자기 호랑이가 나타나 너무 놀랐을 것입니다.   06 (3) ×   07 ④   08 ④   09 폴짝폴짝   10 예 나도 친한 친구와 신호를 만들어 주고받아 보고 싶습니다.   11 연재   12 ③   13 (3) ○   14 ③   15 ④, ②, ③, ①   16 너구리   17 ②   18 (3) ○   19 ②   20 (1) 예 라온 (2) 예 생쥐를 도와주러 온 행동이 너무 멋있었어.

01   이 시는 비 오는 날 친구와 우산 하나를 같이 썼을 때의 마음을 표현한 시입니다. 제목으로 가장 잘 어울리는 것은 ④입니다.

02   친구와 우산을 나누어 썼을 때의 마음을 표현한 이 시의 상황과 가장 관련 있는 장면은 ④입니다.

03   박 속에서 보물이 나와 기쁜 마음일 것입니다.

04   깨진 독을 보며 울고 있는 콩쥐를 도와주려고 두꺼비가 나타난 장면입니다.

05   갑자기 호랑이가 나타나서 할머니는 깜짝 놀라고 무서웠을 것입니다.

채점 기준

'무섭고 겁이 났을 것이다.' 등의 내용을 썼으면 정답으로 인정합니다.

06   작품을 읽고 생각이나 느낌을 글로 쓸 때는 작품에서 기억에 남는 장면, 그 장면이 기억에 남는 까닭을 씁니다.

07   '건널목에서 우리 마주쳤다'는 부분에서 '나'와 '너'가 마주친 장소는 건널목이라는 것을 알 수 있습니다.

08   마음이 급해 뛰어나가느라 신발 끈도 묶지 못한 상황을 통해 친구를 빨리 만나고 싶은 마음임을 알 수 있습니다.

09   '작은 것이 자꾸 세차고 가볍게 뛰어오르는 모양.'은 '폴짝폴짝'입니다.

10   친구와 건널목을 사이에 두고 몸짓으로 신호를 주고받는 내용의 시입니다. 시의 내용과 비슷한 경험, 시를 읽고 든 생각이나 느낌을 써 봅니다.

채점 기준

친구와 신호를 주고받는 모습이 재미있다, 나도 친구와 신호를 주고받고 싶다 등의 내용, 이 시의 장면과 어울리는 생각을 썼으면 정답으로 인정합니다.

11   인형극 속 인물의 마음을 짐작하려면 인물의 말과 행동을 자세히 살펴봐야 합니다.

더 알아보기

인형극 속 인물의 마음을 짐작하는 방법
• 인물의 행동을 자세히 살펴봅니다.
• 인물의 마음이 드러나는 말을 찾아봅니다.
• 목소리의 크기와 말의 빠르기가 어떠한지 주의 깊게 듣습니다.

12   호랑이가 엄마인 척 오누이를 찾아온 장면은 ③입니다.

13   호랑이가 엄마인 척 찾아와 오누이를 잡아먹으려고 한 상황이므로 놀랍고 무서웠을 것입니다.

14   호랑이에게 잡아먹힐 수도 있는 순간에 하늘을 향해 살려 달라고 기도하고 있는 상황이므로 오누이의 마음으로 가장 알맞은 것은 ③입니다.

15   엄마께서 오누이만 집에 두고 잔칫집에 일을 가시는 장면은 ④, 고갯길에서 엄마가 호랑이에게 잡아먹히는 장면은 ②, 엄마의 모습을 하고 오누이를 잡아먹기 위해 호랑이가 찾아온 장면은 ③, 오누이는 동아줄을 잡고 올라갔지만, 호랑이는 올라가지 못하고 바닥으로 떨어진 장면은 ①입니다.

16   밧줄이 목에 감긴 라온을 너구리가 도와주고 있습니다.

17   너구리가 밧줄을 잘 풀지 못해 라온이 답답해하고 있습니다. 도와주려는 너구리에게 고맙긴 하지만

답답한 마음일 것입니다.

18 위험에 빠진 제리를 도와주기 위해 라온이 나타났습니다.

19 라온을 본 여우는 "그냥 도망가자!" 하고 달아나려 하였습니다.

20 제리, 여우, 라온 중 자신의 생각이나 느낌을 전하고 싶은 인물을 골라 그 인물에게 해 주고 싶은 말을 씁니다.

> **채점 기준**
> 자신이 고른 등장인물의 상황에 맞게 생각이나 느낌을 썼으면 정답으로 인정합니다.

> **더 알아보기**
>
> **인형극을 감상하고 생각이나 느낌 표현하기**
> • 인형극에서 기억에 남는 장면이나 인물을 떠올립니다.
> • 그 장면이 기억에 남는 까닭이 무엇인지 생각합니다.
> • 기억에 남는 인물에게 해 주고 싶은 말이 무엇인지 생각합니다.
> • 생각한 내용을 정리해 글로 씁니다.

> 8단원에서는 다양한 작품을 감상하고, 생각이나 느낌을 표현하는 방법을 알아보았어. 이제 작품을 감상한 후의 내 생각이나 느낌을 다른 사람들에게 잘 표현할 수 있겠지?

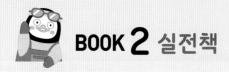
학교 시험 만점왕

1. 만나서 반가워요!
5~7쪽

01 (2) ○   **02** ⑤   **03** (3) ×   **04** ①   **05** 대영
06 ㉔ 대상의 이름, 모습이나 특징, 잘하는 것, 좋아하는 것 등   **07** ②   **08** ③   **09** 인준   **10** (1) 말차례 (2) 끼어들면 (3) 관계없는   **11** ⑤   **12** ④   **13** (2) ○
14 정하윤   **15** ㉡   **16** ⑤   **17** ①, ③, ④   **18** ①, ④
19 ⑤   **20** ㉔ 저는 이지민입니다. 저는 과일을 무척 좋아합니다. 저는 춤을 잘 춥니다. 방과 후 댄스반에서 춤을 배우고 있고, 동네 춤추기 대회에서 인기상을 받은 적도 있습니다.

01 발표를 들을 때는 발표하는 친구의 얼굴을 보면서 바른 자세로 듣습니다.

02 궁금한 내용이 있으면 손을 들고 기회를 얻어 질문합니다.

03 들은 내용을 잘 이해했다면 바로 이해한 내용을 말할 것이 아니라, 미소를 짓거나 고개를 끄덕입니다.

> **더 알아보기**
>
> **발표를 들을 때 주의할 점**
> • 발표하는 친구의 얼굴을 보면서 바른 자세로 듣습니다.
> • 들은 내용을 잘 이해했다면 미소를 짓거나 고개를 끄덕입니다.
> • 궁금한 내용이 있으면 손을 들고 기회를 얻어 질문합니다.
> • 더 말할 내용이 있으면 손을 들거나 말로 표시한 뒤 말합니다.
> • 중요한 내용은 적으면서 듣습니다.

04 민수네 강아지는 곱슬곱슬한 털이 많아서 이름이 곱슬이입니다.

05 이 글은 민수가 강아지 곱슬이를 소개한 글입니다.

06 소개하는 글에는 소개하는 대상의 이름, 특징, 읽을 사람이 궁금해할 내용 등을 씁니다.

> **채점 기준**
> 소개하는 글에 들어갈 내용을 두 가지 썼으면 정답으로 인정합니다.

07 동현이의 꿈은 과학자입니다.

08 ❸에서 친구는 동현이가 말할 때 말차례를 지키지 않고 끼어들었습니다.

09 동현이는 친구가 자신이 말할 때 갑자기 끼어들어서 당황하고 기분이 나빴을 것입니다. ❹에서 동현이의 표정을 보면 기분을 짐작할 수 있습니다.

10 대화를 할 때는 말차례를 지켜 말하고, 친구가 말하고 있을 때는 끼어들면 안 됩니다. 대화 내용과 관계없는 말도 하지 않습니다.

> **더 알아보기**
>
> **말차례를 지키며 대화하는 방법**
> • 말차례를 지켜 말합니다.
> • 친구가 말하고 있을 때 끼어들지 않습니다.
> • 대화 내용과 관계없는 말을 하지 않습니다.
> • 상대의 말을 귀 기울여 듣습니다.
> • 상대에게 말이 끝났는지 확인하고 자신이 말해도 되는지 물어본 뒤 말합니다.

11 친구가 말할 때 집중해서 듣고, 상대가 말할 때는 끼어들지 않고 기다려야 합니다. 친구에게 자신이 말해도 되는지 물어본 뒤 말차례를 얻어 소중한 물건에 대해 자세히 소개합니다. 친구에게 말차례를 넘겨주지 않고 계속해서 말하는 것은 좋지 않은 태도입니다.

12 '나'는 태권도를 좋아한다고 하였습니다.

13 이 글에는 자신의 특징 등 소개하는 내용이 잘 드러나 있지 않습니다.

14 정하윤을 소개하는 글입니다.

15 ㉠은 이름, ㉡은 모습, ㉢은 좋아하는 것, ㉣은 잘하

는 것에 해당합니다.

16 소개하는 글을 쓸 때는 이름, 특징, 좋아하는 것, 잘하는 것 등을 씁니다. 단점이나 안 좋은 소문 등 좋지 않은 내용은 소개하는 내용으로 알맞지 않습니다.

17 자신을 소개하는 글을 쓸 때는 특징을 자세히 소개하고, 읽을 사람이 궁금해할 내용을 소개합니다. 자신이 잘하는 것과 노력하고 싶은 점을 소개해도 좋습니다. 잘하는 것을 부풀려서 소개하는 것은 안 되며, 친구들이 알고 싶어 하지 않는 내용은 소개하지 않는 것이 좋습니다.

18 준영이는 자신의 이름과 좋아하는 것을 소개하였습니다.

19 준영이가 치타를 무척 좋아한다고 하였으므로 왜 치타를 좋아하는지 물어보는 것이 좋습니다. ①~④는 이미 알고 있는 내용이므로 질문하지 않아도 됩니다.

20 자신의 이름, 특징, 좋아하는 것, 잘하는 것 등을 자세히 소개해 봅니다.

채점 기준

자신의 이름, 특징, 좋아하는 것, 잘하는 것 등을 소개했으면 정답으로 인정합니다.

더 알아보기

친구들에게 자신을 소개하기
• 자신의 이름, 모습, 좋아하는 것, 잘하는 것을 떠올려 정리합니다.
• 소개하는 내용이 잘 드러나게 자세히 소개합니다.
• 듣는 사람이 궁금해할 내용을 소개합니다.

학교 시험 만점왕   2. 말의 재미가 솔솔

9~12쪽

01 이슬비   **02** (3) ○   **03** ①, ③, ⑤   **04** 준영
05 예 길면 바나나 / 바나나는 노래 / 노란 것은 개나리
06 ①   **07** (3) ○   **08** (1) 반복   (2) 덧붙여
09 (2) ○   **10** ④   **11** ①   **12** ①   **13** 예 음료수, 초콜릿, 컵라면 등   **14** 예 놀이터   **15** (1) 예 우유, 시소
(2) 예 우유를 마시고 시소를 탔더니 속이 좋지 않다.
16 1   **17** 3   **18** ②   **19** ⑤   **20** 윤서

01 가랑비보다 더 가는 비는 이슬비라고 하였습니다.

02 이 시를 통해 재미있는 비의 이름과 그런 이름이 붙은 까닭을 알 수 있습니다.

03 친구들과 함께 말놀이를 하면 재미있고, 여러 가지 낱말을 자연스럽게 익힐 수 있으며, 재미있고 다양한 말로 내 생각을 표현할 수 있어 좋습니다. ②와 ④는 일기를 쓰면 좋은 점에 해당합니다.

04 「사과는 빨개」는 비슷한 특징을 가진 것을 떠올려서 말을 이어 가는 '꼬리따기 말놀이'입니다.

05 '길면 바나나 / 바나나는 노래 / 노란 것은 개나리'처럼 처음에 긴 것을 떠올려 쓰고, 또 그것의 특징을 떠올려 쓴 뒤, 그 특징을 가진 다른 사물을 떠올려 쓰면 됩니다.

채점 기준

'꼬리따기 말놀이'의 규칙에 맞도록 이어질 내용을 썼으면 정답으로 인정합니다.

06 ㉠ 뒤에 '책상 다리 넷'이라는 말이 있으므로 '넷은 뭐니?'라는 질문이 들어가야 알맞습니다.

07 여섯에 해당하는 것은 개미 다리입니다.

08 말 덧붙이기 놀이는 앞 친구가 한 말을 반복한 뒤에 다른 말을 덧붙여 말해야 합니다.

09 말 덧붙이기 놀이를 잘하려면 앞사람이 하는 말을

잘 듣고 기억해야 합니다. 앞사람이 한 말을 반복한 뒤에 새로운 내용을 덧붙여 말하기 때문입니다.

더 알아보기
말 덧붙이기 놀이를 잘하는 방법
- 말 덧붙이기 놀이는 친구가 한 말을 반복한 뒤에 다른 말을 덧붙이는 놀이입니다.
- 말 덧붙이기 놀이를 잘하려면 앞사람이 한 말을 집중해서 듣고 기억해야 합니다.
- 말 덧붙이기 놀이의 규칙에 맞도록 앞사람이 한 말을 반복한 뒤 그곳에서 볼 수 있는 새로운 것을 덧붙여 말합니다.

10 앞 친구가 말한 내용을 반복한 뒤에 새로운 말을 덧붙여야 하므로, ㉯가 알맞습니다.

11 마지막 말이 "대문 앞에 다 왔다"를 통해 마지막에 도착하는 장소가 집인 것을 짐작할 수 있습니다. 집 앞에 도착해서 "대문 앞에 다 왔다"고 말했을 것이고, 동네 앞과 개울가는 거쳐서 간 장소에 해당합니다.

12 전래 동요 「어디까지 왔니」는 장소를 바꾸어 가며 부르는 노래입니다.

13 편의점에서는 음료수, 초콜릿, 컵라면, 삼각김밥 등을 볼 수 있습니다.

14 그네, 시소, 미끄럼틀, 철봉, 정글짐 등을 볼 수 있는 장소는 놀이터입니다.

15 편의점에서 볼 수 있는 물건 '우유'와 놀이터에서 볼 수 있는 물건 중 '시소'를 골라, '우유를 마시고 시소를 탔더니 속이 좋지 않다.'와 같은 문장을 만들 수 있습니다. 문장을 만들 때는 말이 통하도록 자연스럽게 만들어야 합니다.

채점 기준
13과 **14**에서 나온 낱말을 하나씩 골라 뜻이 통하도록 자연스럽게 문장을 만들어 썼으면 정답으로 인정합니다.

16~17 **1**은 더위를 식힐 정도로 서늘할 때, **2**는 속이 후련할 만큼 음식이 뜨겁고 얼큰할 때, **3**은 막힌 데가 없이 활짝 트여 마음이 후련할 때, **4**는 지

저분하던 것이 깨끗하고 말끔해져 기분이 좋아질 때 시원하다고 느끼는 상황에 해당합니다.

18 **2**에서 '시원하다'는 '음식이 뜨거우면서도 속을 후련하게 하는 점이 있다.'라는 뜻으로 쓰였으므로, '후련하다'와 바꾸어 쓸 수 있습니다.

19 **4**의 '시원하다'는 '지저분하던 것이 깨끗하고 말끔하다.'라는 뜻이므로, '말끔해, 개운해, 깨끗해, 상쾌해' 등으로 바꾸어 써도 뜻이 통합니다.

더 알아보기
'시원하다'의 사전적 의미
1
「1」 덥거나 춥지 아니하고 알맞게 서늘하다.
「2」 음식이 차고 산뜻하거나, 뜨거우면서 속을 후련하게 하는 점이 있다.
「3」 막힌 데가 없이 활짝 트여 마음이 후련하다.
「4」 말이나 행동이 활발하고 서글서글하다.
「5」 지저분하던 것이 깨끗하고 말끔하다.
「6」 기대나 희망 등에 들어맞아 충분히 만족스럽다.
2 【…이】
「1」 답답한 마음이 풀리어 흐뭇하고 가뿐하다.
「2」 가렵거나 속이 더부룩하던 것이 말끔히 사라져 기분이 좋다.

20 윤서는 자신의 생각이나 느낌이 아니라 글을 읽고 알게 된 사실만을 이야기했습니다.

더 알아보기
책에 대한 생각이나 느낌 나누기
- 글에서 재미있었던 부분을 찾고, 왜 그 부분이 재미있었는지 이야기합니다.
- 책을 읽으면서 생각한 것이나 떠올랐던 느낌을 이야기합니다.
- 책을 읽고 새롭게 알게 된 점과 내 생각을 이야기합니다.

BOOK 2 실전책

01 (1) ○　**02** 넓은, 활짝　**03** 지현　**04** 예 빨간, 맛있게　**05** 예 귀여운, 힘차게　**06** (2) ○　(3) ○
07 예 밥에서 뜨거운 김이 모락모락 납니다.　**08** ①, ③, ④　**09** ⑤　**10** (1) 조롱조롱　(2) 올록볼록　**11** ②, ⑤
12 ①, ④, ⑤　**13** ③　**14** (1) ○　(2) ×　(3) ×　(4) ○
15 (1) 예 돌돌　(2) 예 종이를 돌돌 말아서 도깨비방망이를 만들었다. / (1) 예 빙글빙글　(2) 예 친구와 함께 손을 잡고 운동장을 빙글빙글 돌았다.　**16** ③　**17** ②
18 따 - 갸 - 바 - 랴　**19** 도윤　**20** ⑤

01 글 ■는 꾸며 주는 말을 사용하여 더 실감 나고 생생하게 느껴집니다.

02 글 ■에서 사용된 꾸며 주는 말은 '넓은'과 '활짝'입니다.

03 일기는 그날 겪은 일 가운데에서 기억하고 싶은 일을 쓰고, 겪은 일에 대한 생각이나 느낌도 씁니다. 일기는 겪은 일을 솔직하게 써야지 특별한 이야기를 꾸며 써서는 안 됩니다.

04 '딸기'를 꾸며 줄 수 있는 말은 '빨간', '탐스러운' 등이고, '먹었다'를 꾸며 줄 수 있는 말은 '맛있게', '천천히' 등이 있습니다.

05 '강아지'를 꾸며 줄 수 있는 말은 '귀여운', '작은' 등이고, '달린다'를 꾸며 줄 수 있는 말은 '빠르게' 등입니다.

06 (1)은 꾸며 주는 말을 사용하지 않았고, (2)는 '시키면', (3)은 '넓은', '힘차게'라는 꾸며 주는 말을 사용하여 사진을 설명하였습니다.

07 사진은 밥에서 김이 나는 모습입니다. 꾸며 주는 말 '뜨거운'과 '모락모락'을 사용해 '밥에서 뜨거운 김이 모락모락 난다.' 등으로 표현할 수 있습니다.

꾸며 주는 말을 넣어 사진에 어울리는 문장을 만들어 썼으면 정답으로 인정합니다.

08 '조그만', '쑥쑥', '활짝'이 꾸며 주는 말에 해당합니다.

09 땅콩은 노랑꽃을 피우고 땅속에서 열매를 맺습니다. 올록볼록한 껍데기 속에 고소한 땅콩이 들어 있습니다.

10 '작은 열매 따위가 많이 매달려 있는 모양.'을 뜻하는 말은 '조롱조롱', '물체의 거죽이나 면이 고르지 않게 높고 낮은 모양.'을 뜻하는 말은 '올록볼록'입니다.

11 포도와 개구리밥에 대해 설명하고 있습니다.

12 포도는 덩굴손이 버팀대를 돌돌 감으면서 자라고, 여러 개의 알맹이가 송알송알 달리며 새콤달콤한 맛이 납니다. ②는 개구리밥의 특징에 해당합니다.

13 '우수수'는 '물건이 수북하게 쏟아지는 모양.'을 뜻하는 말로, 뒤에 오는 '떨어진'을 꾸며 줍니다.

14 개구리밥은 물 위에 떠서 자라며, 개구리가 물속에서 나올 때 입가에 밥풀처럼 붙어서 개구리밥이라고 부릅니다. 개구리밥은 개구리가 먹는 밥이 아니고, 나뭇잎이 떨어진 것도 아닙니다.

15 이 글에는 '꼬불꼬불', '돌돌', '빙글빙글', '탐스러운', '송알송알', '새콤달콤', '동글동글', '동동', '우수수' 등 꾸며 주는 말이 많이 나옵니다. 이 중 하나를 골라 그 뜻에 맞도록 문장을 만들어 봅니다.

글에 나온 꾸며 주는 말을 골라 그 뜻에 맞도록 문장을 알맞게 만들었으면 정답으로 인정합니다.

16 ③은 소율이가 겪은 일이 아닙니다. 소율이는 긴장되고 떨렸지만 용기를 내서 끝까지 달렸고, 친구들에게 달리기를 잘한다고 칭찬을 받았습니다.

17 소율이는 ②를 글감으로 하여 일기를 썼습니다.

> **더 알아보기**
>
> **일기의 글감 정하는 방법**
> - 하루에 겪은 일 가운데에서 한 것, 본 것, 들은 것을 떠올려 봅니다.
> - 떠올린 것 가운데에서 기뻤던 일, 슬펐던 일, 화났던 일 따위가 무엇인지 생각해 봅니다.
> - 그 가운데에서 가장 인상 깊은 일을 골라 일기로 씁니다.

18 소율이는 '날짜와 날씨, 제목, 겪은 일, 생각이나 느낌'의 순서대로 일기를 썼습니다.

19 소율이는 달리기를 한 일이 가장 인상 깊었고, 그때의 마음이 무척 떨렸기 때문에 ㉠과 같은 제목을 붙였습니다.

20 제목은 일기의 내용을 대표할 만한 것으로 중요한 일이나 인물을 제목으로 하고, 생각이나 느낌을 넣거나 읽는 사람의 주의를 끌 만한 제목을 붙입니다. 일기를 쓴 사람이 누구인지 알아볼 수 있게 제목을 붙일 필요는 없습니다.

> **더 알아보기**
>
> **일기의 제목 붙이는 방법**
> - 일기의 내용을 대표할 만한 제목을 붙입니다.
> - 중요한 일이나 인물을 제목으로 합니다.
> - 겪은 일을 간단히 줄여서 나타냅니다.
> - 겪은 일에 대한 생각이나 느낌을 넣어 제목을 붙입니다.
> - 읽는 사람의 주의를 끌 만한 제목을 붙입니다.

> 이제 일기의 글감을 정하고 제목을 붙이는 방법을 잘 알았지? 하루 동안 겪은 일 중에서 인상 깊은 일을 떠올려 일기를 쓰고, 생각이나 느낌이 잘 드러나도록 멋진 제목도 붙여 봐.

---

01 (1) ◯ **02** ㉠, ㉢ **03** (2) ✕ **04** ② **05** (1) – ③ (2) – ① (3) – ② **06** 맑다 **07** (1) ◯ **08** ②, ⑤ **09** ㉠ **10** (1) ◯ **11** ② **12** 목도리 **13** ⑩ 바람에 이끌려 던져지거나 굴려질 때, 그리고 구겨질 때는 속상한 마음이 느껴졌는데, 목도리가 될 때는 뿌듯한 마음이 느껴졌습니다. **14** (1) – ① (2) – ② **15** ④ **16** ② **17** ⑩ 즐겁고 신나는 표정(해설 참조) **18** (1) ◯ **19** ④ **20** (1) ④ (2) [안따]

01 시를 주고받으며 읽고 있는 것은 그림 (1)입니다.

02 '넓고 넓은'은 [널꼬 널븐]으로, '모여 앉아'는 [모여 안자]로 소리와 글자가 다릅니다.

03 시를 읽을 때에는 그림을 보며 분위기를 느껴 보거나, 음악적 요소를 더해 느낌을 살려 노래하듯이 읽으며 분위기를 느껴 볼 수 있습니다.

04 'ㄲ, ㅆ' 따위는 쌍받침, 'ㄳ, ㄵ, ㄶ, ㄺ' 따위는 겹받침으로, 받침이 쌍받침인지 겹받침인지에 따라 낱말들을 나누었습니다.

05 그림 (1)은 '밟다', 그림 (2)는 '몫', 그림 (3)은 '끊다'와 관련된 것입니다.

06 그림에 알맞은 낱말은 '맑다'입니다.

07 'ㄳ, ㄵ, ㄶ, ㄺ' 따위를 겹받침이라고 합니다. '없다'에 겹받침이 들어가 있습니다.

08 그물, 부표 따위가 모여서 만들어진 쓰레기 더미는 함부로 버려진 페트병, 물휴지 따위가 강을 거쳐 바다로 흘러들어 가서 점점 더 커지고 있습니다.

09 '많은 물건이 한데 모여 쌓인 큰 덩어리.'라는 뜻을 가진 낱말은 '더미'입니다.

10 '몫을'은 [목쓸]로 읽습니다.

11 '해야 할'은 띄어 읽으면 어색하므로 붙여 읽습니다.

12 신문지는 구겨져서 민들레꽃의 목도리가 되었습니다.

13 시에 나오는 신문지에 대해서 '바람에 이끌려 던져지거나 굴려질 때, 그리고 구겨질 때는 속상한 마음이 느껴졌는데, 목도리가 될 때는 뿌듯한 마음이 느껴졌습니다.'라고 생각이나 느낌을 쓸 수 있습니다.

채점 기준

속상한 마음이나 뿌듯한 마음이 느껴진다고 썼으면 정답으로 인정합니다.

14 '바람이 골목을 뚜벅뚜벅 걸어 나가는 장면'에서는 당당한 분위기, '바람이 신문지로 어린 민들레꽃을 덮어 주는 장면'에서는 따뜻한 분위기를 느낄 수 있습니다.

> 더 **알아보기**
>
> **시의 분위기 살펴보기**
> • 시 속 인물의 마음을 그려 봅니다.
> • 시 속 인물에게 하고 싶은 말을 떠올려 봅니다.
> • 시의 분위기에 대해 친구들과 이야기를 나누어 봅니다.

15 이 시는 기분 좋았던 하루에 관해 쓴 글로 '화창한 날씨로 기분이 좋았던 경험'과 관련이 있습니다.

16 기분 좋았던 하루에 관해 쓴 시로 즐겁고 신나는 분위기가 알맞습니다.

17 '나'의 마음은 즐겁고 신난 상태로, 그 마음이 드러나게 표정을 그리도록 합니다.

채점 기준

즐겁고 신난 마음이 드러나게 인물의 표정을 그렸으면 정답으로 인정합니다.

(예)

18 기분 좋았던 하루를 떠올린 것으로는 친구들과 신나게 논다는 내용이 알맞습니다.

19 '앉다'는 [안따], '많다'는 [만타], '없다'는 [업따], '가엾다'는 [가엽따]로 읽습니다.

20 'ㄳ, ㄵ, ㄶ, ㄼ' 따위를 겹받침이라고 하는데, '앉다'에 겹받침이 있습니다. '앉다'는 [안따]로 읽습니다.

낱말의 받침에 대해 이제 잘 알겠지?

응. 낱말에 사용하는 받침 가운데 ㄲ, ㅆ은 쌍받침이라고 하고, ㄳ, ㄵ, ㄶ, ㄼ 따위는 겹받침이라고 해.

5. 마음을 짐작해요
23~26쪽

01 ① **02** ①, ② **03** ② **04** ④ **05** 예 (1) "우아, 제가 지금 혼자 타고 있는 거예요?" (2) 신기하고 기쁜 마음 **06** 콩이 **07** ① **08** 예 콩이와 공놀이를 하며 꽤 친해졌습니다. **09** (3) ○ **10** (1) - ① (2) - ② **11** ① **12** ③ **13** (1) ① (2) ① **14** (1) - ② (2) - ④ **15** (1) 때 (2) 반드시 **16** 예 친구들에게 밤 다섯 개를 다 주고 또야는 빈손이 되어서 **17** ① **18** (1) - ① (2) - ② (3) - ③ **19** 정민 **20** (1) ○ (2) ○

01 '누가(무엇이)' 다음에 조금 쉬어(∨) 읽고, 문장이 너무 길면 문장의 뜻을 생각하며 한 번 더 쉬어(∨) 읽으며, 문장과 문장 사이에서는 조금 더 쉬어(≫) 읽습니다.

02 오소리와 너구리는 오랜만에 만나서 반갑고 행복한 마음이 들었습니다.

03 소영이가 자전거를 탈 때 아빠께서는 도와주고 칭찬해 주셨습니다.

04 소영이가 겪은 일 중에서 가장 마지막에 있었던 일은 자전거를 혼자 탈 수 있게 된 것입니다.

05 인물의 마음이 드러난 말이나 행동을 찾고, 그때 인물의 마음을 짐작하여 씁니다.

> 채점 기준
>
> 인물의 마음이 드러난 말이나 행동과 그때 인물의 마음을 알맞게 썼으면 정답으로 인정합니다.

06 할머니 댁 강아지의 이름은 '콩이'입니다.

07 '내'가 일주일이 짧다고 말한 이유는 콩이와 헤어지기 아쉬워서입니다.

08 '콩이와 공놀이를 하며 꽤 친해졌습니다.'가 글 (나)의 내용으로 들어가기에 알맞습니다.

> 채점 기준
>
> 콩이와 친해졌다는 내용을 알맞게 썼으면 정답으로 인정합

니다.

09 '할머니께서는 그동안 콩이를 잘 돌봐 주어서 정말 고맙다고 말씀하셨어요.'라는 부분을 통해 할머니의 고마운 마음을 알 수 있습니다.

10 콩이와 헤어져야 해서 눈물이 날 것 같을 때에는 '아쉬운 마음'이, 콩이가 집에 온다는 소식을 들었을 때에는 '설레는 마음'이 들었습니다.

> **더 알아보기**
>
> **인물의 마음 짐작하기**
> • 인물에게 있었던 일을 정리해 봅니다.
> • 인물의 말이나 행동에 드러난 마음을 짐작해 봅니다.

11 편지 속에 담긴 윤아에 대한 예린이의 마음은 고마운 마음입니다.

12 소리는 같지만 뜻이 달라서 낱말을 헷갈리면 친구가 전한 마음을 파악하기 어렵기 때문에 주의해서 읽어야 합니다.

13 '늘이다'는 원래 길이보다 길게 하는 것이고 '느리다'는 빠르지 않은 것입니다. '붙이다'는 서로 떨어지지 않게 하는 것이고, '부치다'는 빈대떡이나 달걀 등을 프라이팬에 기름을 둘러 익혀 만드는 것입니다.

14 '동생이 꽃향기를 맡습니다.', '컵을 쟁반에 받칩니다.'가 알맞은 표현입니다.

15 '때'는 옷이나 몸에 묻은 더러운 먼지 등을 나타내는 말이고, '떼'는 행동을 같이하는 무리를 가리키는 말로 '옷에 묻은 때가 깨끗이 지워졌습니다.'가 알맞은 표현입니다. 또한 '반듯이'는 물건이나 행동이 비뚤지 않고 바르게 된 것이고, '반드시'는 틀림없이 꼭 하는 것으로 '나는 내 꿈을 반드시 이루고 싶습니다.'가 알맞은 표현입니다.

16 또야는 친구들에게 삶은 밤 다섯 개를 다 나눠 주고 빈손이 되어서 ㉠처럼 행동한 것입니다.

BOOK 2 실전책

17 눈이 휘둥그레진 친구들의 행동을 통해 놀란 마음을 짐작할 수 있습니다.

18 글 ㈎에서는 삶은 밤 다섯 개를 받아서 기쁜 마음, 글 ㈏에서는 밤을 다 나눠 주고 빈손이 돼서 속상한 마음, 글 ㈐에서는 엄마에게 위로받은 마음을 짐작할 수 있습니다.

19 또야 어머니께서는 또야가 우는 소리가 났을 때 화가 나시기보다는 놀라고 걱정이 되셨을 것입니다.

20 문장이 너무 길면 문장의 뜻을 생각하며 한 번 더 쉬어 읽습니다.

5단원에서 배운 띄어 읽는 방법에 대해 말해 줄 수 있어?

응. '누가(무엇이) 다음에 조금 쉬어 읽고, 문장이 길면 문장의 뜻을 생각하며 한 번 더 쉬어 읽어. 그리고 문장과 문장 사이에서는 조금 더 쉬어 읽어야 해.

---

01 ③　**02** 예 승강기의 단추를 대신 눌러 주었습니다.
03 (1) ○　**04** 현수　**05** ①　**06** 심장, 뼈 따위가 튼튼해집니다. / 몸이 튼튼해집니다.　**07** (1) ×　**08** 잎
09 저장　**10** 혜숙　**11** ㉠, ㉢　**12** 가족이 함께 모여 정하기로 했습니다.　**13** (1) 바다 (2) 수영과 모래놀이를 할 수 있어서 (3) 놀이공원 (4) 놀이기구를 많이 타고 싶어서 **14** 까닭(이유)　**15** ⑤　**16** 예 지구를 사랑하는 마음 **17** (1) ○ **18** ㈎ **19** 예 금덩이를 강물속으로 휙 던져 버렸습니다.　**20** (1) 예 형제의 마음이 따뜻하다는 생각이 들었습니다.　(2) 예 형과 아우 모두 금덩이보다 우애를 중요하게 생각했기 때문입니다.

01 함께 배려하며 살자는 뜻을 담은 광고입니다.

02 장면 **2**에서 유모차와 함께 타는 아이 엄마가 편하게 타기를 바라는 마음에서 승강기의 단추를 대신 눌러 주었습니다.

03 "함께 배려하면 함께 행복해집니다."라는 문구를 통해서 '서로 배려하면서 살자.'라는 내용을 전달하고자 합니다.

04 배려를 받으면 고마움을 느끼지 당연하다고 느낀다고 생각하는 것은 알맞지 않습니다.

05 이 글은 줄넘기의 좋은 점에 대해 쓴 글이므로 '줄넘기의 좋은 점'이 글의 제목으로 알맞습니다.

06 줄넘기를 하면 심장, 뼈 따위나 몸이 튼튼해집니다.

07 (1)은 중요한 내용을 뒷받침하기 위한 내용으로 알맞지 않습니다.

더 알아보기

글을 읽고 중요한 내용을 찾는 방법
• 글의 제목을 알아봅니다.
• 글쓴이가 이 글에서 알려 주고 싶은 것은 무엇인지 생각해 봅니다.
• 글의 내용을 모두 몇 가지로 나누어 설명하는지 살펴봅니다.

08 나무뿌리가 저장하는 영양분은 '잎'에서 만들어집니다.

09 '물건 따위를 잘 모아서 간직함.'을 뜻하는 낱말은 '저장'입니다.

10 이 글은 나무뿌리가 하는 일에 관해 쓴 글입니다. 나무의 줄기가 하는 일에 대해 생각해 보는 것은 알맞지 않습니다.

11 각 문단의 첫 문장이 중요한 내용을 담고 있는 중심 문장입니다.

12 수연이네는 여름 방학에 갈 가족 여행 장소를 가족이 함께 모여 정하기로 했습니다.

13 수연이는 수영과 모래놀이를 할 수 있기에 바다에 가고 싶어 하고, 수진이는 놀이기구를 많이 타고 싶어서 놀이공원에 가고 싶어 합니다.

채점 기준

수연이는 바다, 수진이는 놀이공원에 가고 싶어 합니다. 그에 알맞은 까닭도 맞게 썼으면 정답으로 인정합니다.

14 인물의 생각을 찾을 때에는 까닭(이유)도 함께 찾습니다.

15 동물들은 별나라에 갈 지구를 대표할 동물로 누가 좋을지에 관해 의논하고 있습니다.

16 아기 곰은 별나라에 가는 동물에게 지구를 사랑하는 마음이 가장 중요하다고 말했습니다.

17 별나라에 가고 싶은 원숭이 역할을 실감 나게 소리 내어 읽을 때에는 발랄하면서 간절한 목소리로 읽는 것이 알맞습니다.

18 별나라에 보낼 답장에는 받을 사람, 첫인사, 초대에 대한 감사 인사, 정한 동물과 그 까닭, 끝인사, 날짜, 글쓴이 등이 들어갈 수 있습니다.

19 형님을 금덩이보다 더 소중하게 여기는 아우는 배

를 타고 가다가 금덩이를 강물 속으로 휙 던져 버렸습니다.

20 글의 내용에 대한 자신의 생각을 까닭과 함께 써 봅니다. 예를 들어, '형제의 마음이 따뜻하다는 생각이 들었습니다. 형과 아우 모두 금덩이보다 우애를 중요하게 생각했기 때문입니다.'와 같이 쓸 수 있습니다.

채점 기준

글의 내용에 대한 자신의 생각을 까닭과 함께 알맞게 썼으면 정답으로 인정합니다.

글에서 중요한 내용을 찾기 위해서는 글의 제목은 무엇이고, 글쓴이가 글에서 알려 주고 싶은 것은 무엇인지 찾으며, 글에서 알려 주고 싶은 내용을 모두 몇 가지로 설명하고 있는지 찾아봐야 해.

7. 마음을 담아서 말해요

32~35쪽

01 승강기　**02** (2) ○　**03** ⑤　**04** 머리핀 주인을 찾습니다.　**05** ②　**06** 현민　**07** (1) ○ (3) ○ (4) ○　**08** ⑤　**09** ①　**10** 例 다음부터는 조심해 줘.　**11** ②　**12** ⓒ　**13** (2) ○　**14** ⓓ　**15** ⑤　**16** ⑤　**17** (1) － ① (2) － ②　**18** ②　**19** 하나　**20** (1) 例 엄마 (2) 例 저를 잘 키워 주셔서 감사합니다.

01 지우는 승강기 안에서 머리핀을 발견했습니다.

02 아빠는 우리 아파트에 사는 사람이 머리핀을 잃어버린 것 같다고 말씀하셨습니다.

03 지우는 머리핀을 보고 승강기에서 아끼던 우산을 잃어버려 속상했던 경험을 떠올렸습니다.

04 지우는 안내문에 '머리핀 주인을 찾습니다.'라고 크게 썼습니다.

05 지우는 머리핀 주인의 마음이 속상할 것이라고 생각했습니다.

06 자신의 경험을 떠올리며 이야기를 들을 때는 이야기 속 인물에게 어떤 일이 있었는지 살펴보고, 이야기 속 인물의 경험과 나의 경험을 비교하면서 들어야 합니다.

07 나의 경험을 친구들에게 발표하기 위해서 내가 겪은 일이 무엇인지, 언제 어디에서 있었던 일인지, 그때 나의 생각이나 느낌이 어땠는지 떠올립니다.

더 **알아보기**

자신의 경험을 바른 자세로 발표하기
· 바른 자세로 서서 말합니다.
· 말끝을 흐리지 않고 말합니다.
· 알맞은 빠르기와 목소리 크기로 말합니다.
· 상황에 어울리는 표정을 짓습니다.

08 미술 시간에 실수로 친구의 작품을 망쳤습니다.

09 미술 작품을 망치게 되어 화가 났습니다.

10 여자아이의 마음을 생각하며 고운 말로 어떻게 말하면 좋을지 생각해 씁니다.

채점 기준

"다음부터 조심해 줘.", "잘 보고 다녔으면 좋겠어.", "괜찮아." 등의 내용을 썼으면 정답으로 인정합니다.

11 물방울이 햇살을 받아서 빛나고 있었다고 했으므로 ㉠에 가장 잘 어울리는 말은 '반짝반짝'입니다. '반짝반짝'은 '작은 빛이 잠깐 잇따라 나타났다가 사라지는 모양.'을 뜻합니다.

12 ㉡, ㉣, ㉤은 새로 온 친구인 메기를 가리키는 말입니다.

13 메기는 옆으로 길게 찢어진 입을 가지고 있었고, 입 양쪽에는 긴 수염도 나 있었습니다.

14 물고기들은 메기의 험상궂은 모습 때문에 메기를 피했습니다.

15 메기는 물고기들에게 연못에 오게 된 이유를 말하면서 앞으로 잘 지내자고 했습니다.

16 물장군은 붕어와 잉어에게 달라붙어 떨어지지 않았습니다.

17 붕어와 잉어가 도와달라고 소리쳤을 때, 물고기들은 도망치기에 바빴지만 메기는 물살을 일으켜 물장군을 쫓아 주었습니다.

18 메기가 웃는 모습을 꾸며 주는 말이므로 가장 잘 어울리는 것은 '빙그레'입니다. '빙그레'는 '입을 약간 벌리고 소리 없이 부드럽게 웃는 모양.'을 뜻합니다.

19 메기는 물고기들이 위험에 빠졌을 때, 나서서 도와주었습니다. 메기에 대해서 알맞게 말한 친구는 하나입니다.

20 고마운 마음, 미안한 마음 등 마음을 전하고 싶은 사람을 떠올려 고운 말로 전하고 싶은 말을 씁니다.

> 채점 기준
>
> 고운 말로 주변 사람에게 전하고 싶은 말을 알맞게 썼으면 정답으로 인정합니다.

1단원에서는 나의 경험을 정리해서 발표하는 방법과 고운 말을 사용하여 대화하는 방법에 대해 알아보았어. 발표할 때의 올바른 자세를 생각하며 친구들 앞에서 나의 경험을 잘 발표할 수 있지?

응. 자신 있지! 앞으로는 고운 말을 사용하려고 좀 더 노력할 거야.

01 ①　　**02** ⑤　　**03** 하람　　**04** 예 행복합니다.
05 (1) – ②　(2) – ①　　**06** 예 너무 무서웠을 것입니다.
07 ㉮, ㉯　　**08** 예 친구를 빨리 만나고 싶어서　　**09** ⑤
10 ①　　**11** 휘휘　　**12** ㉯, ㉰　　**13** (3) ○　　**14** ⑤
15 ㉯　　**16** ㉯　　**17** ⑤　　**18** (2) ○　　**19** ①　　**20** 예 제리를 도와주러 와 줘서 고마워.

01 이 시는 비 오는 날 친구와 함께 우산을 쓰고 기분 좋은 느낌을 표현한 시입니다.

02 우산 속에서 친구와 팔짱을 끼고 어깨동무를 하였습니다.

03 비 오는 날 친구와 우산을 함께 나누어 쓰면 더 정답고 따뜻하다고 했습니다. 시의 내용과 가장 비슷한 경험을 떠올린 사람은 하람이입니다.

04 박 속에서 보물이 나와 흥부는 기쁘고 행복했을 것입니다. '기쁘다, 행복하다, 깜짝 놀라다' 등의 내용을 썼으면 정답으로 합니다.

05 ㉯는 「콩쥐팥쥐」의 한 장면, ㉰는 「별주부전」의 한 장면입니다.

06 갑자기 나타난 호랑이를 보고 깜짝 놀라고 무서웠을 것입니다.

> 채점 기준
>
> '무서웠을 것이다. 깜짝 놀랐을 것이다.' 등의 내용을 썼으면 정답으로 인정합니다.

07 작품을 감상하고 생각이나 느낌을 글로 쓸 때는 작품에서 기억에 남는 장면, 그 장면이 기억에 남는 까닭을 씁니다.

08 '나'는 '너'를 빨리 만나고 싶은 마음에 신발 끈도 못 묶고 달려 나갔습니다.

BOOK
2

실전책

09 '내'가 고개를 까딱하자 '너'도 고개를 까딱하였습니다.

10 친구와 건널목을 사이에 두고 똑같은 행동을 신호처럼 주고받고 있으므로 빈칸에 가장 잘 어울리는 말은 '신호'입니다.

11 '이리저리 휘두르거나 휘젓는 모양.'은 '휘휘'입니다.

12 인형극 속 인물의 마음을 짐작할 때에는 인물의 말과 행동을 자세히 살펴보고, 인물의 마음이 드러나는 말을 찾아봅니다. 그리고 인물의 목소리 크기와 말의 빠르기가 어떠한지 주의 깊게 들어야 합니다. 인물이 입은 옷을 통해 마음을 짐작하는 것은 알맞지 않습니다.

> **더 알아보기**
>
> **인형극 속 인물의 마음을 짐작하는 방법**
> • 인물의 행동을 자세히 살펴봅니다.
> • 인물의 마음이 드러나는 말을 찾아봅니다.
> • 인물의 목소리 크기와 말의 빠르기가 어떠한지 주의 깊게 듣습니다.

13 갑자기 호랑이가 나타나서 엄마는 놀랍고 무서웠을 것입니다.

14 호랑이는 오누이를 속이기 위해 엄마 목소리를 흉내 내며 "엄마가 왔단다."라고 하였습니다.

15 제리는 잠자는 사자의 머리가 바위인 줄 알고 위로 올라갔습니다.

16 라온은 목에 밧줄이 감겨서 힘들어하고 있습니다.

17 라온은 밧줄을 풀어 주겠다는 너구리가 고마우면서도 제대로 풀지 못해 답답한 마음이 들었을 것입니다.

18 여우는 제리가 도망가서 화가 났습니다.

19 라온은 위험에 빠진 제리를 도와주기 위해 왔습니다.

20 위험에 빠진 제리를 도와주러 온 라온에게 어떤 말을 하고 싶은지 떠올려 씁니다.

> **채점 기준**
>
> 인형극의 상황과 내용에 맞게 라온에게 하고 싶은 말을 썼으면 정답으로 인정합니다.

> 작품을 감상하고 생각이나 느낌을 표현하려면 인물의 마음이 드러난 부분을 찾아봐야 해.

> 맞아. 그리고 인물의 경험과 비슷한 나의 경험을 떠올려 보면 작품에 대한 생각이나 느낌을 정리하기가 쉬워.

세계적 베스트셀러
콜린스 빅캣 리더스 시리즈

원어민이 스토리를 들려주는
EBS 무료 강의와 함께 재미있는 영어 독서

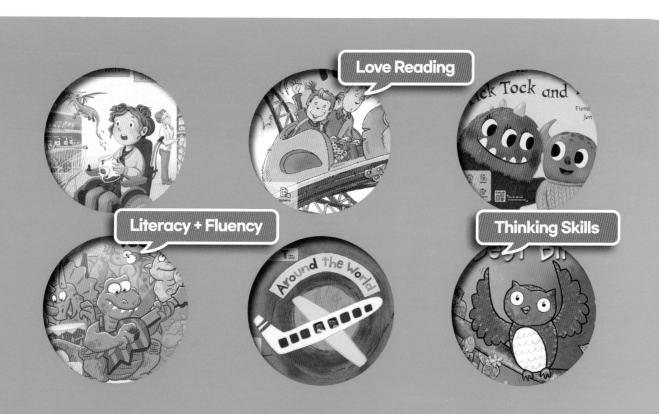

200년 이상의 역사를 보유한 글로벌 Big 5 출판사인 Collins와 대한민국 공교육의 선두주자 EBS의 국내 최초 콜라보!

Collins의 대표적인 시그니처 브랜드이자 수준별 독서 프로그램인 Big Cat을 EBS가 국내 학습트렌드를 반영하여 공교육 주제 연계 커리큘럼으로 재설계하여 개발한 EBS ELT(English Language Teaching) 교재로 만나 보세요. Collins Big Cat × EBS ELT는 영어 기초 문해력 발달부터 유창성 향상까지, 유치원~초중학 영어 읽기 학습을 완벽하게 지원해 주는 '수준별 리더스 프로그램(Guided Readers Program)'입니다.

 Collins Big Cat × EBS ELT 교재 특장점

국내 최초	체계성	차별성	교육과정 연계
영국 출판사 Collins의 베스트셀링 리더스 시리즈의 한국 맞춤형 학습 교재	영미 공교육 커리큘럼에 맞춘 13단계의 섬세하고 정교한 커리큘럼	원서 스토리북(SB) 자체에 EBS만의 독서 전·중·후 활동 학습코너 추가하여 더욱 풍부한 수업 가능	국내 초등 교육과정 주제와 관련된 스토리들로 교과 배경지식 습득 가능

Great Fun & High Quality	확장성	무료 강의	풍부한 부가자료
유·초등학생의 흥미를 반영한 재미있는 스토리 + 최신 고품질 일러스트레이션과 실사 사진	워크북(WB)을 통해 스토리북(SB)에서 배운 어휘, 문장, 내용 이해 및 미니 프로젝트까지 확장	다채널 방송 플랫폼 무료 강의 및 VOD 다시보기 서비스 제공	워크북 외에도 MP3, 정답 PDF, 추가 액티비티 워크시트 등 제공

Big Cat Curriculum | 리더스 프로그램 커리큘럼 총 13단계로 정교한 커리큘럼 구성 (유치~초·중학생(추천 연령 4~14세))

Big Cat 레벨		주요 콘셉트	세부 학습 내용
Band 1~2	유치 ~ 초등 초급	Literacy Program	파닉스 수준의 쉬운 단어 읽기부터, 문장을 정확하게 읽어 내는 연습을 통해 스스로 영어 스토리북을 읽고 이해하는 단계까지 학습!
Band 3~4	초등 초급 ~ 중급		
Band 5~8	초등 중급 ~ 고급	Reading Comprehension	어휘 확장, 배경지식 확장 및 Reading Comprehension Skills 향상
Band 9~13	초등 고급 ~ 중학	Academic Reading	Academic Vocabulary, 배경지식 확장 및 Higher Reading Comprehension Skills

`1~4단계` 싱글패키지 54책 + 풀패키지 4세트 (2022년 4월 출시) `5~13단계` 싱글패키지 86책 + 풀패키지 7세트 (2022년 9월, 10월 출시)

Band 1 📖 12권

- 기초 어휘와 Sight Words를 충분히 연습할 수 있는 쉽고 짧은 스토리
- 영어 읽기에 익숙해지는 단계

Band 2 📖 12권

- 패턴 문장들로 읽기 기초 및 자신감 향상
- 기초 어휘와 Sight Words 확장
- Retelling으로 재미있는 독서 마무리

Band 3 📖 12권

- 다양한 문장 노출로 Fluency 향상
- 기초 어휘와 Sight Words 확장
- Story Structure, Retelling, Project 활동으로 재미있는 독서 마무리

Band 4 📖 18권

- 다양한 주제와 문장으로 독서력 향상
- 어휘와 Sight Words 확장
- Story Structure, Retelling, Project 활동으로 재미있는 독서 마무리

 Collins Big Cat × EBS ELT 교재 방송강의 시청 | EBS 1~2TV, PLUS 2, EBS English 채널

▶ **온라인 동영상 강의 다시보기** | EBS 초등 모바일앱과 EBS 초등사이트(primary.ebs.co.kr), 잉글리시 사이트(ebse.co.kr), 문해력 사이트(literacy.ebs.co.kr)

EBS와 함께하는 자기주도 학습 초등·중학 교재 로드맵

		예비 초등	1학년	2학년	3학년	4학년	5학년	6학년

전과목 기본서/평가

BEST 만점왕 국어/수학/사회/과학 — 교과서 중심 초등 기본서
만점왕 통합본 학기별(8책) **HOT** — 바쁜 초등학생을 위한 국어·사회·과학 압축본
만점왕 단원평가 학기별(8책) — 한 권으로 학교 단원평가 대비
기초학력 진단평가 초2~중2 — 초2부터 중2까지 기초학력 진단평가 대비

국어

독해 — **4주 완성 독해력** 1~6단계 — 학년별 교과 연계 단기 독해 학습

문학

문법

어휘
- **어휘가 독해다!** 초등 국어 어휘 1~2단계 — 1, 2학년 교과서 필수 낱말 + 읽기 학습
- **어휘가 독해다!** 초등 국어 어휘 기본 — 3, 4학년 교과서 필수 낱말 + 읽기 학습
- **어휘가 독해다!** 초등 국어 어휘 실력 — 5, 6학년 교과서 필수 낱말 + 읽기 학습

한자
- **참 쉬운 급수 한자** 8급/7급 II/7급 — 한자능력검정시험 대비 급수별 학습
- **어휘가 독해다!** 초등 한자 어휘 1~4단계 — 하루 1개 한자 학습을 통한 어휘 + 독해 학습

쓰기
- **참 쉬운 글쓰기** 1-따라 쓰는 글쓰기 — 맞춤법·받아쓰기로 시작하는 기초 글쓰기 연습
- **참 쉬운 글쓰기** 2-문법에 맞는 글쓰기/3-목적에 맞는 글쓰기 — 초등학생에게 꼭 필요한 기초 글쓰기 연습

문해력
- **어휘/쓰기/ERI독해/배경지식/디지털독해가 문해력이다** — 평생을 살아가는 힘, 문해력을 키우는 학기별·단계별 종합 학습
- **문해력 등급 평가** 초1~중1 — 내 문해력 수준을 확인하는 등급 평가

영어

EBS ELT 시리즈 | 권장 학년 : 유아 ~ 중1
- EBS Big Cat — **Collins BIG CAT** — 다양한 스토리를 통한 영어 리딩 실력 향상
- EBS Big Cat — **Shinoy and the Chaos Crew** — 흥미롭고 몰입감 있는 스토리를 통한 풍부한 영어 독서
- EBS easy learning — **easy learning** (First Letters) — 저연령 학습자를 위한 기초 영어 프로그램

독해
- **EBS랑 홈스쿨 초등 영독해** Level 1~3 — 다양한 부가 자료가 있는 단계별 영독해 학습
- **EBS 기초 영독해** — 중학 영어 내신 만점을 위한 첫 영독해

문법
- **EBS랑 홈스쿨 초등 영문법** 1~2 — 다양한 부가 자료가 있는 단계별 영문법 학습
- **EBS 기초 영문법** 1~2 **HOT** — 중학 영어 내신 만점을 위한 첫 영문법

어휘
- **EBS랑 홈스쿨 초등 필수 영단어** Level 1~2 — 다양한 부가 자료가 있는 단계별 영단어 테마 연상 종합 학습

쓰기

듣기
- **초등 영어듣기평가 완벽대비** 학기별(8책) — 듣기 + 받아쓰기 + 말하기 All in One 학습서

수학

연산 — **만점왕 연산** Pre 1~2단계, 1~12단계 — 과학적 연산 방법을 통한 계산력 훈련

개념

응용 — **만점왕 수학 플러스** 학기별(12책) — 교과서 중심 기본 + 응용 문제

심화 — **만점왕 수학 고난도** 학기별(6책) — 상위권 학생을 위한 초등 고난도 문제집

특화 — **초등 수해력** 영역별 P단계, 1~6단계(14책) — 다음 학년 수학이 쉬워지는 영역별 초등 수학 특화 학습서

사회

사회 역사
- **초등학생을 위한 多담은 한국사 연표** — 연표로 흐름을 잡는 한국사 학습
- **매일 쉬운 스토리 한국사** 1~2/**스토리 한국사** 1~2 — 하루 한 주제를 이야기로 배우는 한국사/ 고학년 사회 학습 입문서

과학

과학

기타

창체 — **창의체험 탐구생활** 1~12권 — 창의력을 키우는 창의체험활동·탐구

AI
- **쉽게 배우는 초등 AI** 1(1~2학년) — 초등 교과와 융합한 초등 1~2학년 인공지능 입문서
- **쉽게 배우는 초등 AI** 2(3~4학년) — 초등 교과와 융합한 초등 3~4학년 인공지능 입문서
- **쉽게 배우는 초등 AI** 3(5~6학년) — 초등 교과와 융합한 초등 5~6학년 인공지능 입문서